["十二五"国家重点图书出版规划项目
林业应对气候变化与低碳经济系列丛书]

◆

总主编：宋维明

低碳经济概论

◎ 吴红梅　陈建成　等编著

中国林業出版社

图书在版编目（CIP）数据
低碳经济概论／吴红梅，陈建成等编著．－北京：中国林业出版社，2015.5
林业应对气候变化与低碳经济系列丛书／宋维明总主编
“十二五”国家重点图书出版规划项目
ISBN 978-7-5038-7926-5

Ⅰ．①低…　Ⅱ．①吴…　②陈…　Ⅲ．①生态经济　Ⅳ．①F062.2

中国版本图书馆CIP数据核字（2015）第062933号

出 版 人：金　旻
丛书策划：徐小英　何　鹏　沈登峰
责任编辑：何　鹏
美术编辑：赵　芳

出版发行　中国林业出版社（100009　北京西城区刘海胡同7号）
http://lycb.forestry.gov.cn
E-mail:forestbook@163.com　电话：(010)83143515、83143543
设计制作　北京天放自动化技术开发公司
印刷装订　北京中科印刷有限公司
版　　次　2015年5月第1版
印　　次　2015年5月第1次
开　　本　787mm×1092mm　1/16
字　　数　285千字
印　　张　15
定　　价　53.00元

林业应对气候变化与低碳经济系列丛书

编审委员会

出版说明

气候变化是全球面临的重大危机和严峻挑战，事关人类生存和经济社会全面协调可持续发展，已成为世界各国共同关注的热点和焦点。党的十八大以来，习近平总书记发表了一系列重要讲话强调，要以高度负责态度应对气候变化，加快经济发展方式转变和经济结构调整，抓紧研发和推广低碳技术，深入开展节能减排全民行动，努力实现“十一五”节能减排目标，践行国家承诺。要正确处理好经济发展同生态环境保护的关系，牢固树立保护生态环境就是保护生产力、改善生态环境就是发展生产力的理念，更加自觉地推动绿色发展、循环发展、低碳发展，决不以牺牲环境为代价去换取一时的经济增长。这为进一步做好新形势下林业应对气候变化工作指明了方向。

林业是减缓和适应气候变化的有效途径和重要手段，在应对气候变化中的特殊地位得到了国际社会的充分肯定。以坎昆气候大会通过的关于“减少毁林和森林退化以及加强造林和森林管理”（REDD+）和“土地利用、土地利用变化和林业”（LULUCF）两个林业议题决定为契机，紧紧围绕《中华人民共和国国民经济和社会发展第十二个五年规划纲要》和《“十二五”控制温室气体排放工作方案》赋予林业的重大使命，采取更加积极有效措施，加强林业应对气候变化工作，对于建设现代林业、推动低碳发展、缓解减排压力、促进绿色增长、拓展发展空间具有重要意义。按照党中央、国务院决策部署，国家林业局扎实有力推进林业应对气候变化工作并取得新的进展，为实现林业“双增”目标、增加林业碳汇、服务国家气候变化内政外交工作大局做出了积极贡献。

本系列丛书由中国林业出版社组织编写，北京林业大学校长宋维明教授担任总主编，北京林业大学、福建农林大学、福建师范大学的二十多位学者参与著述；国家林业局副局长刘东生研究员撰写总序；著名林学家、中国工程院院士沈国舫，北京大学中国持续发展研究中心主任叶文虎教授给予了指导。写作团队根据近年来对气候变化以及低碳经济的前瞻性研究，围绕林业与气候变化、森林碳汇与气候变化、低碳经济与生态文明、低碳经济与林木生物质能源发展、低碳经济与林产工业发展等专题展开科学研究，系统介绍了低碳经济的理论与实践和林业及其相关产业在低碳经济中的作用等内容，阐释了我国林业应对气候变化的中长期战略，是各级决策者、研究人员以及管理工作者重要的学习和参考读物。

2014 年 7 月 16 日

总　序

刘东生

随着中国——世界第二大经济体崛起于东方大地，资源约束趋紧、环境污染严重、生态系统退化等问题已成为困扰中国可持续发展的瓶颈，人们的环境焦虑、生态期盼随着经济指数的攀升而日益凸显，清新空气、洁净水源、宜居环境已成为幸福生活的必备元素。为了顺应中国经济转型发展的大趋势，满足人民过上更美好生活的心愿，党的十八大报告首次单篇论述生态文明，首次把“美丽中国”作为未来生态文明建设的宏伟目标，把生态文明建设摆在总体布局的高度来论述。生态文明的提出表明我们党对中国特色社会主义总体布局认识的深化，把生态文明建设摆在五位一体的高度来论述，也彰显出中华民族对子孙、对世界负责任的精神。生态文明是实现中华民族永续发展的战略方向，低碳经济是生态文明的重要表现形式之一，贯穿于生态文明建设的全过程。生态文明建设依赖于生态化、低能耗化的低碳经济模式。低碳经济反映了环境气候变化顺应人类社会发展的必然要求，是生态文明的本质属性之一。低碳经济是为了降低和控制温室气体排放，构造低能耗、低污染为基础的经济发展体系，通过人类经济活动低碳化和能源消费生态化所实现的经济社会发展与生态环境保护双赢的经济形态。低碳经济不仅体现了生态文明自然系统观的实质，还蕴含着生态文明伦理观的责任伦理，并遵循生态文明可持续发展观的理念。发展低碳经济，对于解决和摆脱工业文明日益显现的生态危机和能源危机，推动人与自然、社会和谐发展具有重要作用，是推动人类由工业文明向生态文明变革的重要途径。

林业承担着发挥低碳效益和应对气候变化的重大任务，在发展低碳经济当中有其独特优势，具体表现在：第一，木材与钢铁、水泥、塑料是经济建设不可或缺的世界公认的四大传统原材料；第二，森林作为开发林业生物质能源的载体，是仅次于煤炭、石油、天然气的第四大战略性能源资源，而且具有可再生、可降解的特点；第三，发展造林绿化、湿地建设不仅能增加碳汇，也是维护国家生态安全的重要途径。因此，林业作为低碳经济的主要承担者，必须肩负起低碳经济发展的历史使命，使命光荣，任务艰巨，功在当代，利在千秋。

党的十八大报告将林业发展战略方向定位为“生态林业”，突出强调了林业在生态文明建设中的重要作用。进入21世纪以来，中国林业进入跨越式发展阶段，先后实施多项大型林业生态项目，林业建设成就举世瞩目。大规模的生态投资加速了中国从森林赤字走向森林盈余，着力改善了林区民生，充分调动了林农群众保护生态的积极性，为生态文明建设提供不竭的动力源泉。不仅如此，习近平总书记还进一步指出了林业在自然生态系中的重要地位，他指出：山水林田湖是一个生命共同体，人的命脉在田，田的命脉在水，水的命脉在山，山的命脉在土，土的命脉在树。中国林业所取得的业绩为改善生态环境、应对气候变化做出了重大贡献，也为推动低碳经济发展提供了有利条件。实践证明：林业是低碳经济不可或缺的重要部分，具有维护生态安全和应对气候变化的主体功能，发挥着工业减排不可比拟的独特作用。大力加强林业建设，合理利用森林资源，充分发挥森林固碳减排的综合作用，具有投资少、成本低、见效快的优势，是维护区域和全球生态安全的捷径。

本套丛书以林业与低碳经济的关系为主线，从两个层面展开：一是基于低碳经济理论与实践展开研究，主要分析低碳经济概况、低碳经济运行机制、世界低碳经济政策与实践以及碳关税的理论机制及对中国的影响等方面。二是研究低碳经济与生态环境、林业资源、气候变化等问题的相关关系，探讨两者之间的作用机制，研究内容包括低碳经济与生态文明、低碳经济与林产品贸易、低碳经济与森林旅游、低碳经济与林产工业、低碳经济与林木生物质能源、森林碳汇与气候变化等。丛书研究视角独特、研究内容丰富、论证科学准确，涵盖了林业在低碳经济发展中的前沿问题，在林业与低碳经济关系这个问题上展开了系统而深入的探讨，提出了许多新的观点。相信丛书对从事林业与低碳经济相关工作的学者、政府管理者和企业经营者等会有所启示。

2014年7月9日

前　　言

在全球气候和能源问题日益突出的情况下，低碳经济概念的提出，为中国的现代化发展打开了一扇新的窗户。发展低碳经济不仅有利于节能降耗，还可以促进新能源的发展，更有利于树立科学的现代化理念，符合我国人民的根本利益。

低碳经济是一种低能耗、低污染、低排放、高效能、高效率、高效益的可持续经济发展模式，通过更少的资源消耗和更小的环境污染，获得更多的经济产出，并创造更好的生活质量，体现了对人与自然、人与社会、人与人和谐关系的理性认知。低碳经济要求技术进步、工农业生产、社会消费等人类生产与生活的各项活动都建立在人与自然和谐相处、协调发展的基础上。

低碳经济是一场涉及生产方式、生活方式和价值观念的全球性革命。作为一个具有广泛社会性的前沿经济理念，对低碳经济的研究正在逐步深入的过程当中。本书以科学发展观为统领思想，在借鉴其他学者相关研究的基础上，希望能够系统全面介绍低碳经济在国内外的发展历程和现状，首先介绍低碳经济的由来、内涵，然后阐述低碳经济的生产模式、消费模式和和城市发展模式，最后介绍低碳经济的政策支持体系和技术支持体系，力争全面介绍低碳经济的相关知识。

本书由北京林业大学经济管理学院的教师共同完成，宋维明和陈建成对全书的架构和内容给予了指导，吴红梅、陈建成、宋晓梅以及贺超分别承担编著了各有关章节。另外，对任靖、张辉、韩璐和张寻薇所做出的工作表示由衷的感谢。在编写过程中，也引用了一些作者的部分文献资料，在此也表示谢意。书中难免存在错漏和不足之处，敬请广大同仁及读者予以批评指正。

编著者

2014 年 6 月

目　　录

第1章　低碳经济产生的背景

随着工业文明的进步和全球人口爆炸式的增长，人类在不断地改造自然的同时对自然造成的破坏性影响也越来越严重，气候变化、全球变暖已成为一个不争的事实。为共同应对气候变化，促进人类社会可持续发展，世界各国就消费模式、经济增长模式等问题进行了深入的探讨与反思，最终达成低碳经济这一共识。低碳经济(low-carbon economy)是一种全新的经济理念，其提法最早源于英国在2003年发布的能源白皮书《我们未来的能源：创建低碳经济》中，目前，国际上关于低碳经济的定义为“人类通过技术手段和制度设计，降低化石能源(主要是煤、石油、天然气)的消耗，减少温室气体的排放，遏制全球气候变暖，从而减少由此带来的各类自然灾害的发生和生态环境的恶化，保护人类的生存安全”。因此，这种经济模式是一种比循环经济要求更高、对资源环境更为有利的经济增长模式，是实现经济、社会、环境协调发展的必由之路，推动着人类文明的重大转变。

1.1　低碳经济的生态背景

1.1.1　气候变暖的现状

气候变暖是指全球范围内长期的气温上升趋势，是一种自然现象，更是一种人为现象，除了受地球周期性活动(如地球公转轨道和自转)的变化、太阳辐射变化、火山爆发等影响外，还要归咎于人类活动的影响，特别是与碳排放有关的人类活动。从工业革命至今，随着人类活动范围的不断扩展、对自然的改造能力不断增强、经济社会的不断发展，对能源的需求也随之增加，人类开始大规模开采和使用化石能源，排放温室气体；与此同时，为满足人类活动消费需求，大量森林被砍伐，对温室气体的吸收减少，大气中的温室气体含量越来越高。由于温室气体对太阳辐射的可见光具有高透过性，对地球反射出来的长波辐射具有高吸收性，能强烈吸收地面辐射中的红外线，进而产生“温室效应”，导致地表温度升高、气候系统失去平衡。

自1840年工业革命以来，大气中二氧化碳的浓度增加了30%，达到了42万年中的最高值。联合国政府间气候变化专门委员会(IPCC)于1990、1995、2001和2007年发布的研究报告表明：从1860年工业革命到2000年，全球平均气温上升了0.4~0.8℃，地球正在经历一场全球性气候变暖。

而根据中国2007年6月发布的《中国应对气候变化国家方案》，在全球变暖的大背景下，中国气候也在发生显著变化：近百年来中国年平均气温升高了0.5~0.8℃，略高于同期全球增温的平均值，尤其以近50年来的增温最为明显；从地域分布来看，西北、华北和东北地区气候变化明显，长江以南的地区变暖趋势不明显；从季节上看，冬季增温明显；1886~2005年，中国连续出现20个暖冬。

1.1.2 气候变化的危害

气候变化会对全球生态环境带来了一系列负面影响。

1.1.2.1 海平面上升

温室效应、全球变暖是海平面上升的根本原因。一方面气候变暖的直接后果是海洋变暖，海水出现热膨胀，海平面随之升高；另一方面，温室效应使地表温度升高，地球南北极冰川融化，引起海平面上升。有资料表明：过去的百年间全球海平面已上升了10~20cm，并且未来还要续续上升。预计到2100年，地表平均气温将比1990年上升1.4~5.8℃，全球平均海平面将比1990年上升0.09~0.88m。海平面上升的直接后果就是低地被淹没，这将直接威胁到沿海国家及众多海岛国家的生存和发展。正如专家所估计的，海平面每上升1m，可能要使孟加拉国和中国大约有7000万人搬迁。南太平洋低洼的环礁国家和地区，包括马绍尔群岛、图瓦卢、瑙鲁、基里巴斯和托克劳，对于很小幅度的海平面上升的承受能力都极度脆弱。海平面上升1m，可能会造成马绍尔群岛的马朱罗环礁损失80%的土地，全国一半人口丧失家园，而基里巴斯将丧失12.5%的土地，东京、大阪、上海、曼谷、威尼斯、彼得堡、阿姆斯特丹等众多经济发达、环境优美的沿海城市也将被完全淹没。

有鉴于此，一种新的旅游项目——“末日景点旅游”开始悄然兴起，人们在休闲旅游的同时，也承受着地球生态“末日”的悲哀。被誉为“人类最后的天堂”的印度洋群岛国家——马尔代夫就是末日旅游景点的一个代表，这个国家由1192个群岛组成，平均海拔只有1.5m，如果放任气候变暖、海平面上升，这个天堂岛国将会在21世纪消失。2009年10月17日，马尔代夫在水下召开内阁会议，呼吁全世界关注气候变暖造成的海平面上升的危害，并采取必要措施节能减排减缓气候变化的进程。

海平面上升在淹没低地的同时也在进一步侵蚀着海边陆地，海岸后退造成滨海地区用水受到污染、农田盐碱化和沼泽化加剧；与此同时，潮差加大、波浪作用的加强会进一步减弱沿岸防护堤坝的能力，加剧河口的海水入侵，增加排污难度，破坏生态平衡。这将迫使设计者不得不提高工程设计标准，增加工程项目经费投入。例如在过去的20年里，由于泰晤士河的水位随海平面上升而升高，当地政府不得不先后88次加高防洪堤坝，以确保居民的生命财产安全。

1.1.2.2 冰川冻土加速融化

全球大约有4/5的淡水资源储备在冰川之中，其中极地冰川占全球淡水资源的75%，虽然现在还难以被利用，但随着水资源的污染与匮乏，纯净无污染的冰川淡水逐渐成为一种重要的资源储备而为各国所重视。冰川的另一种形态——内陆高山冰川则是河流的重要水源，通过对河流流量的影响，高山冰川改变着陆地上的生态系统、农业区域及人类文明进程，其重要性不言而喻。

调查表明，随着全球气温不断升高，极地冰川面积在萎缩，厚度在下降，裂缝逐渐扩大。2009年4月7日，联合国环境规划署发现南极一块巨大的冰架——威尔金斯冰架(Wilkins Ice Shelf)的冰桥出现了断裂，这是气候变化对南极造成影响的又一个警报。有资料显示，该区域近数十年来温度上升了大约3℃，超过全球平均升温水平。威尔金斯冰架是南极半岛的一部分，面积相当于牙买加，经过多年的持续消融后，会导致南极内陆冰川漂移增加，最终促使消融加速，从而进一步引起海平面上升。

与极地冰川相对应的是，内陆冰川在最近几十年来也经历了快速的融化过程。生态多样性的典范——乞力马扎罗山的冰川，1912～2007年，冰川覆盖面积减少了85%，并可能在接下来的20年内完全消失。最近30年来，喜马拉雅冰川不断收缩，面积减少了10%以上，雪线上升最高达350m。按照英国哈德利中心(Hadley Center)“到2100年，青藏高原的温度将比现在升高2～3.6℃”的预测，粗略估算到2050年中国西北部的冰川一半以上将彻底消失。中国地势西高东低，大江大河多发源于青藏高原的冰川融水，如果冰川按此速度融化，主要河流今后就会成为无源之水，流量大幅减少，这将对整个农业、工业产生灾难性的后果。正如中国科学院寒区旱区环境与工程研究所鲁安新博士所言：“在未来25年内，青藏高原的温度将会上升1.4℃。如果这种气候变化的趋势持续下去的话，黄河源区的水量在十几年内就会减少50%。到那时，面临困境的不仅仅是一个地区的牧民，而是整个流域。”

此外，内陆的冻土层也受到了气候变暖的影响，最近20年中，黄河源区的多年冻土在大规模消退，主要表现为土地平均温度升高、活动层加深以及多年冻土下界升高三个方面。冻土的消融会使存在其中的甲烷等温室气体释放到空气中，进一步增加大气中的含碳量，加剧温室效应。对此，美国麻省理工学院科研人员在《地球物理研究杂志》网络版上警告道：“一旦地下甲烷大量释放到大气层中，其导致全球变暖的速度可能会比目前主要由二氧化碳等温室气体造成的全球变暖还要快20倍。”

1.1.2.3 极端气候频现

世界气象组织规定，如果某个(些)气候要素的时、日、月、年值达到25年以上一遇，或者与其相应的30年平均值的“差”超过了2倍均方差时，这个(些)气候要素值就属于“异常”气候值。出现“异常”气候值的气候就称为“极端气候”。干旱、洪涝、高温热浪和低温冷害等都可以看成极端气候。根据联合国政府间气候变化专门委员会(IPCC)的评估报告：在过去的50年中，极端天气事件特别是强降水、干旱、洪涝、低温冷害、台风等极端事件呈现不断增多、增强的趋势，今后这类极端气候事件还会出现得更加频繁。

2007年，天气和气候极端事件肆虐。2月，热带气旋“Gamede”在法属留尼旺创下了72h降水量3929mm的世界纪录；同月，南非刮起了一股罕见的寒流，约翰内斯堡气温骤跌到0℃以下，并出现了26年以来的首次降雪；5月末，莫斯科气温达到1891年以来同期的最高温度；6月，有记录以来最强烈的热带气旋“古努”袭击阿曼、伊朗等阿拉伯国家；7月，热浪侵袭欧洲，马其顿和波斯尼亚气温高达45℃，打破了120年以来的纪录；截至8月底，美国全国60%的地区干旱缺水；……

据国际气象组织报告，2008年全球气象特征表现得更为极端。土耳其度过了50年来最寒冷的1月份；美国中西部地区2月份的平均气温低于正常值约5℃；加拿大多伦多的降雪量达到70年之最；南半球的阿根廷也在5月份迎来了历史上最冷的冬天，11月份却又经历了50以年来最热的夏天。2008年，太平洋、大西洋和印度洋共生成了大约60个热带风暴，足迹遍布欧洲、美洲、非洲、东南亚、南亚和加勒比海，甚至连国土主要被沙漠和地表岩石所覆盖的也门都一度变成沼泽之国。其中，5月在印度洋北部生成的纳尔吉斯气旋是1991年以来亚洲遭遇过的最具破坏性的热带风暴，气旋在缅甸造成了近8万人死亡的空前灾难。而在一些国家饱受洪涝灾害之苦的同时，澳大利亚、葡萄牙、西班牙以及南美洲的乌拉圭、巴拉圭等国却都发生了严重的旱情。

2009年同样是个天气和气候极端事件肆虐的年份。6月，滚滚热浪袭击印度，持续的高温天气严重影响了人们的日常生活，延缓了经济复苏的步伐。印度首都新德里27日的最高温度达到45℃，最低也有32℃，当天印度西北部地区的最低气温都在40℃以上。一周来，拉贾斯坦邦的最高气温持续保持在43℃以上，一些地方的最高气温几乎就要突破50℃，为历年之最。据统计，长达一周的高温天气造成印度120人死亡；而非官方的统计数字甚至显示，仅奥里萨邦就有200多人死于热浪袭击，该邦的救灾官员甚至建议印度政府宣布高温为“国难”。

极端气候事件频繁发生还表现在厄尔尼诺现象和拉尼娜现象交替出现上。厄尔尼诺现象又称厄尔尼诺海流，是指赤道带海水温度大范围、长时间、不间断的异常增温现象，这种现象一般持续一年，最长持续一年半，短的为半年。100多年来，著名的厄尔尼诺年是1891、1898、1925、1939～1941、1953、1957～1958、1965～1966、1972～1976、1982～1982和1997～1998年。拉尼娜是反厄尔尼诺现象，指赤道太平洋东部和中部海洋表面温度持续大范围异常偏冷的现象。1988～1989、1998～2001、2007～2008年都发生了强烈的拉尼娜现象，使得太平洋东部至中部的海水温度比正常温度低1～2℃。有科学家认为，由于全球暖化的趋势，拉尼娜现象有减弱的趋势。根据现有资料，科学家认为二氧化碳浓度增加会带来厄尔尼诺现象，例如1988年二氧化碳的年平均增长为2.45μL/L，1998年为2.74μL/L，这2年都毫无例外地发生了厄尔尼诺现象。

1.1.2.4　地球生物多样性遭到威胁

生物多样性这一概念由美国野生生物学家和保育学家雷蒙德(Ramond. F. Dasman)1968年在《一个不同类型的国度》一书中首先使用，是指“所有来源的活的生物体中的变异性，这些来源包括陆地、海洋和其他水生生态系统及其所构成的生态综合体；这包括物种内、物种之间和生态系统的多样性”。生物多样性是地球生命的基础，在维持气候、保护水源、保持土壤和维护正常的生态学过程中发挥着重要的作用。

地球生态系统是一个由各种生物及其周围环境共同构成的自然综合体，在这一系统中，所有的物种都是生态系统重要的组成部分，不仅各物种之间相互依赖，彼此制约，而且生物与其周围的各种环境因子也是相互作用的。全球气候变暖的进程已经对许多地区的自然环境产生了不可逆转的影响，如海平面升高、冰川退缩、湖泊水位下降、湖泊面积萎缩、冻土融化、(湖)冰迟冻与早融等。自然环境的急剧变化势必会对依托于自然环境生存与繁衍的生物造成严重的影响，改变生态系统内部不同种群的竞争力，进而影响全球生态的多样性。有资料显示，在全球范围内，如果气温上升2.5℃，30%的物种将灭绝；如果气温上升3.5℃，则将有70%的物种消失。英国一份研究表明，在过去5.2亿年中，地球的4次大灭绝都和热带海洋变暖有关。在全球变暖的进程中，一些物种成为了受益者，栖息地增加、天敌减少，但最终会泛滥成灾，引发了更严重的生态灾难；而另外一些物种由于对生存环境的挑剔及受人类活动的影响而成为濒危动物，最终消失。

全球变暖导致了北极冰山和冰盖的消融，并严重威胁北极熊等“北极居民”的栖息地，以浮冰上海豹为食的北极熊不得不将捕食场所转移到陆地上，猎食变得越来越困难，更多的北极熊被迫游向更远的海里去寻找食物并死在海里。北极熊并不是唯一遭到生存威胁的动物，在南极，正在崩裂的南极冰架使帝企鹅幼仔掉入海中溺水身亡，专家表示，如果全球平均气温上升2℃，世界上帝企鹅将失去40%的繁殖地。在北美洲高海拔山区和欧洲阿尔卑斯山，原生的蝴蝶由于气候变化而灭绝；2002年，澳大利亚新南威尔士出现42℃高温，导致2500多只灰头果蝠死亡，占到当地果蝠种群数量的10%；在南美洲和非洲，一些容易在温暖环境滋生的真菌使得蛙类种群减少；在美国西海岸，巨型章鱼为了躲避炎热而进入加州海域的商业捕鱼区和人类争夺食物。当人类还在为全球变暖争论不休的时候，地球上很多生物却因为来不及进化以应对气候变化而遭受生存的威胁。

气候变化在威胁生物生存的同时也在影响着人类的健康。这表现在：部分地区夏天的高温热浪引发心脏病及各种呼吸系统疾病，夺走了很多人的生命，新生儿和老人成为高温热浪的首要牺牲品；全球变暖导致的低空中臭氧浓度增加，会破坏人的肺组织，引发哮喘等一系列疾病；全球变暖还起到激活新病毒、生成变异品种的作用，加速了某些传染性疾病的传播。在过去的20年里，全球至少有30种新的传染病抬头，一些热带病开始向高纬度扩散，危害着人类的生存安全。

1.2 低碳经济的经济背景

以往以“高能耗、高污染、高排放”为特征的粗放型经济增长模式，给这全球生态、经济、社会都带来了严重损失，深度触及了能源安全、生态安全、水资源安全和粮食安全，威胁着人类的生存和发展，这些问题引发了国际社会的广泛关注和深入反思。作为一种有着广阔发展前景的新经济模式——低碳经济自出现之日起就受到了国际社会的广泛关注，成为未来世界经济新的发展方向。

1.2.1 忽略气候变化最终将损害经济发展——《斯特恩报告》

2006年，在英国政府及首相布莱尔的邀请下，前世界银行首席经济师、英国经济学家尼古拉斯·斯特恩(Nicholas Stern)经过1年调研主持完成的《斯特恩报告》正式发布。这份长达700页的报告以三种不同的方式考虑了气候变化影响的经济成本，以及开展行动，减少造成气候变化的温室气体排放的成本和收益：

(1)使用分解手段，换句话说就是考虑气候变化对经济、人类生活和环境的物理影响，并分析利用不同技术和战略来减少温室气体排放的资源成本；

(2)使用经济模型，包括用于预测气候变化经济影响的综合评估模型，以及显示总体经济转变到低碳能源系统的成本和效益的宏观经济模型；

(3)以当前水平和“碳的社会成本”(温室气体排放每增加一个单位的相关影响成本)的未来轨迹与少量的缓解成本(逐渐减少排放单位的相关成本)进行比较。

这些角度都表明，忽略气候变化最终将损害经济发展。我们在今后几十年里的行为可能会给经济和社会活动带来重大的风险，这些风险的规模甚至会达到20世纪前半叶重大战争和经济萧条时期的规模。最为重要的是这些风险很难，甚至不可能被扭转。所以有效应对气候变化是一项有利增长的长期战略，而且并不会因此而限制富国和穷国的发展愿望。有效行动开展得越早，所需付出的成本就越小。最后报告呼吁世界各国尽早采取行动，向低碳经济转型。此外，报告还提出利用环境税收来最大限度地减少对经济和社会造成的影响。

由于篇幅有限，本书仅对报告的第二种方式——综合评估模型进行介绍，用于简要预测气候变化对经济影响以及总体经济转变到低碳能源系统的成本和效益。

报告首先对过去的正式模拟把起点定在全球变暖2～3℃的计量方法提出质疑，认为早期模型对变暖的预测过于乐观了，进而提出：按照最近的证据显示，如果按“照常营业”的情况继续排放的话，到21世纪末温度变化也许会超过2～3℃，这使得风险可能会进一步扩大。此外，如果考虑到突然和大规模的气候变化的话，下个世纪全球变暖很有可能达到5～6℃，这将造成相当于全球GDP 5%～10%的损失，而穷国遭受的损失成本将会超过GDP的10%。另外，还有证据显示温度上升的幅度甚至有可能超过这个范围，从而将人类带入一个未知领域，给我们的地球带来灾难性的变化。报告警告道：在今后200年里，如果各国不对排放进行有效的控制，总影响和总风险的成本将相当于平均降低全球人均消费的5%。

分析并没有狭隘地集中在GDP这一收入度量上，对其他三个重要的因素也进行了不同程度的考量，并发现了成本进一步扩大的趋势：

(1)如果考虑到对环境和人类健康的直接影响(有时被称为“非市场”影响)，那么气候变化的成本会把全球人均消费量的减少量从5%提高到11%(当然这一数据是建立在相当保守的基础之上)；

(2)如果考虑，甲烷排放和碳吸存减弱的这两种因素，气候反应潜在的速度有可能把气候变化的成本从全球消费量的5%增加到7%；如果将上述对环境和人类健康的影响因素也考虑在内的话，成本则将从11%上升到14%；

(3)世界贫困地区所承担的气候变化负担不成比例，如果适当进行加权，气候变暖5～6℃所造成的全球成本估计要比没有加权高出1/4多。

总之，把这些额外因素累计之后，“照常营业”情况下气候变化的总成本将相当于当前以及未来人均消费减少5%~20%；如果考虑到越来越多有关风险增加的科学证据、考虑到需要避免可能出现的大灾难以及比狭隘的产出衡量更加广泛的计量方法，那么这一数据很有可能更大。

报告指出，人均二氧化碳排放已经与人均GDP紧密相连。从1850年开始，北美洲和欧洲的能源生产排放占了全球二氧化碳排放的70%，而发展中国家只占不到1/4。未来大部分排放将来自发展中国家，这些国家的人口和GDP快速增长，并且能源密集型产业在国民经济中所占的比重也在不断增加。由于常规能源是产生温室气体的主要源头，所以未来世界需要在避免气候变化和促进增长和发展之间做出选择，并重新构建未来的能源供应结构，以生产出更加清洁的能源。最后，《斯特恩报告》提出全球社会必须现在就采取行动，避免对环境造成严重伤害：

(1)全球以每年GDP1%的投入，可以避免将来每年GDP5%~20%的损失；

(2)在2050年以前，要使大气汇总的温室气体浓度控制在550μL/L以下，全球温室气体排放必须在今后的10~20年达到峰值，然后以每年1%~3%的速率下降；

(3)到2050年，全球排放必须比现在的水平降低约25%，即发达国家在2050年前把绝对排放量减少到60%~80%，发展中国家在2050年的排放与1990年相比增长幅度不超过25%。

1.2.2 化石能源消费的不可持续性

人类文明的发展经历了原始文明、农业文明和工业文明3个阶段，目前正处在由工业文明向生态文明过渡的转折点。在人类漫长的历史进程中，人类一直与能源相伴相长。在历史的某一天，人类学会了使用火，其实在此前的漫长历史中，太阳能、风能在祖先的生活中有一种自觉不自觉地利用。在石器时代、铁器时代，能源影响着人类文明的进程，特别是工业革命以来的能源革命，影响着世界经济社会的发展格局。蒸汽时代、电气时代，将能源的地位逐步显现出来，于今更为突出，在国民经济中占有特别重要的战略地位。我们的生产和生活已经离不开煤、石油、天然气等化石能源。因此可以说，人类文明的进程始终与能源息息相关。然而我们在享受能源带来便利的同时也面临着能源安全的挑战，能源安全已经成为未来经济社会可持续发展的一大瓶颈。

1.2.2.1 化石能源储量有限

化石能源是一种碳氢化合物或其衍生物，由远古生物的化石沉积而来，其形成过程漫长，条件复杂，存量极其有限，主要包括煤、石油和天然气。化石能源是目前全球消耗的最主要能源，2006年全球消耗的能源中化石能源占比高达87.9%，我国的比例高达93.8%。化石能源是不可再生能源，随着人类的不断开采，化石能源的枯竭是不可避免的。根据《BP世界能源统计2014》报道：2013年年底全球石油探明储量为1.688万亿桶，按目前的开采可维持53.3年；以同样方式计算，天然气、煤炭的剩余储量分别可开采54.8年和122年。

1.2.2.2　化石能源消费持续增长

在过去的30年里，世界能源消费大约以年均3%的速度增长，能源消费弹性系数约为0.660。美国能源部能源信息署(EIA)发表的《2007年国际能源展望》预测：到2030年世界能源总消耗量将会比2004年增长57%。其中，经合组织国家能源消耗增长24%，非经合组织国家增长幅度惊人，达到95%，几乎比2004年翻一番。新兴经济体的高速增长进一步加剧了全球能源的需求量和供应压力。随着能源供需的日趋紧张、价格的不断攀升、产地和运输管道的战略竞争，能源安全已经成为全球最高政治会晤与谈判的重要议题。美国作家丹尼尔·耶金所著的报告文学《石油风云》生动地描述了20世纪的石油发展史，认为20世纪战争多为能源的争夺而引发的，而战争的胜负也在一定程度上取决于交战双方最终对能源的占有。能源作为一种商品与国家战略、全球政治和实力紧密地交织在一起。

1.2.2.3　化石能源生产难度增大

化石能源的生产条件是千差万别的，随着社会生产力的不断发展，社会经济系统对化石能源的需求与生态系统对化石能源的供给之间出现了日益增大的供求矛盾。致使很多化石能源的价值正由该部门中等条件下生产该种能源产品的价值决定逐步变为由劣等条件下生产该资源的个别价值决定。这是由于200多年来工业革命的不断发展，人类已优先开采了优等条件和中等条件区域的自然资源区域，随着优等条件下的自然资源储量的大大减少，迫使人们不得不去中等及以下的自然资源区域去开采，开采难度进一步增加。由于认识和技术水平的局限，目前人类对地壳的钻探深度只有1万m左右，不到地球半径的2%。

作为世界上最大的发展中国家，中国的经济实现了高速增长，GDP已经连续30年保持超过10%的增速，这一速率是同期世界经济年均增长率的3倍多，2010年中国经济总量首次超过日本而成为世界第二大经济体。从各项经济指标来考察，改革开放30多年中国经济所取得的成就无疑极其巨大且举世公认。然而，中国经济30年的高速增长仍然没有摆脱传统经济增长模式的窠臼，是以资源与能源的大量消耗和高碳排放与高污染为代价来实现的。鉴于我国自然资源与能源资源相对贫乏，且人均主要自然资源和能源资源拥有量大大低于世界平均水平的实际国情，随着中国经济在未来相当长一段时期内仍能保持较高增长速度，必然会进一步加大对资源与能源的需求。如果中国经济再按照以往高消耗、高污染排放增长模式走下去，不仅难以确保资源与能源的持续、稳定供给，而且生态环境也无法承载，更无从再谈实现可持续发展了。因此，加快经济增长方式向低资源（能源）消耗、低碳（污染）排放转型，无疑是今后中国经济实现可持续发展的根本任务。

总之，能源安全成为推动全球经济走向低碳的重要驱动力。国际能源体系正面临着向低碳、高效、环保的能源供应体系转变。不同于以往以化石能源为基础的经济发展模式，低碳经济根植于新能源，以“低能耗、低污染、低排放和高效能、高效率、高收益”为核心，旨在通过经济增长与能源消耗的脱钩来实现碳排放与经济的错位增长。低碳经济即将成为人类社会继农业文明、工业化、信息化三次浪潮之后的第四次浪潮，对人类的生存发展方式将产生深远的影响。

1.2.3 低碳经济引领世界经济发展方向

气候变暖的危害性以及能源消费的不可持续性都使得低碳经济成为世界经济发展的新方向，引领着世纪经济新的增长点。低碳经济是一场涉及生产模式、生活方式和国家权益的全球性革命。

1.2.3.1 低碳经济成为世界各国重要的战略选择

当前越来越多的国家把环境保护作为经济发展战略的重要组成部分，通过制定绿色经济政策，积极推动低碳绿色增长。英国的低碳经济主要体现在绿色能源、绿色生活方式和绿色制造等方面。2009 年 7 月 15 日，英国发布了《英国低碳转换计划》以及《可再生能源战略》《低碳工业战略》《低碳交通计划》3 个配套文件，这标志英国成为世界上第一个在政府预算框架内特别设立碳排放管理规划的国家。按照英国政府的计划，到 2020 年可再生能源在能源供应中要占 15% 的份额，其中 40% 的电力来自绿色能源领域，这既包括对依赖煤炭的火电站进行“绿色改造”，更重要的是发展风电等绿色能源。德国发展低碳经济的重点是发展生态工业。2009 年 6 月，德国公布了一份旨在推动德国经济现代化的战略文件，在这份文件上，德国政府强调生态工业政策应成为德国经济的指导方针。为了实现从传统经济向绿色经济转轨，德国除了注重加强与欧盟工业政策的协调和国际合作之外，还计划增加政府对环保技术创新的投资，并通过各种政策措施，鼓励私人投资。法国的绿色经济政策重点是发展核能和可再生能源。2008 年 12 月，法国环境部公布了一揽子旨在发展可再生能源的计划，这一计划包含 50 项措施，涵盖了生物能源、风能、地热能、太阳能以及水力发电等多个领域。除了大力发展可再生能源之外，2009 年，法国政府还投资 4 亿欧元，用于研发清洁能源汽车和“低碳汽车”。美国选择以开发新能源、发展绿色经济作为全球金融危机后重新振兴美国经济的主要动力。2007年美国参议员提出《低碳经济法案》，旨在通过低碳经济谋求国家的战略转型。奥巴马上台后也随即提出了新能源战略和绿色经济战略，具体制定了发电、生物能源及氢燃料的发展计划。日本2007年正式提出建设“低碳社会”的战略，制定了《低碳社会行动计划》和《21世纪环境立国战略》等文件，从制度上对低碳经济进行了保障。在相关政策的引导下，日本企业纷纷将节能视为企业核心竞争力的表现，重视节能技术的开发。日本政府还通过改革税制，鼓励企业节约能源，大力开发和使用节能新产品。

1.2.3.2　低碳经济成为产业结构调整的重要推动力

产业结构是指各产业之间或产业内部，在经济活动中形成的技术经济联系及由此表现出的比例关系。各个产业之间和产业内部在经济活动过程中有着广泛、复杂、密切的技术经济联系，产业结构是一个动态系统，随着技术进步、经济发展、国际经济环境和人们消费观念的改变而发生相应变化。当产业结构适应上述变化，经济就能稳定发展，说明产业结构合理。随着全球性环境危机的加剧，人类面临着经济发展和环境保护的双重压力。传统的产业结构调整优化往往忽视了资源和环境因素的共同作用，造成经济发展与资源环境有限性相互矛盾的局面。

在可持续发展的必然趋势下，产业结构调整应考虑环境、资源的制约性。正是基于以上考虑，以低能耗、低污染、低排放为基础的低碳经济模式被提了出来。低碳经济实质是能源高效利用、清洁能源开发、追求绿色GDP的问题，核心是能源技术和减排技术创新、产业结构和制度创新以及人类生存发展观念的根本性转变。低碳经济摒弃了以往高能耗、高污染、高排放的发展模式，以降低排放、发展新型能源为己任，将极大地降低对化石能源的消耗和依赖。此外，低碳经济还主张积极发展可再生的新型能源，以大幅度提高能源利用效率。同时，低碳经济要求产业结构从以第二产业及劳动和资本密集型产业为主向以第三产业及技术和知识密集型产业为主转移。低碳经济要求经济发展的动力由主要依靠投资和出口推动向主要依靠内部需求特别是消费需求推动转变。总之，发展低碳经济既是一场涉及生产方式、生活方式、价值观念、国家权益和人类命运的全球性革命，也是全球经济从高碳能源走向低碳能源的一个必然选择。

1.2.3.3　低碳经济改写着国际经济的格局

随着积极应对气候变化成为国际社会的强烈共识，世界正处在一场新的工业革命的开始，低碳时代已经到来。《联合国气候变化框架公约》无疑就是以低碳经济为主的生态文明的游戏规则，低碳经济催生新的技术和贸易壁垒改写着国际经济的版图。

一方面，发达国家发展低碳经济，可能减少对化石能源的需求，同时将部分能源密集型行业转移到发展中国家。在这一过程中，发展中国家可能强化高碳排放的发展路径。另一方面，各国为实现国内的减排目标而采取的国内政策，如征税、补贴等，都将影响国际贸易规则。2009 年 6 月 26 日，美国众议院通过《清洁能源与安全法案》，其中要求："总统从 2020 年起，对来自没有采取相匹配的减排行动国家的某些进口产品，征收碳关税，只有获得国会的明确许可，总统方可放弃这一措施。"这一所谓"碳关税"条款引起了世界范围的广泛关注，尤其引起中国和印度等发展中国家的高度重视。在这之前，欧盟和澳大利亚等发达国家，出于减排导致的竞争力考虑，也一度对类似征收"碳关税"的设想进行热议。征收碳关税的措施可能进一步合法化而成为国际贸易规则。世界贸易组织（WTO）与联合国环境规划署（UNEP）联合发布了一份长达 194 页的《贸易与气候变化》报告，其中以较大篇幅专门讨论了碳关税问题。该报告认为，为了营造公平的竞争环境，一些采取气候政策的国家对进口产品征收与国内相似产品相同的税收调节，会获得《关税及贸易总协定》（GATT）和《补贴和反倾销协定》（SCM）相关条款的支持，意味着进口国可以根据产品生产过程中排放的温室气体量对进口商品进行区别对待，从而使能耗和排放强度较高的发展中国家面临不利局面。发达国家由于在可再生能源和能效方面的优势地位，将进一步扩大其在国际贸易中的利益。

除了碳关税这样对国际贸易的"硬约束"之外，自愿性的碳标签也日益成为低碳经济时代的贸易规则。随着低碳消费逐渐成为时尚，特别是在发达国家，消费者会根据碳标签提供的信息，考虑所消费产品在生产过程排放的温室气体。据《文汇报》报道，85% 的英国消费者在购买产品时会考虑产品的环境成本，而非传统意义的"性价比"。2008 年 10 月，英国标准协会、节碳基金和英国环境、食品与农村事务部联合发布了碳足迹标准 PAS2050，旨在为碳标签的实施提供依据。而可口可乐和达能等多家公司的 75 种商品已经试行这一标准，并在相关产品上注明了"碳标识"。一些国际标准组织也开始讨论其转化为 ISO 国际标准的可能性。届时，各类消费品都可能需要进行碳足迹的核算并提供碳标识，否则将面临大幅削弱竞争力的风险。所以，进入发达国家市场会越来越与"低碳"相挂钩。可以大胆预言，谁掌握了以低碳技术和产品为核心的规则和市场，谁就将主宰可持续发展的潮流，成为低碳经济时代的最大赢家。

1.2.3.4 低碳经济推动国际金融业的发展与创新

低碳经济也给国际金融业带来了巨大的机遇。建设低碳经济需要大量的资金支持，特别是在建设初期，技术研发和项目开发时间跨度较长，存在较大的不确定性，需要金融鼎力相助。其中银行业承担信贷资金配置的碳约束责任，保险业承担规避和转移风险的责任，机构投资者承担环境治理的信托责任，碳基金承担碳市场交易主体的责任。因此，包括中国在内，低碳市场正成为金融部门所密切关注的一个新兴领域。已经有越来越多的银行企业在积极开展绿色金融（即低碳金融，是服务于旨在减少温室气体排放的各种金融制度安排和金融交易活动）业务，碳掉期交易、碳证券、碳期货、碳基金等各种碳金融衍生品都在快速发展。其中的一些先行者通过不断努力与创新已经在这一领域取得突出的业绩。

以碳基金为例，根据英国 ICF 国际咨询公司 2009 年《国际碳基金展望》报告统计，全球至少有 84 支碳基金，掌握着至少 89 亿欧元的资金。其中，世界银行的碳基金管理着 22 亿美元资金，为引领低碳投资方向扮演重要角色。世界银行于 1999 年启动了由 6 个国家和 17 家私营公司组成的第一个碳基金——原型碳基金，随后又启动了一系列碳基金（包括社区发展碳基金和生物碳基金），并托管意大利、荷兰、西班牙、丹麦等多个国家的碳基金，2007 年还与欧洲投资银行成立了泛欧碳基金。在一定意义上，可以认为正是世界银行的碳基金示范作用，引导了其他碳基金的发展。

另外，碳市场已经成为推动发展低碳经济的重要手段。根据世界银行《碳市场现状与趋势 2012》报告统计，2011 年全球碳市场交易总额达到 1760 亿美元（约 1590 亿欧元），是 2007 年交易总额的 2.8 倍，是 2005 年的 16.8 倍。其中，欧洲排放贸易体系（EU ETS）的碳市场交易额达到 1480 亿美元，比 2007 年增长了 3 倍。基于项目（如清洁发展机制、联合履行等）的核证减排量交易总额为 230 亿美元，交易额和交易量都是 2007 年的 4 倍。其中欧洲和中国分别是最大的买家和卖家。

1.3　低碳经济的政治背景

气候变化、环境污染现象自工业革命以来就一直存在，为何发达国家近几年才急切地抛出低碳经济、碳关税等议题呢？《斯特恩报告》《难以忽视的真相》以及 IPCC 气候变化的第四次评估报告都众口一词地把“化石燃料燃烧将会增加大气中二氧化碳浓度，从而引发全球气候变暖”的假设上升为政治命题。围绕着这一命题，《公约》及缔约国一年一度的气候大会以及各种高端政府间国际会议都把节能减排、低碳经济作为最高政治议题。低碳经济俨然已经成为国际政治力量博弈的一个筹码。

1.3.1 关于 CO_2 造成全球气候变暖的真相

1.3.1.1 气候真的在变暖吗？

被誉为“拯救人类的最后一次机会”的2009年哥本哈根大会宣称：“如果人类再不限制二氧化碳的排放，离地球毁灭只有6度。”然而，会议期间哥本哈根街头凛冽的寒风、纷飞的大雪倒像是对气候变暖说无声的反驳。此时正值寒潮大举入侵欧洲，巴伐利亚的冯腾湖降到-33.6℃，创下欧洲有记录以来的最低值。在遥远的亚洲，年末的一股冷空气入侵中国，新疆北部阿勒泰地区的气温一夜之间骤降到-30℃。北京年末的最低气温也达到-16℃，逼近40年来的最低值。

与会场外的寒冷相反，哥本哈根会议本身却热闹异常，先是爆出“气候门”、“冰川门”的惊天谎言，最后一场对全人类的拯救行动沦为大国间的吵架大会。

会议的前夕，几位顶级科学家在过去10年间的电邮和公文往来被曝光，揭开了这场10年来最大的“全球变暖”科学欺诈丑闻，一时之间各国哗然，这一事件被称为“气候门”。据悉，这些邮件来自于东英吉利大学的气候研究中心，该气候研究中心成立于1972年，拥有世界上最大的全球气温数据库，该中心的研究亦是联合国气候变化专门委员会2007年世界气候报告的重要基础。

在这些电邮往来中，有一封电邮的内容显示出科学家们曾经试图对科学数据进行操纵，以便引起广大公众对所谓“全球变暖”的高度关注。“我刚刚做完了麦克的‘自然戏法’，把此前20年(即从1981年以来)每一系列真实的温度数据都提高了，也把凯斯的1961年以来的数据提高了，这样一来就把气温下降的事实掩盖掉了。”这封电邮所指的戏法涉及过去10年中全球平均气温测量，而这些科学家们一直就是用这些数据来证明全球气候的暖化及人类低碳减排的必要性。而另一封泄露出来的电邮则私下里承认，过去10年气温一直很稳定，“事实是，现在我们不能明着说缺少变暖的数据，我们没有别的办法，这很滑稽。2009年8月在BAMS增刊中公布的2008年CERES数据表中，应该有更多气候变暖的证明……”。所有的邮件都表明这些顶级的受人尊敬的科学家们正在刻意伪造数据和制造科学欺诈，他们共谋夸大气候变暖数据，尽可能地非法销毁对他们不利的信息，有组织地抗拒信息披露，玩弄数字游戏，私下里承认在公开场合言论中的谬误成立。最为关键的是，这所大学的官员们都被迫承认，这些电邮全是真实的。

1.3.1.2 二氧化碳是气候变暖的罪魁祸首吗？

“气候门”表明在过去的几十年里，这些所谓的专家并没有找到表明全球气温上升的直接证据，而是通过操纵数据引起全球对气温升高的关注，以进一步兜售低碳减排的观念。由此可以得出的结论是：碳排放是这一逻辑的终点。撇开全球变暖的假设不谈，二氧化碳真的就那么罪大恶极吗？二氧化碳排放真的是气候变暖的罪魁祸首吗？要弄清这些问题，必须明确地球气候的决定因素在哪里。

(1)太阳辐射强度。地球气候系统所有的能量都来自太阳，太阳以持续不断的光热辐射为地球提供了基本的温度，适宜的温度为万物生长提供了基本的能量。有科学家认为，太阳黑子多时地球偏暖，黑子少时地球偏冷。所以从长远看，太阳辐射的强度决定了地球气候走向。

(2)地球自身的内部运动。地球由地壳、地幔、地核三部分组成，每部分都在激烈运动中产生巨大热量。来自于地核的能量源源不断地被释放出来，推动着地壳的运动，加热着地表的温度。除了地球内部温度由内而外地散播外，地球运动一些更为剧烈的表现形式，诸如陆地上温泉、热泉和间歇泉，海洋底部的不停喷涌的热液，乃至火山喷发和地震等都对地球气候起到不可忽视的作用。

(3)气候系统的内部变化。气候系统内部的相互作用也可以对气候产生影响。在这些气候系统的自然变化中，最主要的是大气环流和洋流。追本溯源，它们的原动力还是来自太阳辐射和地球本身运动。大气环流是地球的空调，而洋流则是水暖，它们的存在，能将热量和水汽在高低纬度间传导输送，使得低纬度不至于过于炎热，高纬地区不至于过于寒冷。

(4)人类的活动。首先我们来回顾过去1万年间地球的三次变暖：第一次是从8000年前到3500年前的大暖期，那时的温度比现在高2~3℃，人类文明诞生于这一时期，当时生产力低下，大规模的经济社会活动有限，不太可能引起如此幅度的气候变暖；第二个暖期发生在10~14世纪的中世纪，温度比后来的暖期高0.2~0.8℃，这一阶段，人类活动对气候的影响也微乎其微；第三个暖期就是从小冰期结束后的温度上升期，这一轮气温的上升大约始于19世纪中叶，最近的20年这种变化尤为显著，有专家认为这次增暖除了自然气候的变化作用外，人类活动引起的温室气体增加也起到重要作用。

根据Gilliand近百年来对气温的拟合，在气候变暖的因素中，火山活动占50%、太阳活动占30%、二氧化碳占20%（王绍武，1991），是自然因素和人为因素共同作用的结果。不可否认，人类的活动已经影响地球气候变化，但这种影响，无非是在大方向上的稍稍加速或延缓，并不起决定性作用。那些认为人类排放碳足以左右地球气候的观点，初衷在于保护自然不假，但对人的主观能动性的过于高估，显然不能从根本上解决问题。

1.3.2 气候变暖背后的政治博弈

气候变暖和低碳减排的课题最早由欧洲人提出，日本、美国等发达国家随后加入，发达国家始终是这场生产变革的主导者，广大发展中国家对此却始终保持一种谨慎的态度。既然是拯救全人类的盛举，却为何各国反应不一？事实上，低碳经济在关注人类生存环境背后也是一场世界级的碳政治游戏，围绕着我们赖以生存的环境，谁主导低碳经济，谁无疑就占领了世界政治的制高点。

1.3.2.1 抢夺国际政治话语权

第二次世界大战之后，欧洲对世界的主导地位逐渐被美国所取代。冷战结束后，欧洲的政治影响力继续下降，低迷的经济发展势头、人口老龄化的冲击都使得欧洲的政治势力越来越被边缘化。欧洲人始终以自己为现代文明的正溯而自居，自然不会轻易放弃世界主导地位，为了重新取得国际话语权，欧洲围绕全球变暖、低碳减排的问题大做文章。

早在1972年，东英吉利大学就成立了气候研究中心，建立了全世界最大的气温数据库，这些数据成为日后证明全球气候变暖的重要基础。1993年，英国最早提出了“低碳经济”这一概念，随后德国、法国相继出台本国支持低碳经济的各项措施，可以说，有关全球变暖、低碳经济的概念最初都是由欧洲所主导的，美国、日本等发达国家都是低碳概念的后起之秀。一方面，经过百年的工业发展，欧洲人确实在反思中走在人类生态文明的最前端；另一方面，挥之不散的“气候门”疑云也让人不禁怀疑低碳背后是否也存在夸大气候变化、妖魔化二氧化碳的行为。我们看到，欧洲先是炒热暖化危机，借此将“化石燃料燃烧将会增加大气中二氧化碳浓度，从而引发全球气候变暖”的假设上升为政治命题；然后，在欧洲的主导和推动下，IPCC成立、《气候框架公约》签订、《京都议定书》出台、历次气候大会召开，欧洲人一步步由表露减排意向到明确落实各方减排责任，这一过程被美其名曰为“人类拯救地球的努力”。这样，气候变化的重要推动者——欧盟自然也就成为挽救人类危机的中坚力量，以“救世主”的姿态占领世界道义制高点。

和欧盟的道德标签相对应的是，美国是历史上最大的碳排放国(现在还是最大排放国之一)，历史责任最大，却拒绝签署《京都议定书》履行减排责任，成为不负责任的典型，显然不适合领导国际社会；而中国，尽管历史排放有限，但目前已经跃升最大温室气体排放国，自然不具备拯救人类的资格。如此一来，放眼天下，能堪此大任的就只有欧盟了。诚如日本前驻华公使、日本立命馆客座教授宫家邦彦在《地球变暖的地缘政治经济学》一文中指出的那样：“我们不得不佩服将变暖这个自然科学假说升华为全人类政治课题的欧洲人。欧盟推动了《京都议定书》的签署，试图在区域内及早创设排放交易制度，掌握规则的主导权。”

1.3.2.2　对新兴经济体实施打压

2008年的金融危机给世界经济格局带来了巨大的变化。中国、印度等新兴经济体崛起，改写着全球经济的版图，成为引导世界经济走出危机、共同发展的中坚力量。这在一定程度上加大了新兴经济体在国际政治舞台的活跃度，迫使发达国家和经济体诸如美国、欧盟等采取必要的措施抑制新兴经济体，以维护其在国际经济与政治上的主导地位。

以中国、印度为代表的新兴经济体大多处在高速增长阶段，产业链层次相对较低，高能耗、高资源消耗、高污染、低附加值的低端产业占国民经济结构的主导，经济增长大多依赖基础建设的投资来拉动。这种经济模式，决定了他们无论是总体能耗还是单位能耗都非常大。在可以预计的很长一段时间内，即使单位能耗大幅度降低，但总体能源消耗还将继续增长，相对应的是随之增长的排放总量。然而欧盟等发达经济体提出气候变化的初衷就是呼吁各国减少二氧化碳的排放，发展低碳经济，并据此建立了碳关税、碳交易等减排机制。对于欧盟等发达国家来说，要做到这些轻而易举，因为这些国家早在20世纪六七十年代就实现了后工业化进程，产业结构由重化工的高碳产业向低能耗、高效益的高科技产业和现代服务业转移，这使得欧盟等发达经济体在新一轮的低碳革命中具有天生的话语权。与此同时，新兴经济体却在很大程度上承接了这些重化工的高碳产业，要保持现阶段的经济增长乃至未来的产业提升，对化石类能源的依赖在短时间内不会出现实质性的降幅。一旦在排放总量上加以限制，就意味着这些国家的能源供应将无法得到保证，从而缺乏足够的驱动力，经济发展也自然就无从谈起。

1.3.2.3　借机重振欧洲经济

在金字塔级的全球利益分配体系中，规则制定者永远是处在最顶端的，谁能制定规则，谁就是高高在上的食利者。毫无疑问，主导了这场全球低碳政治博弈的发达经济体会成为低碳规则的制定者与低碳经济的最大受益者。

欧洲发达国家在摆脱转移高能耗产业的同时，还掌握绿色能源的核心技术，可以利用所谓清洁能源的产出补充化石能源的不足，并围绕这个发展出一个庞大新能源产业——绿色能源。这是一种不同于传统煤炭、石油、天然气等化石燃料的新兴可替代能源，主要包括风力发电、太阳能发电、潮汐能、生物柴油等。基于国内绿色理念的普及以及环境政治的氛围，同时也为了摆脱国际能源市场的掣肘，在绿色可替代能源的研发和应用上，欧洲国家投入了很大的力度，目前，无论是技术储备还是相关产业的发展，他们的水平都处于世界领先地位，其中尤以德国、法国、英国、丹麦、挪威等国的技术实力最为雄厚。这些国家通过政策倾斜，鼓励绿色能源技术的开发和应用，并带动一大批绿色相关产业的蓬勃发展，所以欧洲是世界绿能和绿色产业领域当之无愧的龙头老大。一旦强制减排得以国际推行，新兴经济体就只能有两个选择：一是主动放缓经济增长速度，进行减排；二是及早进行产业结构转移，发展低碳经济对于以中、印为代表的新兴经济体，发展是解决一切问题的硬道理，经济放缓意味着民生问题。产业结构的优化升级也并不是一朝一夕就能完成的，新兴经济体在这一方面并不擅长。为早日实现产业结构的转型与优化，这些经济体不得不引进低碳的设备和技术，作为世界绿能和绿色产业领域的龙头老大——欧盟等发达经济体牢牢地掌握着低碳技术和设备的定价权，这样，欧盟就可以借助低碳经济将所掌握的已经成熟的绿能技术打造成下一个全球经济增长点，重振欧洲经济。

1.4 低碳经济的文化背景

人与自然是一个永恒的话题，一方面人类在征服自然、改造自然的过程中创造了辉煌的人类文明；另一方面文明反作用于人类对自然的改造活动，影响着对社会经济形态的选择。随着人与自然关系的不断发展与进步，强调人与自然和谐相处的生态伦理兴起，为低碳经济提供了理论支持。

从人与自然关系的角度审视文化的历史演变，可以发现其主要经历了自然主义中心文化、亚人类中心主义、人类中心主义和生态伦理四个阶段的变化。

1.4.1 第一阶段：自然主义中心文化

自然主义中心文化这一文化形态主要产生、繁荣于原始社会时期。这一时期由于生产力落后、生产工具简陋、认识水平极低导致人类对各种自然界的认识和改造极为有限，只有被动地受自然的支配和盲目地适应大自然，从大自然中获取维持生命的生活资料，自然完全主宰着人类的命运。这一阶段文化形态的主要表现是：一方面，人们崇拜自然，同时又敬畏自然、恐惧自然，不得不依靠自然界直接提供的食物与其他生活资料生存，人和动物一样只能完全听从大自然的摆布，人与自然之间存在着一种原始的、朴素统一的关系；另一方面，人类天生具有的扩张本性促使人类对自然进行改造，特别是学会钻木取火、掌握火的保存与使用之后，人类开始为了生存而焚烧森林、草原，使自然生态系统遭到一定的破坏；但是从总体上来讲，由于缺乏强大的精神与物质手段，这种开发改造活动十分有限。

总之，原始社会时期，无论是在实践活动上还是在思想认识上，人类都听从自然、顺应自然，努力与自然和谐相处。因此，我们可以认为，原始时期人与自然之间是一种原始的和谐关系。

1.4.2　第二阶段：亚人类中心主义

亚人类中心主义这一文化形态主要产生、繁荣于农业社会时期。从原始社会进入到农业社会，人与自然在整体上保持着一种和谐的关系。一方面人类利用与改造自然的能力仍然十分有限，人类仍无法改变对自然界的依附关系，自然仍处于支配地位，主宰着人类的命运；另一方面，由于生产力水平的提高与实践能力的增强，人类改造自然能力的提高，新技术与新工具的发明和使用，农业、手工业和畜牧业的迅速发展，使人与自然之间的物质能量交换明显增多，人类的生存条件也有了明显的改善，人类学会用自己的双手创造一切，逐渐告别了依靠自然界提供现成食物的时代。随着新的生产工具的不断发明、各种农业生产技术的进步与生产知识的积累，铁器的广泛使用与一些耕作方法的改进，人类的实践能力大大增加，各种资源逐渐成为人类开发利用的对象，农业生产中除生产粮食外，还能生产少量的其他作物。这一时期，各行各业都得到很大的发展，经济的发展，也带动了商业、运输业的发展，使经济向着更高的层次发展。但随着发展逐步深入，经济发展与生态环境的矛盾日益突出。

随着人口数量的增多、人类活动能力的增强与活动范围的扩大，人类开始不满足于听从自然的命令、接受自然的统治，从而开始按自己的意图改造自然，并努力使自然为自己所用。但由于人类活动有很大的随意性、盲目性与破坏性，也导致了人与自然关系的局部不和谐，出现了森林被砍伐、生态恶化、土壤沙化等局部的环境问题，使人与自然的关系在小范围内出现紧张。这导致人类与自然产生了初步对抗，出现了相互竞争、相互制约、相互否定的局面，大自然也遭到了局部破坏。但由于农业社会的生产力水平较低而且发展缓慢、人口相对较少，生态系统承受的压力相对较小，人类对自然界的破坏与冲击没有超出自然界的自我调节能力和再生能力范围，自然通过自我恢复能力基本可以实现恢复。因此，人与自然的关系基本上是和谐的，但这只是一种追求生存的低水平和谐。

1.4.3　第三阶段：人类中心主义

人类中心主义这一文化形态主要是指工业文明时期人类的意识形态。从文艺复兴到产业革命，再到资本主义生产方式的确立，人类的认识与实践能力显著增强，人类社会也出现了重大的历史转变，逐步进入工业文明时代，人与自然的关系也发生了新的变化，进入了人类能动地改造自然的历史阶段。这一阶段人类的文化形态主要有以下四个特点：

(1)在对待自然的态度上，人类中心主义强调对自然的征服和改造，如曾经把生产力定义为人们改造自然和征服自然的能力，过分强调人类对自然的利用和需求，自然在人的眼里不再有工业文明之前那样的神秘和威力，而成为人们征服和统治的对象。人们将自然资源视为自然再生产的结果，因而人类可以不加限制地无偿索取和占有，而不必考虑经济活动所引起的变化及其反作用，导致生产系统和资源系统失衡，进而导致了环境问题的恶化。

(2)在对待后代人的利益上，存在着代际不公平。人类中心主义只强调当代人的需要，置后代人的利益于不顾，置整个人类生态系统的平衡和全人类的延续于不顾。为满足自身的需要，当代人肆无忌惮地消费着地球上有限的资源并将地球当做一个巨大的垃圾场，极大地破坏了地球的生态平衡，严重威胁了当代人的生存，同时也损害了后代人的利益。

(3)在对待当代人的利益上，存在着代内不公平。人类中心主义只考虑一部分人的利益，而忽视了世界上绝大多数人的整体利益。在这种人类中心主义的指导下，少部分人利益的满足是以损害绝大多数人的利益为代价的。这主要表现在：世界上20%的富裕人口，消费了相当于不发达国家同样人口10倍的能源、10倍的木材、13倍的铁和钢、14倍的纸、18倍的合成化学物以及19倍的铝。这种“奢侈型”的消费，使世界上各种资源和能源以惊人的速度被消耗。另外，发达国家在经济飞速发展的同时也向全球排放了大量的污染废弃物，使大多数发展中国家也因此受到环境污染的牵连。

(4)在对待人类以外的其他动物方面，存在着种际之间的不公平，行为方式存在严重的缺陷。这主要表现在：①吃野生动物的陋习——享受着丰衣足食的工业文明的人类，也“复习”起先人吃野生动物的习惯；②不断侵占野生动物的生存空间——随着人口的增长，耕地和经济林木面积的扩大，人类已经侵占了其他生物过多的空间领地，破坏了自然界本身的生态循环。

总之，在这一阶段人与自然的关系呈现出前所未有的对立状态，人类在不断承受大自然的报复的同时也对人与自然的关系开始进行深刻的反思。

1.4.4 第四阶段：生态伦理

生态伦理这一文化形态主要发端于信息社会时期。人类在对大自然进行了疯狂的掠夺之后，自然以同样疯狂的方式对人类进行了残酷的惩罚，人类面临着前所未有的生存危机，传统的以人类为中心的发展方式被颠覆，人与自然协调发展的生态伦理成为主流观点。目前学界主要从三个角度对这一理论进行解构。

1.4.4.1 莱奥波尔德——大地伦理

莱奥波尔德(Aldo Leopold，1886～1948)是“现代环境主义运动的真正祖师爷”，其著作《沙乡年鉴》被称为“现代环境主义运动的一本新圣经”，收录了包括《大地伦理》在内的主要作品。莱奥波尔德的大地伦理思想主要体现在以下几个方面。

(1)大地伦理扩大了共同体的边界。莱奥波尔德认为伦理学不能仅仅停留在研究人与人的关系和人与社会的关系，还应扩展到人与自然的关系。随着文明的进步，所有人都变成了伦理共同体的成员。但是，人们还没有从伦理的角度来理解人与大地和其余自然存在物的关系，文明还容许“对地球的奴役”。而大地伦理的任务就是“扩展道德共同体的边界，使之包括土壤、水、植物和动物或它们组成的整体——大地”。这是一个包括人及一切动植物和各自然实体在内的共同体，而共同体类似一个“生物金字塔”或“大地金字塔”，这个金字塔是一个由生物和非生物组成的“高度组织化的结构”，底层是土壤，往上依次是植物层、昆虫层、鸟类和啮齿动物层，最顶层由大型食肉动物组成，同时能量得以循环。

(2)大地伦理改变了人在自然中的地位。大地伦理扩大了共同体边界的同时，也改变了人类以往的地位，使人从大地共同体的征服者变成大地共同体的普通成员与公民。这意味着人不仅要尊重共同体中的其他伙伴，而且要尊重共同体本身。因此，为了控制人类的不合理向自然获取经济利益的行为和种族的过分繁衍，避免生态平衡的破坏，人类必须重新考虑他们作为自然界的成员和公民的角色，有必要用大地伦理约束自己的行为，将改造自然环境的行为限制在有利于维护人的生存、维护其他物种的生物权利的范围内。此外，人类所拥有的影响自然环境的技术力量，需要用大地伦理来加以约束，并对破坏自然和环境的经济利己主义和功利主义的行动加以道德上的限制，即“从技术化了的现代人的控制下求得生存。”这就要求我们不仅要对自然界赋予权利，而且要把“良心”和“义务”扩大到自然界，承认共同体中除人以外的其他存在物、实体和过程所固有的伦理准则和权利。

(3)大地伦理确立了新的伦理价值尺度。大地伦理要求彻底地改变以单一经济利益为基础的自然保护系统，重建全新的伦理价值体系。如果以单一经济私利为目标，任意毁掉没有商业价值的物种和生物群落，那就恰恰毁掉了大地系统的完整性，毁掉了大地维持生命完善的功能。大地伦理的价值尺度是以尊重生命和自然界为前提，既要承认它们永续生命的权力，又要承担保护大地的责任和义务，要建立一种符合经济、生态和审美的多元价值评价体系。

(4)大地伦理以共同体的和谐、稳定和美丽为基本道德原则。大地伦理强调对大地的情感和精神境界。“一件事情，当它有助于保护生命共同体的和谐、稳定和美丽时，它就是正确的；反之，它就是错误的”，这就是大地伦理学的基本道德原则，作为“和谐”，就是生态系统的完整性和物种的多样性及其协调关系；“稳定”就是维持生态系统的复杂结构，使其能发挥自我调节和更新的功能；“美丽”就是指一种超越了经济利益更高的审美意识。简言之，保持生态系统的和谐、稳定，保持物种的多样性，保持土地最大完整的行为就是合乎大地伦理规范的行为。

总之，大地伦理彰显了大地共同体的伦理地位，强调了环境伦理的情感基础，呼唤环境美德伦理，是当代环境保护运动的重要伦理资源，为我们理解和推进低碳经济提供了独特视角。

1.4.4.2 罗尔斯顿——整体主义伦理学

罗尔斯顿(Holmes Rolston)是生态主义运动中又一位举足轻重的人物，其最大的贡献就是提出了“内在价值”这个概念，并以此为基础，构建了整体主义伦理学。罗尔斯顿的整体主义伦理学思想主要体现在以下几个方面。

(1)传统价值观念的意义应当扩大，要承认人之外的其他存在物也具有内在的价值。罗尔斯顿认为，只承认自然对人的价值而否认自然自身的价值更是片面的。自然自身的价值是根本的、更基础的东西。他明确提出“我们要扩大价值的意义，将其定义为任何能对一个生态系统有利的事物，是任何能使生态系统更丰富、更美、更多样化、更和谐、更复杂的事物”。按照这种理解，自然界的价值就是自然的存在、自然的性质，是由自然系统或自然物质的结构决定的。在自然的价值属性中，既包括它的工具价值，也包括它的内在价值，工具价值和内在价值都是客观地存在于生态系统中、相互交织在一起的。生态系统拥有的是自在的价值，而不是自为的价值(像有机体那样)，它不是价值的所有者，尽管它是价值的生产者。“如果我们相信自然除了为我们所用就没有什么价值，我们就很容易将自己的意志强加于自然。没有什么能阻挡我们征服的欲望，也没有什么能要求我们的关注超越人类利益”。特别是某些生命形式和生态系统被认为对人的生存毫无(也许实际上有)价值，而要想使它们保存其在生态系统中的应用位置，“仅仅从开明自利出发，是远远不够的”，“更加深层的，非自私的理由是要尊重‘内在于’动植物区系和自然景观中的性质，以促进它们的发展”。而这正是罗尔斯顿拓展价值观的主要目的所在。

(2)自然是价值之源，人类对自然肩负有责任和义务。罗尔斯顿认为，既然自然有其内在价值，那么它就拥有它自己的存在、自己的性格和潜能，拥有属于它自己的完美、自己的尊严、自己的伟大。因此，人有义务尊重自然的存在事实，保持自然规律的稳定性。他认为，把尊重自然的内在价值作为一种部分的伦理之源，“它不是要取代还在发挥正常功能的社会与人际伦理准则，而是要将一个一度被视为无内在价值、只视对人类如何便利而加以管理的领域引入伦理思考的范围”。罗尔斯顿对这一观念进行了解释，他认为，我们并不需要把生态系统的总体作为偶像来崇拜，而只是要我们将其视为一个复杂的体系，对这个体系中的个体要有所限制，但并不压制个体。伦理关注的焦点向自然生态的扩大，不是要从人类转移到生态系统的其他成员，而是从任何一种个体扩展到整个系统。但是当人类文明的发展与生态系统出现矛盾时，罗尔斯顿认为人对环境的某些影响(即使是杀戮)在道德上是可以接受的，只要这样做是“为了满足生死攸关的需要”。同时，他认为虽然人类对大自然的某些影响是可以接受的，但是现代人已经大大地超越了上述适当的标准，在他看来，由于人口数和资源消耗量急剧增长，特别是对濒危物种栖息地的侵占，人们已犯了严重侵犯其他自然物的权利的罪过。但是罗尔斯顿又相信，只有人才能认识到其他创造物自我实现的权利，并依据这些权利来判断他自己的行为，正是这种能力，才使得整体主义环境伦理学成为可能。

1.4.4.3　奈斯——深层生态学

奈斯(Ame Naess)是挪威著名哲学家，深层生态学理论的奠基人，他一生的主要哲学成果集中体现在“生态智慧T”中。在西方生态和环保运动的进程中，奈斯的“生态智慧T”具有深远的影响。

“生态智慧T”的基本原则是深层生态学立论的基础，即两条最高准则：自我实现原则和生态中心主义平等准则。奈斯在深层生态学的立论依据中，将自我实现原则解释为：原则上每一种生命形式都拥有生存和发展的权利；将生态中心主义平等准则描述为：随着人类的成熟，他们将能够与其他生命同甘共苦。其他生命不仅包括我们的家人、朋友、一条狗、一只猫，还包括大地、高山、小溪这样的存在物。这两个基本准则在奈斯那里虽然是平行的，但笔者认为自我实现准则更为根本，平等准则可以看做是它的必要条件和必然延伸。自我实现准则要求达到一种世界的整体认同，必然要求所有的物种都平等。自我实现准则的“自我”是形而上学的“自我”，他们用“生态自我”来表达，以表明这种自我必定是在与人类共同体、与大地共同体的关系中实现。奈斯认为只有当人们不再把自己看成是分离的、狭隘的“自我”，并且每个人都能同其他人紧密地结合在一起，那么人自身独有的精神和生物人性就能生长发育。“随着人自身独有的精神和生物人性的进一步成熟，‘自我’便会逐渐扩展，超越整个人类而达到一种包括非人类世界的整体认同：人不是与自然分离的个体，而是自然整体的一部分，人与其他存在不同是由与他人，与其他存在的关系所决定的。”自我实现同时意味着所有生命潜能的实现，因此最大限度的自我实现离不开最大限度的生物多样性和共生，生物多样性保持得越多，自我实现就越彻底。透过奈斯这样的解释可以看出，自我实现准则是人类自己发掘内心的善，来实现人与自然的认同，这是一种积极的过程。平等准则的“平等”是指生物圈中的一切存在物都有生存、繁衍和充分体现个体自身及在“自我实现”中实现自我的权利。奈斯认为人类自身与所认同的对象都具有某种同一性，这种同一性就是内在价值，生物圈中所有生物及实体，作为与整体相关的部分，都具有平等的内在价值。一切存在物对于生态系统来说都是有价值的，在生态系统中具有平等的地位，生态系统平等地赋予所有存在物以权利，没有等级差别。

综上所述，生态伦理把人类道德关怀和权利主体的范围从所有存在物扩展到了整个生态系统上，要求人类的发展必须符合生态规律，要求人与自然、人与人、人与社会共生共荣，和谐发展，这一理论从根本上改变了人类的社会生产和生活方式，为低碳经济奠定了理论基础。

第2章　低碳经济的概念

2.1　低碳经济概念的提出

2.1.1　低碳经济缘起

随着全球气候变暖对人类生存和发展的严峻挑战，还有全球人口和经济规模的不断增长，能源使用带来的环境问题及其诱因不断地为人们所认知，不只是烟雾、光化学烟雾、酸雨等的危害，大气二氧化碳浓度升高带来全球气候变化也已经被确认为不争的事实。伴随着生物质能、风能、太阳能、水能、化石能、核能等使用，全球能源及经济结构在迈向生态文明的征程中逐步发生了转型，即摈弃20世纪传统增长模式，而是依托创新技术与创新机制，通过低碳经济模式与低碳生活方式实现社会可持续发展。在此背景下，“碳足迹”“低碳经济”“低碳技术”“低碳发展”“低碳生活方式”“低碳社会”“低碳城市”“低碳世界”等一系列新概念、新政策应运而生。

“低碳经济”一词最早见诸政府文件是在2003年的英国能源白皮书《我们能源的未来——创建低碳经济》。作为第一次工业革命的先驱和资源并不丰富的岛国，英国充分意识到了能源安全和气候变化的威胁，首次明确提出发展低碳经济，即低排放、低能耗、低污染，经济效益、社会效益和生态效益相统一的新的经济发展模式。从低碳经济概念的发展来看，虽然是“气候变化”催生了低碳经济，但如今低碳经济已从一个技术和经济发展模式问题上升为政治和国家战略问题，因为力推这个命题的国家、国家集团已经有所准备。如美国、欧洲、日本在20世纪80年代就开始打造低碳经济的技术基础，提高能源效率，发展可再生能源；特别是欧盟各国，自2000年以来，在基本上没有增加化石燃料的前提下，实现了经济的持续发展。金融危机后，世界各国都在寻找新的经济增长动力，发展低碳经济将成为化解危机、摆脱困境的重要出路，从而成为全球热点问题。

2.1.2 低碳经济概念的界定

对低碳经济的理解有不同的观点。一种观点认为，在全球气候变暖的大背景下，低碳经济是指温室气体排放量尽可能低的经济发展方式，尤其要有效控制二氧化碳这一主要温室气体的排放量，是避免发生灾难性变化、保证人类可持续发展的有效方法之一。这种观点称为“方法论”。另一种观点认为，在发展经济学的理论框架下，低碳经济是经济发展的碳排放量、生态环境代价及社会经济成本最低的经济，是低碳发展、低碳产业、低碳技术、低碳生活等一类经济形态的总称，也是一种能够改善地球生态系统自我调节能力的可持续发展的新经济形态。这种观点称为“形态论”。第三种观点认为，低碳经济是以低能耗、低污染、低排放为基础的经济模式，是人类社会继农业文明、工业文明之后的又一次重大进步。低碳经济实质上是对现代经济运行的深刻反思，是一场涉及生产模式、生活方式、价值观念和国家权益的全球性能源经济革命。这种观点称为“革命论”。

综合以上观点，低碳经济的基本含义可以概括为通过技术和制度创新，从根本上改变人类对化石能源的依赖，减少以二氧化碳为表征的温室气体排放，走以低能耗、低排放、低污染为特征，以应对碳基能源对于气候变暖影响为基本要求，以实现经济社会的可持续发展为基本目的。低碳经济实质是能源高效利用、清洁能源开发、追求绿色 GDP 的问题，核心是能源技术和减排技术创新、产业结构和制度创新，以及人类生存发展观念的根本性转变。

我们可以把低碳经济的内涵归结为以下几个方面。

(1)低碳经济是一种正在兴起的经济形态和发展模式，包含低碳产业、低碳技术、低碳城市、低碳生活等一系列新内容。它通过大幅度提高能源利用效率，大规模使用可再生能源与低碳能源、大范围研发温室气体减排技术，建设低碳社会，维护生态平衡。发展低碳经济既是一场涉及生产方式、生活方式、价值观念、国家权益和人类命运的全球性革命，又是全球经济不得不从高碳能源转向低碳能源的一个必然选择。

(2)低碳经济是经济发展中碳排放量、生态环境代价及社会经济成本最低的经济，是一种能够改善地球生态系统自我调节能力的可持续性很强的经济。低碳经济有两个基本点：其一，它是包括生产、交换、分配、消费在内的社会再生产全过程的经济活动低碳化，把二氧化碳排放量尽可能减少到最低限度乃至零排放，获得最大的生态经济效益；其二，它是包括生产、交换、分配、消费在内的社会再生产全过程的能源消费生态化，形成低碳能源和无碳能源的国民经济体系，保证生态经济社会有机整体的清洁发展、绿色发展、可持续发展。在一定意义上说，发展低碳经济能够减少二氧化碳排放量，延缓气候变暖，能够保护我们人类共同的家园。

(3)低碳经济是一种以能源的清洁开发与高效利用为基础，以低能耗、低排放为基本经济特征，顺应可持续发展理念和控制温室气体排放要求的社会经济发展模式。低碳经济本质上就是可持续发展经济。低碳经济的核心是低碳产业、低碳能源、低碳技术和低碳消费，是继农业革命、工业革命、信息革命之后，世界经济形态新出现的革命浪潮，即低碳革命。低碳经济已成为由工业文明向生态文明过渡的主要特征，成为未来社会经济发展和人民生活质量改善的主流模式。

英国虽然率先提出了低碳经济的概念，并明确了自身实现低碳经济的目标和时间表，但并没有界定低碳经济的概念，也没有给出衡量低碳经济的标准和指标体系。解决气候变化问题和实现低碳经济发展的最终途径，是切断经济增长与温室气体排放之间的联系。

国际上通常用“脱钩”指标来反映经济增长与物质消耗不同步变化的实质。建立脱钩指标的目的在于检验一国气候变化政策的有效性，并寻求影响连接与可能造成脱钩的因素，作为制定适当脱钩政策的依据。若二氧化碳排放增长率与GDP增长率呈现不平行，即称为“经济体系产生脱钩现象”；若经济增长率高于二氧化碳排放增长率，即称为“相对脱钩现象”(相对的低碳经济发展)；若经济驱动力呈现稳定增长，而二氧化碳排放量反而减少，则称为“绝对脱钩现象”(绝对的低碳经济发展)。

从长期来看，一个国家(或地区)向低碳经济转型的过程就是温室气体排放与经济增长逐渐脱钩的过程。从全球层面来看，如果没有足够的政策干预，人均收入增长和人均排放之间的正相关关系将长期存在。所以，必须通过适当的政策措施，来打破这种联系。

推动低碳经济要着力于两个根本转变：一是现代经济发展要由碳基能源为基础的不可持续发展型向以低碳或无碳能源经济为基础的可持续发展型转变；二是能源消费结构由化石高碳型黑色结构向低碳化清洁能源绿色结构转变。

实现这两个转变的关键：一是研发新技术，推进化石能源排放低碳化；二是构建低碳化的新能源体系。低碳经济的宗旨是实现整个社会生产和再生产活动的低碳或无碳化，保护大气生态文明，防止气候变暖，践行科学发展观，发展生态经济和绿色经济，这是低碳经济的基本要求。

2.1.3　与相关概念的辨析

低碳经济与“生态经济”“绿色经济”“循环经济”“低碳社会”等概念既有联系，又有区别。

2.1.3.1 低碳经济与生态经济

生态经济主要从生态学角度探讨经济系统与生态系统的有机结合；低碳经济追求的是降低碳排放量，开发清洁能源与提高能源效率。

2.1.3.2 低碳经济与绿色经济

绿色经济是从市场为导向、以传统产业经济为基础、以维护人类生存环境为目标、以合理使用能源与资源为手段的一种平衡式经济形式，依赖的是绿色技术革命，其侧重点是关爱生命，兼顾物质与精神需求；低碳经济是从可持续发展的角度对能源和资源的开发利用提出新的要求和思路。

2.1.3.3 低碳经济与循环经济

循环经济是物质闭环流动型经济，又称为"垃圾经济"；而低碳经济相对于高碳经济，更接近于"绿色经济"。低碳经济与循环经济有不同的侧重点：循环经济侧重于整个社会的物质循环，强调在经济活动中实现资源节约和环境保护；低碳经济则侧重于碳生产率，强调降低碳排放量和温室气体。

2.1.3.4 低碳经济与低碳社会

低碳经济与低碳社会的区别，与各个国家碳排放结构差异有关。中国碳排放的70%来自于产业经济部门，而居民碳排放仅占30%；发达国家碳排放比率正好相反，70%来自于居民消费部门，而产业经济部门碳排放总量只占30%。所以，原则上讲，中国发展低碳经济的着力点应当放在产业经济部门，使产业经济低碳化；发达国家发展低碳经济的着力点应当放在削减居民生活消费中的碳排放，使社会生活代碳化。

2.1.4 低碳经济发展理念

低碳经济作为一种新经济模式，其发展理念与可持续发展理念、绿色经济、循环经济和生态文明建设是一脉相承的，都属于科学发展的范畴。

2.1.4.1 低碳经济与可持续发展理念的关系

可持续发展是指既满足当代人的需要，又不对后代人满足其需求的能力构成危害的发展。低碳经济是在可持续发展理念指导下通过技术创新、制度创新、产业转型、新能源等多种手段，尽可能减少高碳能源消耗，其本质就是可持续发展经济，是生态经济可持续发展的新发展。低碳经济是目前最可行的、可量化的可持续发展模式的最佳形态。

2.1.4.2 低碳经济与绿色经济的关系

绿色经济是以市场为导向、以传统产业经济为基础、以经济与环境的和谐为目的而发展起来的一种新的经济形式，是产业经济为适应人类环保与健康需要而产生并表现出来的一种发展状态。发展绿色经济要求人们实现经济活动从高耗资源能源、高污染环境与高损害生态的非持续发展经济向资源能源消耗最小化、环境污染最轻化与生态损害最小化的可持续发展经济转变。因此，二者在本质上完全一致，可以说，低碳经济是绿色经济发展的理想模式。

2.1.4.3 低碳经济与循环经济的关系

循环经济是一种以资源的高效利用和循环利用为核心，以“减量化、再利用、资源化”为原则，以低消耗、低排放、高效率为基本特征，符合可持续发展理念的经济增长模式，是对“大量生产、大量消费、大量废弃”的传统增长模式的根本变革。发展低碳经济是转变发展模式的需要，是发展循环经济的必然选择、最佳体现与首选途径，同时又对循环经济发展提出了新要求：在发展循环经济的目标中，“最少的废物排放”首先应该是碳排放量最小化与无碳化。因此，发展循环经济要求发展低碳经济，低碳经济发展是循环经济发展的重要特征。

2.1.4.4 发展低碳经济与建设生态文明和“两型社会”的关系

低碳经济既是“两型社会”（资源节约型和环境友好型社会）建设的重要载体，其发展水平又是判断“两型社会”建设水平高低的重要标准，二者统一于建设社会主义生态文明的伟大进程中。

2.1.5 低碳理论的研究动向

低碳理论（low-carbon theory）是建立在自然规律基础上的经济理论。它依据基本的地球物质循环（尤其是碳循环）和碳平衡的原理，计算各种公共工程和商业活动的碳排放及碳预算收支；同时，通过衍生产品市场机制和“京都机制”使得碳排放权得以自由交易。简言之，低碳经济指的是在发展中排放最少的温室气体，同时获得整个社会最大的产出。人类从根源上重新审视各种经济社会活动，有利于从机制和制度层面控制温室气体排放，使低碳经济理论和模式成为解决全球气候变化问题的途径。从目前的发展看，世界各国及科学界在碳排放的方式、过程及循环状态等方面取得了很大突破，其中人类经济活动对碳排放的影响是研究的热点。当前，国际上有关低碳经济研究的主要内容有以下几方面：

（1）能源消费与碳排放，包括与碳减排有关的能源消费结构的转换和低碳排放能源系统的建立；

（2）经济发展与碳排放，主要探讨不同经济发展模式、阶段、速度与碳排放的关系；

（3）农业生产与碳排放，包括土地利用变化、农业土地整治、农业生产水平与结构的变化等；

(4)碳减排的经济风险分析与减排对策研究等。

目前，在研究方法上除了简单的相关分析、区域对比分析之外，一些基于大量数据的综合模型分析也越来越受到重视，如碳循环能源模型、动态综合评估模型、能源消费—碳减排经济关联模型等。然而，对于产生碳排放基础的内部各要素间能量转换过程及其相互作用和影响尚未获得令人满意的进展。

2.1.6 低碳经济的发展模式

低碳经济的发展模式，就是在实践中运用低碳经济理论组织经济活动，将传统经济发展模式改造为低碳型的新经济模式。具体来说，低碳经济发展模式就是以低能耗、低污染、低排放和高效能、高效率、高效益(三低三高)为基础，以低碳发展为发展方向，以节能减排为发展方式，以碳中和技术为发展方法的绿色经济发展模式。主要模式有以下四方面。

2.1.6.1 调整产业结构

产业结构对碳排放会产生较大影响，同等规模或总量的经济，处于同样的技术水平，如果产业结构不同，则碳排放量可能相去甚远。知识密集型和技术密集型产业属于低碳行业，如信息产业的能耗和物耗是十分有限的，对环境的影响也是微乎其微的。IT 产业是低碳经济中最具发展潜力的产业，不论是硬件还是软件，都具有能耗低、污染小的特点。

现代服务业也是一个能耗低、污染小、就业容量大的低碳产业，包括金融、保险、物流、咨询、广告、旅游、新闻、出版、医疗、家政、教育、文化、科学研究、技术服务等。

发达国家的现代服务业在 GDP 中所占比重高达 60% ~70%，如 2003 年英国能源白皮书《我们未来的能源——创建低碳经济》揭示的，英国近 30 年来经济规模增加 100%，但能耗总量只增加了 10%，这一方面得益于能源利用效率的提高，另一方面也得益于产业结构的调整和现代服务业的发展。

优化产业结构，努力推进经济发展方式的转变，加快发展第三产业，特别是发展现代服务业，提高高碳产业准入的市场门槛，积极发展低碳产业，减少国民经济发展对工业增长的过度依赖，可以有效降低单位 GDP 碳排放的强度，实现低碳经济发展。

2.1.6.2 优化能源结构，提高能源效率

历史上，人类利用能源大致经历了三个时期：薪柴时期、煤炭时期和油气时期。第一次能源结构转换是从薪柴转向煤炭(1920 年)；第二次能源结构转换是从煤炭转向

油气(1959年)；面对日益枯竭的化石能源和不断恶化的生态环境，人类需要进行第三次能源结构转换，即从化石能源转向可再生能源，用可再生能源替代化石能源，用无碳能源、低碳能源替代高碳能源。

传统工业的发展离不开化石燃料所提供的巨大能源，能源结构的高碳化是传统工业化的必然结果。当地球温室效应不断地影响和威胁人类赖以生存的自然生态系统时，人类对工业文明依赖化石能源基础的反思和改造也就顺理成章了。

在三种化石能源中，煤的含碳量最高，石油次之，天然气的单位热值碳密集度只有煤的60%。其他形式的能源(如核能、风能、太阳能、水能、地热能等)属于无碳能源。

发展低碳经济必须加快国家能源消费从以传统煤炭为主向石油和天然气为主的结构转变，通过化石能源内部和外部结构的调整，有效地减缓碳排放增长速度。从保证能源安全和保护环境的角度看，一是要发展低碳和无碳能源，促进能源供应的多样化，减少煤炭消费和降低对进口石油依赖度；二是大力提高能效，提高能效被认为是煤炭、天然气、核能和可再生燃料之外的第五种发电“燃料”，更高的能效意味着可以减少2/3的温室气体排放。

尽管能源结构的调整可以大量减少温室气体的排放，但这种减排的潜力并不是无限的。

第一，虽然世界可再生能源的开发取得了很大的进展，包括太阳能、风能、水能、生物质能、沼气、核能等众多低碳能源或无碳能源在一些领域正在渐渐地替代化石能源，但是由于各种原因，许多低碳能源或无碳能源的利用还未达到全面产业化、规模化和商业化的水平，而且新能源的基础设施建设不仅需要巨额的资金投入，而且需要有较长的建设周期。因此，传统的能源结构在较长一段时间里也很难发生颠覆性的改变。

第二，人类以汽车、轮船、飞机为主要交通运输工具的旅行方式也不会发生根本性的改变，所改变的只是实现这些交通运输工具功能的动力来源。交通运输业的主要能源是液态石油或天然气产品。虽然石油和天然气可以替代煤炭发电，但煤却很难替代石油制品作为飞机、汽车的液体燃料。在当前的技术水平条件下，太阳能、风能和生物质能商业化还受到成本的约束，难以与常规的化石能源竞争。

第三，能源的替代也受到资源特有性质的约束。

2.1.6.3　强化节能，提高能效

节能是保证能源结构调整、能源总量供应、实现能源安全、环境保护和提高竞争力的重要保障。

有专家预测，通过强化节能和提高能效的政策措施，中国有望将2020年的能源消费总量减少15%以上。国际能源机构(IEA)预测，未来20年，世界能源强度年均需下降约1.1%，中国要实现这一目标，其能源强度年均下降2.3%。

因此，抓好工业、交通和建筑这三大部门的能效改进将是中国未来节能工作的重点。

2.1.6.4 积极参与国际经济技术合作，增强自主创新能力

低碳经济在中国的发展还处于起步阶段，中国由于自身实力薄弱，技术水平相对落后，技术研发能力相对不足，如果仅仅依靠自身的技术实力，很难真正发挥低碳经济的潜力，所以必须积极引发达国家先进的低碳技术。然而，由于商业化利益的考虑以及发展中国家技术吸收能力的限制，低碳技术的国际间转移的进展十分缓慢。

因此，非常有必要进一步发挥国际间协议的作用，来推进发达国家向发展中国家的技术转让。我国当前的策略是要加大与国际社会，尤其是低碳经济发展较好的国家之间的合作与交流，积极从发达国家引入成熟的技术，提升对引进技术的消化和再创新能力，加强自主创新，推动低碳经济的发展。

2.2 低碳经济的发展历程

2.2.1 人类发展模式变革的迫切压力

2.2.1.1 全球气候灾难频发

2.2.1.1.1 全球气候变暖的争论

气候变暖指全球范围的、长期的气温上升趋势。进入工业社会以来，人类大规模开发利用自然资源，恶化了生态环境，导致资源枯竭，出现了全球气候变暖趋势。由于焚烧化石能源和砍伐森林，使地球大气层中的温室气体含量越来越高，这些温室气体对来自太阳辐射的可见光具有高度的透过性，而对地球反射出来的长波辐射具有高度的吸收性，能强烈吸收地面辐射中的红外线，产生“温室效应”，从而导致全球气候变暖。

自1861年以来，全球平均地表温度呈现波动上升的趋势。据专家估算，近100年来，全球平均气温升高0.3～0.6℃。20世纪增幅最大的两个时期为1910～1945年和1976～2000年。1949～1979年30年长期平均气温比20世纪初全球平均气温高0.25℃，20世纪80年代以来的30年间，全球气温上升迹象更加明显，除极少数年分外，当年

平均气温连续高于长期平均气温。最新研究显示：到21世纪末，地球的平均温度将再上升1.6℃。

约翰·克里斯蒂是美国阿拉巴马大学汉斯维尔分校的大气学教授并担任地球系统科学中心的主管，他研究发现，在过去30年间，全球有一半地区的温度上升了至少0.3℃，另外一半地区的温度上升了至少0.6℃。

美国国家海洋与大气管理局和美国宇航局的传感器收集的数据显示，在过去30年间，全球平均气温上升了大约0.4℃，地球上有超过80%的地区出现了不同程度的升温现象。格陵兰的温度变化最大，在过去30年间，温度升高了2.5℃。

气温的上升引起了全球的关注。1988年，联合国环境规划署和世界气象组织共同成立了政府间气候变化委员会(IPCC)，集中全球专家专门研究气候变化及其影响，分别于1990、1995、2001和2007年发表了四份研究报告，明确指出了全球变暖的趋势、原因和灾难性后果，为保护环境和推进国际社会在气候方面的工作提供了重要的科学依据。IPCC因其卓越的工作获得2007年诺贝尔和平奖。

目前也有少数专家对全球气候变暖提出了质疑，主要有两种观点。

第一种观点是气温上升是正常的。气候变化是客观规律，是自然现象，是不可避免的，人类活动对气候变化的影响不大。

从大尺度来看，地质学家研究的结果证明地球变冷变暖是交替出现的。地质时期距今22亿年至1万年前，期间全球各地曾发生过三次大规模冰川，即震旦纪冰期(距今约6亿年)、石炭纪—二叠纪冰期(距今约3亿~2亿年)和第四纪冰期，各冰期之间是间冰期，间冰期时雪线升高、冰川后退、气候显著变暖。各种时间尺度的冰期与间冰期的相互交替，气候变化幅度很大。

从较小的尺度来看，人类出现后的200万年，气候也是冷暖交替，不断地变化。从中国有记载的5000年历史看，经历了四个温暖期和四个寒冷期的变化。著名学者竺可桢经过长期研究，指出中国近5000年来气候变化中存在着各种不同时间长度与程度大小的波动，这种波动以冷暖交替及其伴随着的干湿交替出现为特征。一段温暖期过后，是一个相对的寒冷期；一段寒冷期过后，是一个相对的温暖期。

从近10年来看，气候也是波动变化。德国基尔大学莱布尼茨海洋科学研究所的气候专家马杰布·拉夫提和英国哈德利气候变化研究中心，先后得出地球气候在过去10年并没有明显变暖的现象。拉夫提的观测结果显示，地球气温从20世纪70年代至90年代末平均增加了0.7℃，之后进入一个相对稳定的时期；全球平均气温在1998年达到了高峰值后，就再也没有出现新的纪录。哈德利中心的一份研究报告也支持拉夫提的观点，这份报告说，1999~2008年，全球平均气温仅增加0.07℃，而不是气候变化委员会报告中的0.2℃。

第二种观点是全球变暖是骗局。2009年11月，国际气候研究领域爆出两起丑闻："气候门"和"冰川门"，引出了气候变暖是发达国家的惊天骗局的指责。

"气候门"事件是英国东英吉利大学气候研究中心被指捏造气候变暖数据的丑闻。气候研究中心成立于1972年，是最早开始研究气候变暖的研究所，拥有世界最大的气温数据库，这些数据也是联合国政府间气候变化专门委员会2007年世界气候报告的重要基础。由此可见，东英吉利大学气候研究中心是气候研究领域的权威。2009年11月，气候研究中心遭黑客入侵，研究所在过去10多年里收发的大量电邮和文件被公布在网上，变暖怀疑论者通过这些资料揭发该中心捏造气候变暖数据和消灭不利气候变暖证据，该中心的信誉和地位因此遭受严重打击。

"气候门"事件爆发后不到两个星期，气候变化委员会传出"冰川门"事件。联合国政府间气候变化委员会在2007年公布的世界气候报告中说，喜马拉雅冰川将在2035年时完全消失。这个耸人听闻的结论在其后两年多来受到广泛的报道和引用。然而，加拿大安大略特伦特大学教授格雷厄姆·科格利指出，世界气候报告可能在引述另一份报告的过程中，把"2350年"误写为"2035年"。英国媒体进一步揭露，世界气候报告还有更多的错误，引述了没有经过同行评审、不经科学验证的灰色文献，甚至是道听途说的传闻。

反气候变暖人士认为，气候变暖的谎言和碳排放的限制措施是在变相地限制发展中国家的工业化进程，是通过一个人类既不了解也不可能对其有所影响的气候领域进行变相敛财：利用征收碳税实现一箭双雕，既限制了不发达国家和发展中国家赶上欧美发达国家的可能性，又从中征收巨额财富。

2010年3月10日，联合国秘书长潘基文和政府间气候变化专门委员会主席帕乔里在纽约总部共同向媒体宣布，决定对政府间气候变化专门委员会的工作程序和过程展开独立审核。此次审核工作将由国际科学院理事会独立进行，审核结果将在8月31日之前提交给联合国。潘基文秘书长指出，联合国政府间气候变化专门委员会的第四份评估报告中有关全球气候变暖的主要结论是明确的，目前所发现的少量错误并未改变科学界在气候变化问题上的根本共识，并不能减弱该机构工作所具有的独特重要性。

2.2.1.1.2 气候变暖与生态灾难

气候变暖会带来一系列生态灾难。

(1)海平面上升。资料表明，过去的百年间全球海平面上升了14.4cm，中国的海平面上升了11.5cm。海平面升高的根本原因是气候变暖。一方面，气候变暖使海洋变暖，海水出现热膨胀，海平面升高；另一方面，全球升温会引起地球南北两极的冰雪融化，引起海平面上升。海平面上升带来的直接危害是低地被淹没，将直接威胁到沿海国家以及30多个海岛国家的生存和发展。联合国的专家小组经电脑模拟试验后曾得出结论，当2050年全球海平面升高30～50cm时，世界各地海岸线的70%、美国海岸线的90%将被海水淹没。美国环保专家的预测更令人担忧，再过50～70年，巴基斯坦国土的1/5、尼罗河三角洲的1/3以及印度洋上的整个马尔代夫共和国，都将因海平面升高而被淹没；东京、大阪、曼谷、上海、威尼斯、彼得堡和阿姆斯特丹等许多沿海城市也将完全或局部被淹没。据英国官方公布的统计数据，在过去的20年中，由于泰晤士河的水位随全球变暖而升高，当地政府不得不先后88次加高防洪堤坝，以保障伦敦人的生命财产安全。马尔代夫、塞舌尔等30个低洼岛国面临在21世纪被海水淹没的威胁。印度洋岛国马尔代夫平均海拔只有1.5m，海平面的升降关乎它的生死。根据科学家的研究报告，如果全球变暖的趋势以目前的速度持续下去，那么这个由1192个小岛组成的国家将在21世纪消失。2009年10月17日，马尔代夫首次在水下召开内阁会议，呼吁国际社会关注全球气候变暖造成的海水上升的危害。海平面上升还会恶化沿海岸的水土资源。由于海水上升，海浪动力增强，破坏力增大，造成海岸线的后退和冲蚀，破坏沿海养殖和旅游经济。由于海平面的上升和海水的侵蚀，沿海地下水位上升，盐分增加，土壤盐碱化程度会加重，水土资源都被破坏。

(2)冰川冻土融化。自20世纪60年代末以来，全球雪盖面积减少了10%左右。全球大约有4/5的淡水资源储存于冰川之中，其中极地冰川占全球淡水资源的75%，现在难以被人们利用，而内陆高山冰川是河流重要的水源。随气候变暖，极地冰川面积在萎缩，厚度在下降，裂缝在扩大。内陆冰川的融化速度更快，喜马拉雅冰川在不断收缩，近30年来，青藏高原冰川面积减少了10%以上，雪线上升最高达350m。2007年乞力马扎罗山的冰川覆盖面积，与1912年相比减少了85%，并可能在未来20年内完全消失。多年冻土分布面积约占地球陆地面积的25%，包括苏联和加拿大近一半的领土、中国22%的领土、美国阿拉斯加85%的土地，在南极和格陵兰的无冰盖低端和被冰盖边缘覆盖的地下，南美和中亚的高山地区也有分布。冻土的融化会使封存在其中的甲烷等温室气体释放到空气中，增加大气中的含碳量，加剧温室效应。美国麻省理工学院科研人员在《地球物理研究杂志》网络版上报告说："一旦地下甲烷大量释放到大气层中，其导致的全球变暖速度可能会比目前主要的二氧化碳等温室气体造成的全球变暖还要快20倍。"

(3)极端气候频现。在全球变暖的大背景下，洪水、干旱、高温、台风、雨雪冰冻等极端气候事件加剧，特别是20世纪80年代以来，极端气候事件频繁发生，给社会、经济和人民生活造成了严重的影响和损失。据估计，1991~2000年的10年里，全球每年受到气象水文灾害影响的平均人数为2.11亿，是战争冲突的7倍。

全球陆地降水量发生了显著变化。北半球中高纬度地区的降水量，平均每10年增加0.5%~2%，热带地区平均每10年增加0.2%~0.3%，亚热带地区则平均每10年减少0.3%左右。20世纪后半叶，中高纬度地区的暴雨发生频率增加了2%~4%，而在亚洲和非洲的一些地区，干旱的频率和强度都有所增加。

极端气候事件频繁发生典型地表现在厄尔尼诺现象和拉尼娜现象交替出现上。厄尔尼诺现象特指发生在赤道太平洋东部和中部的海水大范围持续异常偏暖现象。拉尼娜现象即反厄尔尼诺现象，指赤道太平洋东部和中部的海洋表面温度大范围持续异常变冷的现象。

太平洋上空的大气环流名为沃克环流，当沃克环流变弱时，海水吹不到西部，太平洋东部海水变暖，就是厄尔尼诺现象；但当沃克环流变得异常强烈，就产生拉尼娜现象。一般拉尼娜现象会随着厄尔尼诺现象而来，出现厄尔尼诺现象的第二年，都会出现拉尼娜现象，有时拉尼娜现象会持续两三年。

1950年以来全球共发生了14次厄尔尼诺事件，一般持续一年，短的仅半年，最长的一起事件持续了约一年半。1988~1989、1998~2001、2007~2008年发生了强烈的拉尼娜现象，令太平洋东部至中部的海水温度比正常低了1~2℃，1995~1996、2006年发生的拉尼娜现象则较弱。有的科学家认为，由于全球暖化的趋势，拉尼娜现象有减弱的趋势。

厄尔尼诺现象发生时，热带中、东太平洋海温的迅速升高，首先直接导致了中、东太平洋及南美太平洋沿岸国家异常多雨，甚至引起洪涝灾害；也使得热带西太平洋降水减少，造成印度尼西亚、澳大利亚严重干旱。厄尔尼诺还常常引起非洲东南部和巴西东北部的干旱、加拿大西部和美国北部暖冬以及美国南部冬季潮湿多雨，与日本及中国东北的夏季低温、日本和中国的降水等也具有一定的相关性。此外，厄尔尼诺常常抑制西太平洋热带风暴生成，但使得东北太平洋飓风增加。拉尼娜的气候影响与厄尔尼诺大致相反，影响程度及威力较厄尔尼诺小。拉尼娜出现时印度尼西亚、澳大利亚东部、巴西东北部、印度及非洲南部等地降雨偏多，但在赤道太平洋东部和中部地区、阿根廷、赤道非洲、美国东南部等地易出现干旱。

极端气候事件给人类带来了重大的生命财产损失。20世纪60年代持续六年的干旱导致了150万人饥饿致死；1998年的洪灾淹没了孟加拉国2/3的国土，1000人死亡，3000万人家园被毁；同年，中国洪灾蔓延29个省、自治区、直辖市，受灾人数上亿，近500万所房屋倒塌，2000多万hm^2土地被淹，经济损失达1600多亿元人民币；2005年8月29日，卡特里娜飓风登陆美国路易斯安那州和密西西比州，造成1500人死亡，数以万计的房屋被淹和数十万户家庭断电，78万人流离失所，新奥尔良基本瘫痪；2008年年初，中国的冰雪灾害造成了107人死亡，直接经济损失1100多亿元人民币。

(4)地球生物多样性遭到威胁。首先，影响人体健康。全球气候变暖直接导致部分地区夏天出现超高温，引发心脏病及各种呼吸系统疾病，每年都会夺取很多人的生命，其中又以新生儿和老人的危险性最大。全球气候变暖导致臭氧浓度增加，低空中的臭氧会破坏人的肺部组织，引发哮喘或其他疾病。全球气候变暖会造成某些传染性疾病传播，还生成了一些新的变异品种，并激活新病毒。仅过去20年内，全球就至少有30种新的传染疾病抬头。极端天气频发，还为疾病的传播提供了更为有利的条件。近年来，一些热带疾病已经开始向高纬度地区扩散，霍乱、疟疾以及登革热的传播范围扩大，危及全球一半人口。

其次，加快物种灭绝进程。气候变化能改变一个地区不同物种的适应性并能改变生态系统内部不同种群的竞争力。自然界的动植物，尤其是植物群落，可能因无法适应全球变暖的速度而做适应性转移，从而惨遭厄运。以往的气候变化曾使许多物种消失，未来的气候将使一些地区的某些物种消失；而有些物种则从气候变暖中得到益处，他们的栖息地可能增加，竞争对手和天敌也可能减少，则可能出现泛滥的情况。

2.2.1.1.3 碳排放是气候灾难的元凶

全球气候变暖的原因有两方面：大量燃烧煤炭、天然气等产生大量温室气体排放；肆意砍伐原始森林，使得吸收二氧化碳的能力下降。这二者都导致了大气中的二氧化碳含量增加，许多科学家都认为，温室气体的大量排放所造成的温室效应的加剧是全球变暖的基本原因。

大气层和地表这一系统就如同一个巨大的“玻璃温室”，使地表始终维持着一定的温度，产生了适于人类和其他生物生存的环境。在这一系统中，大气既能让太阳辐射透过而达到地面，同时又能阻止地面辐射的散失，我们把大气对地面的这种保护作用称为大气的温室效应。造成温室效应的气体称为温室气体，它们可以让太阳短波辐射自由通过，同时又能吸收地表发出的长波辐射。这些气体包括二氧化碳、甲烷、氯氟化碳、臭氧、氮的氧化物和水蒸气等。水蒸气所产生的温室效应占全部温室效应的2/3左右，但它主要是一种自然现象，与人类活动关系不大。除此之外，最主要的是二氧化碳，占整体温室效应的26%左右，大气中二氧化碳含量增加主要是由人类活动造成的，碳排放是气候灾难的元凶。二氧化碳气体具有吸热和隔热的功能，在大气中增多的结果是形成一种无形的玻璃罩，使太阳辐射到地球上的热量无法向外层空间扩散，其结果是地球表面变热起来。二氧化碳能改变大气的热平衡，能吸收地球的红外辐射，引起近地面大气温度的增高。近地面大气变暖会使地面蒸发增强，造成大气中的水汽增多，从而又会使近地面大气对地球红外辐射的吸收进一步增强。如此相互作用，大气中的二氧化碳的增加就会改变原有的大气热平衡，造成全球气候变暖。

工业革命以前的相当长历史时期内，大气中的二氧化碳基本稳定在270～290μL/L（μL/L：100万个空气分子中有1个二氧化碳分子），但工业革命之后，煤炭和石油的消耗急剧增加，大气中的二氧化碳、甲烷和氧化亚氮等温室气体大幅增加。根据世界气象组织（WMO）2006～2009年发布的年度《温室气体公报》，18世纪工业革命以前，大气中二氧化碳含量为280μL/L、甲烷含量为700nL/L（nL/L：10亿个空气分子中有1个甲烷分子）、氧化亚氮含量为270nL/L（nL/L：10亿个空气分子中有1个氧化亚氮分子）；2008年，3种温室气体都创下历史新高，二氧化碳含量为385.2μL/L，比工业革命前增加了37.5%，甲烷含量为1797nL/L，比工业革命前增加了156.7%，氧化亚氮含量为381.8nL/L，比工业革命前增加了41.4%。《温室气体公报》还显示，近几年，只有大气中甲烷含量是缓慢波动增长，二氧化碳和氧化亚氮的含量在稳步增长，每年都创新高。2005～2008年，大气中二氧化碳含量分别为379.1、381.2、383.1和385.2μL/L，每年增加2μL/L以上，增长幅度为0.52%，增幅明显加快。

通常认为，二氧化碳浓度增加会带来厄尔尼诺现象，如1988年二氧化碳的年平均增长为2.45μL/L，1998年为2.74μL/L，这两年都发生了厄尔尼诺现象。

2.2.1.2 化石能源不可持续

2.2.1.2.1 化石能源的组成与经济特征

就人类对自然资源开发和利用的历史而言，大体经历了四个阶段：第一阶段是远古以来采集和狩猎为主的野生动植物资源利用时期；第二阶段是古代以种植业和畜牧业为主的土地资源开发和利用时期；第三阶段是现代社会以工业化生产为主的矿产资源（主要是化石能源）开发与利用时期；第四阶段是近20多年来刚刚开始出现的以服务业和旅游业为主的环境资源保护利用时期。

在这四个阶段中，以工业化生产对人类社会进步所产生的影响最为强烈和深远。各国长期的实践表明，建筑在矿产资源开发基础之上的工业化生产，不仅从根本上改变了社会经济的增长状态，而且也深刻地改变了社会生产与生活的空间结构发育状态。探讨矿产资源开发与国家工业化发展，不仅关系到发展中国家的命运与前途，而且也关系到整个人类的命运和前途。因为大规模的矿产资源开发，不仅为人类彻底摆脱贫困和保持财富稳定增长提供了无限机遇，同时也对人类生存和持续发展的生态环境基础造成了巨大威胁和严重破坏。

目前人类所利用的能源主要有三类：第一类是来自地球以外天体的能源，其中最大的是太阳的辐射能；第二类是地球本身所蕴藏的能源，包括地热能、放射性元素的放射能以及各种地壳内埋藏的有机燃料的化学潜能等，还可以包括地表植物燃料的潜能；第三类是地球和天体之间相互作用所产生的能源，如水流、潮汐、风和洋流所含有的能源等。

化石能源，又称矿物燃料，是由古代的动植物体中所包含的有机物质经过长期的转化而形成的可燃性能源物质，主要包括煤炭、石油和天然气，它们构成化石能源的三大支柱。

煤、石油、天然气，是能够直接提供能量的化石能源。它们被开发时间长、技术成熟，能大量开采并广泛使用，能量密度很高，运输和储存方便，使用也较安全。

煤炭被大规模开采利用始于18世纪的工业革命，直至1966年，煤炭在世界能源消费中始终占据第一位。此后煤产量迅速下降，第一的位置让给了石油。至2000年，煤产量仅31亿吨，占世界总能源销量的25%。

石油因为具有发热量大、燃烧完全、运输方便、减少空气污染等优点，被誉为“工业的血液”，是汽车、飞机、轮船的优质动力燃料，火箭、导弹等现代化武器和航天技术的燃料也离不开石油产品。

石油发现和使用由来已久。但在世界范围内进行大规模开采，则是在1885年以后的事。当时美国知名地质学家I·C·怀特发表了“背斜学说”，此后数十年里，世界各地发现了众多油田，世界原油开采量大大增加。1980年，世界石油产量达到3 0亿吨。至2000年达到35.5亿吨标准油，占总能源消费量的40%。

天然气虽早就被发现，但因储存困难、生产投资大、回收投资周期长等原因，许多国家的天然气工业普遍比石油工业落后三四十年。近年来，天然气由于具有热值高、污染小，而且液化技术和储运技术也逐步得到解决，市场非常广阔。天然气可用作发电、民用工业和商业燃料，还可用作化肥和化工原料，其消费量和生产量随之急剧上升。

至2002年，世界天然气总产量(未包括中国)达到2.6万亿 m^3。据预测，到2015年天然气按热值计算将超过石油产量，在能源结构中与石油各占约30%，逐步接替石油，成为能源生产与消费的第三个高峰期。据估计，2 1世纪前期，天然气占世界能源消耗的比例有可能超过50%。

化石能源作为现代社会经济的重要支柱，具有以下经济学属性。

第一，化石能源具有稀缺性和不可再生性。由于化石能源是经过漫长而复杂的地质作用形成的，因而在相当长的时间里，是不可能再生的。另由于化石能源形成和分布在空间上和时间上都受到各种复杂条件限制，因此并非是“取之不尽，用之不竭”的。随着人类勘探技术的不断提高，目前地球上存在的各种化石能源多数已被发现，就目前的情况来看，化石能源的存量勘探在短期内难以出现突破性进展。现有的化石能源的蕴藏量在不断减少，直至最终枯竭。

第二，化石能源消费具有外部不经济性。化石能源的形成和分布特点以及在此基础上的大规模开发利用，决定了它在极大地促进人类社会经济发展的同时，也给人类赖以生存的环境造成巨大的破坏，即产生化石能源开发利用的外部不经济性。一方面，化石能源开发造成水土流失、耕地损坏、水系污染、生态环境恶化、地方病滋生等；另一方面，在对这些矿产资源进行加工和消费的过程中将废弃物排入大自然，造成更强烈的负面环境效应。工业污水和粉尘的排放，特别是大量温室气体的排放不仅造成空气污染和酸雨肆虐，而且破坏臭氧层，导致地球变暖、海平面上升、厄尔尼诺和拉尼娜现象频繁出现。

第三，化石能源具有公共产品性或准公共产品性。尽管很少有人明确提出化石能源具有公共物品或准公共物品的特点，但事实上，矿产资源虽然不具有非竞争性，但由于它的形成和分布特点，决定了它具有一定程度的非排他性，常常是众多的开采者在同一矿藏上同时开采，在实际开采过程中往往会出现不同程度的公共地悲剧，常出现浪费性开采现象。

第四，化石能源的供求明显受技术进步的影响。从理论上讲，技术进步因素对化石能源供求的影响有一个积累的过程。随着经验的不断积累和技术进步，人类开发和利用化石能源的程度也就越来越高，单位资源产生的能源不断增加的同时，单位产品所耗费的能源会不断下降。

化石能源的经济学属性提供了节约使用化石能源的必要性和可能性。

2.2.1.2.2 化石能源与工业文明

人类文明的发展经历了原始文明、农业文明和工业文明，目前正在从工业文明向生态文明转变。可以说，人类的每一次进步都与能源息息相关。经济和能源发展之间相互依赖、相互依存。一方面，经济发展是以能源为基础的，能源促进了经济的发展；另一方面，能源发展是以经济发展为前提的，能源特别是新能源和可再生能源的大规模开发和利用要依靠经济的有力支持。

能源是经济发展的重要物质基础，任何社会生产都需要投入一定的能源生产要素，没有能源就不可能形成现实的生产力。在现代化生产中，各个行业的发展都是与能源密不可分的。工业中各种产品的制造都需要以能源为基础，农业生产的机械化、水利化、化学化和电气化也是和能源消费联系在一起的，交通运输、商业和服务业的发展更是与能源分不开的；此外，人们的衣食住行等日常活动都离不开能源。化石能源对当代社会经济发展的重要作用主要表现在以下方面。

(1)化石能源是现代工业的主要动力来源。现代工业是建立在动力系统的根本性革新和机器大工业的基础上的，完全突破了人力驱动的界限和自然动力驱动的不稳定性，从而实现了持续高效的连续生产。而现代工业的根本基础就是以煤炭、石油、天然气为主的化石能源的支持。一旦这些化石能源的供给受到限制，现代工业的核心就要受到影响，以现代工业化生产为主体的社会生产和社会系统运行就会陷入瘫痪的境地。

(2)化石能源是现代工业的重要原料来源。在现代化生产中，化石能源不仅仅当做燃料动力使用，更宝贵的是，石油、煤炭和天然气同时也是重要的化工原料，现代有机化学工业也是在这个基础上建立起来的。有机化学工业合成的许多物质成为人们现代生产生活所必须依赖的物质。而现代有机化学工业的主要投入品就来源于煤炭、石油、天然气等化石能源加工产品。

(3)化石能源是推动现代技术进步的重要因素。翻开各国的经济发展史，任何一次重大的技术进步都是与能源的推动作用息息相关的。早期的人类社会主要依靠人力生产，即使加上一些畜力、水力等辅助生产力，整个社会生产力的发展速度也是相当缓慢的。工业革命以后，煤炭的使用和蒸汽动力的发明开拓了人类工业化的里程碑，同样，农业、交通和国防技术的进步都是依赖于能源的。煤炭、石油、天然气以及新能源、可再生能源使用范围的逐渐扩大，不但促进了能源行业的技术进步，而且极大地推动了整个社会的经济发展和技术革新。第二次工业革命使人们清楚地认识到，机械化程度的提高归功于电力的使用，从而降低了劳动成本，促进了劳动生产率的提高。因此，能源促进劳动生产率的提高是能源促进技术进步的必然结果。

2.2.1.2.3　化石能源污染严重

化石能源在生产和使用过程中，其碳排放量较大，尤其是在减排技术不太成熟的工业化初期阶段，化石能源的使用造成了生态环境的严重破坏。

人类对化石能源的依赖性与日俱增，但由于人类大规模地对化石能源进行开发和利用仍然处于初级阶段，技术手段和生产方式较为落后，加之化石能源消耗的自身特点，使得化石能源使用对地球产生的破坏性已经到了难以承受的程度。大规模的化石能源开发和利用所付出的代价是人类生产环境不断恶化，主要表现在温室效应的不断加剧、环境污染的不断恶化和固体废弃物不断增多，已对人类现代文明发展提出了越来越严重的挑战。

因此，在化石能源稀缺性与污染性的“双重制约”之下，全球能源供应和消费结构调整日趋急迫，加快经济发展方式转型刻不容缓。

2.2.2 低碳背景下的国际合作

2.2.2.1 京都议定书

1992 年，联合国环境与发展大会通过了《联合国气候变化框架公约》简称《公约》，这是世界上第一个关于控制温室气体排放、遏制全球变暖的国际公约。1997 年 12 月，在日本京都召开的《公约》缔约方第三次会议，通过了旨在限制发达国家温室气体排放以抑制全球变暖的《京都议定书》。《京都议定书》规定，到 2010 年，所有发达国家温室气体的排放量要比 1990 年减少 5.2%。具体地说，各发达国家从 2008 年到 2012 年必须完成的削减目标是：与 1990 年相比，欧盟削减 8%，美国削减 7%，日本削减 6%，加拿大削减 6%，东欧各国削减 5%~8%。新西兰、俄罗斯和乌克兰可将排放量稳定在 1990 年水平上。《议定书》同时允许爱尔兰、澳大利亚和挪威的排放量比 1990 年分别增加 10%、8% 和 1%。《京都议定书》需要在占全球温室气体排放量 55% 以上的至少 55 个国家批准，才能成为具有法律约束力的国际公约。中国于 1998 年 5 月签署并于 2002 年 8 月核准了该议定书，欧盟及其成员国于 2002 年 5 月 31 日正式批准了《京都议定书》。2004 年 11 月 5 日，俄罗斯总统普京在《京都议定书》上签字，使其正式成为俄罗斯的法律文本。截至 2005 年 8 月 13 日，全球已有 142 个国家和地区签署该议定书，其中包括 30 个工业化国家，批准国家的人口数量占全世界总人口的 80%。美国人口仅为全球人口的 3%~4%，而排放的二氧化碳却占全球排放量的 25% 以上，为全球温室气体排放量最大的国家，其曾于 1998 年签署了《京都议定书》，但 2001 年 3 月，布什政府以“减少温室气体排放将会影响美国经济发展”和“发展中国家也应该承担减排和限排温室气体的义务”为借口，宣布拒绝批准《京都议定书》。

2005 年 2 月 16 日，《京都议定书》正式生效，这是人类历史上首次以法规的形式限制温室气体排放。为了促进各国完成温室气体减排目标，《议定书》允许采取以下四种减排方式：第一，两个发达国家之间可以进行排放额度买卖的“排放权交易”，即难以完成削减任务的国家，可以花钱从超额完成任务的国家买进超出的额度；第二，以“净排放量”计算温室气体排放量，即从本国实际排放量中扣除森林所吸收的二氧化碳的数量；第三，可以采用绿色开发机制，促使发达国家和发展中国家共同减排温室气体；第四，可以采用“集团方式”，即欧盟内部的许多国家可视为一个整体，采取有的国家削减、有的国家增加的方法，在总体上完成减排任务。

2007 年，IPCC 和长期为应对气候变化做出努力的美国前副总统戈尔一起获得了当年的诺贝尔和平奖。因为正是 IPCC 的第四份研究报告（AR4），为解决气候问题上长期争论的3个基本问题提供了强有力的科学结论：其一，气候变暖的现象确实是在发生，按照现在的趋势，到21世纪末地球温度有可能上升1～6℃；其二，地球变热的主要原因，与以二氧化碳为主的六种温室气体(GHG)的持续排放有关；其三，温室气体的持续排放，来源于过去100多年来工业革命的化石能源消耗，因此应对气候变化的关键就是大幅度降低化石能源的消耗。联合国副秘书长、环境署执行主任施泰纳在2007年2月2日IPCC发布AR4报告梗概的时候说："世界会记住今天，因为悬在气候变化是否与人类活动相关的辩论之上的问号被抹掉了。这份报告不仅是一个里程碑，还应当是从怀疑到采取应对行动的转折点。"正是从2007年开始，由英国于2003年提出的被认为比全球气候变化更具有积极意义的低碳经济概念开始流行，相关的学术研究和政策行动在世界各地如火如荼地展开。也正是在这样的背景下，2001年宣布退出《京都议定书》的美国，回到了参与气候变化问题的谈判桌上。

2.2.2.2　巴厘路线图

2007年12月，在印度尼西亚巴厘岛国际会议中心，联合国气候变化大会通过一项计划，决定在2009年前就应对气候变化问题新的安排举行谈判，从而制定了世人关注应对气候变化的《巴厘路线图》。《巴厘路线图》确定了加强落实1997年《公约》的领域。《巴厘路线图》共有13项内容和1个附录：首先，强调了国际合作，制定各个国家"共同但有区别的责任"原则，考虑社会、经济条件以及其他相关因素，各个国家应长期合作、共同行动，制定了全球长期目标。其次，要求发达国家必须履行减排义务，所有发达国家缔约方都要履行"可测量、可报告、可核实"的温室气体减排责任。第三，提出气候变化的两大措施——减排和适应。在适应性问题上，提出技术开发问题、技术转让问题以及减排资金问题，这三个问题是广大发展中国家在应对气候变化过程中极为关心的问题。在减排问题上，明确落实1997年《京都议定书》的相关内容，国际社会在《公约》和《议定书》"双轨"谈判进程下于2009年底在丹麦哥本哈根会议上就如何进一步加强2012年后应对气候变化国际合作达成结果。第四，设定了减排时间表。《巴厘路线图》要求有关的特别工作组在2009年完成工作，并向《公约》第15次缔约方会议递交工作报告，这与《京都议定书》第二承诺期的完成谈判时间一致，实现了"双轨"并进。第五，中国结合本国经济社会发展规划和可持续发展战略，制定并公布了《中国应对气候变化国家方案》，成立了国家应对气候变化领导小组，颁布了一系列法律法规。

2008年，落实《巴厘路线图》的谈判全面展开，分别在曼谷、波恩、阿克拉和波兹南共举行了4轮会议。在《议定书》下，各方主要讨论了发达国家实现减排目标的手段和方法，尚未涉及发达国家的减排指标问题；在《公约》下，各方围绕减缓、适应、资金和技术四大问题展开一般性讨论，尚未涉及发达国家减排义务可比性等问题。同年底在波兹南结束的《公约》第14次缔约方会议标志着《巴厘路线图》谈判进程时间过半，会议通过了2009年工作计划，从形式上实现了向全面谈判模式的转变。

2.2.2.3 哥本哈根会议

联合国气候变化峰会2009年12月在哥本哈根举行。总的来看，哥本哈根会议是要在气候变化和低碳发展的关键议题上统一思想并采取行动。

然而，当前主要国家对所有这些议题都存在着严重的分歧。对中国而言，哥本哈根会议面临的是一场意义重大、任务艰难、挑战严峻的绿色博弈，体现以下几点：第一是重大，哥本哈根会议涉及世界各国从高碳排放的工业文明向低碳消耗的生态文明的革命性转型；第二是艰难，世界上的不同经济体对哥本哈根会议要达成的低碳发展目标和路线图有着各自的利益和想法；第三是挑战，中国未来发展在低碳经济的格局中需要有既符合自己发展权益又对世界承担责任的表现。在此会议上，各国均确认了以欧盟为主的研究者提出的CO_2减排目标及路径，要求世界到2020年达到CO_2排放的峰值，然后进入绝对减排状态，最终到2050年能够实现比1990年减一半的目标。哥本哈根会议的难点，在于与会各国是否认同到2020年实现峰值的中期控制目标。就中国而言，虽然依赖于煤炭供应的能源结构，对中国未来的绿色转型是严峻的硬约束，但是应该看到，中国转向低碳经济具有一定的潜在优势。中国转向低碳经济的关键挑战和战略性问题，在于如何确定以人均CO_2排放为衡量标准的中国低碳经济的目标情景，并且以此为目标倒过来调控经济增长规模和方式。

这次的哥本哈根会议比以往任何一次气候会议都火爆，根据各自利益共划分为四个阵营，彼此攻击，其中受到冲击最大的是美国与中国(京都会议时主要是美国)，不仅被其他两个阵营攻击，而且相互之间也要进行攻击。

(1)欧盟的态度(丹麦文件)。联合国的方案很大程度上来自欧盟的研究。欧盟开始强调两轨合一(要求包括发达国家和发展中国家)，提出可以在其他发达大国有行动的条件下减排30%，提出可以在未来三年提供一定的资助(其中有一定比例为公共资金)，要求中国有明确的总量减排目标或人均控制目标。

(2)美国等伞形国家的态度。美国的态度是最保守的，因为已经退出《京都议定书》，他们坚决要求另拟包括所有国家在内的新议定书，提出在2005年基础上减排17%(实质是相对于1990年减少3%～4%)，提出可以提供适度考虑公平的适应基金资助，但是接受对象明确排除中国等发展中大国，要求中国有明确的总量减排目标或人均控制目标。

(3)中国等基础四国的态度(北京文件)。中国坚持两个文件分列，针对发达国家减排的《京都议定书》必须延续进入第二期，要求发达国家减少25% ~40%，要求发达国家提供到2020年每年1000亿美元的资助，提出中国在2005年基础上减少CO_2强度40% ~45%的志愿行动（根据粗略的计算，在经济增长8%的情况下是相对于2020年基线排放减少30%左右），但是人均和总量是增加的，不承诺有强制性减排的义务。

(4)小岛屿国家的态度(44个国家)。图瓦卢等小岛屿国家有从发展中国家阵营中分裂出去的趋势。巴厘岛会议时，正是图瓦卢的谈判代表提出，如果美国不愿当领导者就要退场，才导致美国在最终时刻承诺了巴厘岛路线图。但是这次哥本哈根会议上小岛屿国家向中国提出了尖锐的挑战。他们的态度包括：重新建立包括所有国家的减排议定书，要求排放大国必须减少45%以上，发达国家要提供每年3000亿美元的资助经费，发展中大国也应该承担强制性的减排任务。

如果哥本哈根会议的结果有高方案（联合国气候组织提出的指标）、低方案（没有具体指标的政治协议）、中方案（有妥协指标的政治协议）三种可能，那么这些方案需要在以上几个方面形成政治性的协议，而且这协议并不具有法律约束性。许多人认为这是哥本哈根会议的严重失败。其实这样的沟通就已经是成功了，因为哥本哈根会议的实质，类似于从理性人的囚徒博弈向利他人的合作博弈的渐进演化，是一个对立成分逐渐降低、妥协成分逐渐提高的过程。从这个角度讲，对美国和中国提高减排行动是有促进作用的。

2.2.3 世界经济的低碳战略

2007年底“巴厘岛路线图”达成以后，低碳经济发展理念越来越受到国际社会的广泛重视，全球向低碳经济转型已是大势所趋。面对这场新的工业革命，世界各国已经行动起来，把发展低碳经济作为面向未来的重大战略选择。欧洲国家倡导发展“低碳经济”，日本提出建设“低碳社会”，美国更是采取积极的措施，试图抢占发展低碳经济的高地，而发展中国家也开始谋划向低碳经济转型。

2.2.3.1 发达国家向低碳经济战略转型

2.2.3.1.1 欧 盟

欧盟是低碳经济发展的倡导者，视低碳经济为新的工业革命。自《京都议定书》签署以来，欧盟一直主导着减排的前进步伐，对本区域的工业产品制定了更严格的节能与排气量指标，深刻影响了全球工业产品的竞争格局，使欧盟赢得了新经济竞争的初步优势，引导着新兴低碳经济、环保产业的发展。

欧盟在平衡与协调各成员国的基础上，2007年3月，欧盟委员会提出了欧盟战略能源技术计划，其目的在于促进新的低碳技术研究与开发，以达成欧盟确定的气候变化目标，从而带动欧盟经济向高能效、低排放的方向转型，并以此引领全球进入“后工业革命”时代。根据该计划，欧盟承诺到2020年将可再生能源占能源消耗总量的比例提高到20%，将煤炭、石油、天然气等一次能源的消耗量减少20%，将生物燃料在交通能耗中所占的比例提高到10%。此外，欧盟单方面承诺到2020年将温室气体排放量在1990年的基础上减少20%，如果其他主要国家采取相似行动，则将目标提高至30%，到2050年希望减排60%~80%。

2007年10月7日，欧盟委员会建议欧盟在未来10年内增加500亿欧元发展低碳技术。欧盟委员会还联合企业界和研究人员制定了欧盟发展低碳技术的“路线图”，计划在风能、太阳能、生物能源、二氧化碳的捕获和储存六个具有发展潜力的领域大力发展低碳技术。2007年年底，欧盟委员会通过了欧盟战略能源技术计划，明确提出鼓励推广“低碳能源”技术，促进欧盟未来能源可持续利用机制的建立和发展。欧盟国家利用其在可再生能源和温室气体减排技术等方面的优势，积极推动应对气候变化和温室气体减排的国际合作，力图通过技术转让为欧盟企业进入发展中国家能源环保市场创造条件。

2008年12月，欧盟最终就欧盟能源气候一揽子计划达成一致，形成了欧盟的低碳经济政策框架。批准的一揽子计划包括欧盟排放权交易机制修正案、欧盟成员国配套措施任务分配的决定、碳捕获和储存的法律框架、可再生能源指令、汽车二氧化碳排放法规和燃料质量指令六项内容。计划中制定的具体措施可使欧盟实现其承诺的“3个20%”：到2020年将温室气体排放量在1990年基础上减少至少20%；将可再生清洁能源占总能源消耗的比例提高到20%；将煤、石油、天然气等化石能源消费量减少20%。

2009年3月9日，欧盟委员会决定将在2013年前斥资1050亿欧元，支持各国推行“绿色经济计划”，其中540亿用来帮助各国执行欧盟环保法规，280亿用于改善废弃物的处理技术，改善水质。欧盟希望通过这笔投资，使“绿色经济”成为带动欧盟经济的新的增长点，最终保持欧盟在环保领域的领先地位与竞争优势，同时缓解困扰欧盟多年的就业问题。

2009年11月24日，欧盟委员会经过酝酿后，正式提出了打造“绿色知识经济体”这一战略构想，并开始在成员国广泛征求意见。欧盟委员会设想在未来10年经济发展要实现三大目标：继续迈向知识体；改善就业状况；建设既有竞争力又更加“绿色”的经济。可见，“绿色”与“就业”是欧盟委员会新战略构想的核心因素。其实，自20世纪80年代以来，失业是困扰欧盟多年的难题。对此，欧盟领导层认为，只有大力发展低碳经济，才能有望找到新的经济增长点，创造“绿色”就业岗位，最终缓解失业带来的困扰及社会问题。有研究表明，欧盟仅再生能源行业的就业人数就可以在2020年达到280万，是2005年的1倍。尽管随着再生能源的兴起，传统能源行业的就业将面临萎缩，但两项相比较，再生能源行业仍可创造近40万个就业机会。可见，“绿色低碳经济”给欧盟带来的不仅是维持欧盟在环保领域的优势地位，提高竞争力，更可以大大缓解失业带来的巨大社会压力。

2.2.3.1.2　伞形集团

伞形集团是一个区别于传统西方发达国家的阵营划分，用以特指在当前全球气候变暖议题上不同立场的国家利益集团，具体指除欧盟外的其他发达国家，包括美国、日本、加拿大、澳大利亚等国。因为从地图上看，这些国家的分布很像一把“伞”，也象征地球环境“保护伞”，因此将这些国家称为“伞形集团”。

(1)美国：奥巴马绿色新政计划

2007年7月11日，美国参议院提出了《低碳经济法案》，表明低碳经济的发展道路有望成为美国未来的重要战略选择。

奥巴马政府上台不久也推出新能源战略，望其成为美国走出经济低谷、维护其世界经济“领头羊”地位的重要战略选择。全球金融危机以来，美国选择以开发新能源、发展低碳经济作为应对危机、重新振兴美国经济的战略取向，短期目标是促进就业、推动经济复苏，长期目标是摆脱对外国石油的依赖，促进美国经济的战略转型。美国政府发展低碳经济的政策措施可以分为节能增效、开发新能源、应对气候变化等多个方面，其核心是新能源。

2009年1月，奥巴马宣布了“美国复兴和再投资计划”，以发展新能源作为投资重点，计划投入1500亿美元，用3年时间使美国新能源产量增加1倍，到2012年将新能源发电占总能源发电的比例提高到10%，2025年，将这一比例增至25%。2009年2月15日，美国正式出台了《美国复苏与再投资法案》(American Recovery Reinvestment Act)，投资总额达到7870亿美元。这一法案将发展新能源作为重要内容，包括发展高效电池、智能电网、碳储存和碳捕获、可再生能源如风能和太阳能等。在节能方面最主要的是汽车节能。到2025年，联邦政府将再投资900亿美元提高能源使用效率并推动可再生能源发展。

2009年3月31日，美国众议院能源委员会向国会提出了《2009年美国绿色能源与安全保障法案》。该法案由绿色能源、能源效率、温室气体减排、向低碳经济转型四部分组成。该法案规定，美国2020年时的温室气体排放量要在2005年的基础上减少17%，到2050年减少83%。法案要求逐步提高美国来自风能、太阳能等清洁能源的电力供应，要求到2025年，电力公司出售的电中有25%要来自于可再生资源。法案在“向低碳经济转型”领域的主要内容包括确保美国产业的国际竞争力、绿色就业机会和劳动者转型、出口低碳技术和应对气候变化等方面。该法案构成了美国向低碳经济转型的法律框架。

2009年6月28日，美国众议院通过了《美国清洁能源和安全法案》。这是美国第一个应对气候变化的一揽子方案，不仅设定了美国温室气体减排的时间表，还引入了温室气体排放权配额与交易机制(CAP&TRADE)。根据这一机制，美国发电、炼油、炼钢等工业部门的温室气体排放配额将逐步减少，超额排放需要购买排放权。美国温室气体排放权配额与交易机制的基本设计可以归纳为六个方面的内容：一是排放总量的控制。对约占温室气体排放量85%的排放源设置了具有法律约束力且逐年下降的总量限额。二是配额发放。排放源对其排放的每1t温室气体都有相应数量的排放配额，并可以交易、储存和借贷配额。在最初几年，对排放配额中的80%进行免费发放，之后随着总量的配额的减少，免费发放的配额也将逐年减少。三是稳定配额交易价格的措施。该体系在已批准的国家温室气体排放清单的基础上形成，因此解决了可能存在的碳价格波动问题。四是美国国内和国际抵消量。允许排放抵消量来降低减排成本，设置抵消量从初始每年20亿t二氧化碳当量初步减少到8亿t。在20亿t抵消量中，10亿t来自国内林业和农业项目，另外10亿t来自国外。《美国清洁能源与安全法案》还为国际碳抵消量进入美国碳市场建立了四种连接机制。五是对发展中国家的援助。2012~2021年，为发展中国家适应气候变化和向其转让清洁技术提供2%的配额，2022~2026年，这一比例将增加到4%，2027年后增加到8%。六是治理结构。除美联邦环保署和国务院外，《美国清洁能源与安全法案》还授权美国农业部、美国能源管理委员会、商品期货交易委员会分别负责相关监管。

(2)日本：低碳社会行动计划

近年来，日本能源新政频出，其推进“低碳社会”建设的进程不断提速。

2006年日本出台的《新国家能源战略》，提出从发展节能技术、降低石油依存度、实施能源消费多样化等6个方面推行新能源战略，提出2030年前将日本的整体能源使用效率提高30%以上的整体目标。

2008年是日本围绕“低碳”出台法规、政策、技术、战略最多的一年，几乎“月月有动作”。1月，时任首相的福田康夫在“达沃斯论坛”上提出“清凉地球推进构想”。3月，日本政府全面修订了《京都议定书目标达成计划》，出台了《循环型社会推进基本计划》，日本将建立低碳社会作为其发展方向，为其制定中长期技术创新路线图，实现温室气体排放量减半的目标。5月，日本综合科学技术会议批准了《环境能源技术创新计划》，该计划筛选出超导输电、热泵等36项技术，提出了官民合作、社会体系改革等保障措施。6月，福田首相发表了“实现低碳社会日本”的演说。7月，日本政府在内阁会议上通过了《低碳社会行动计划》，提出了建设低碳社会的中长期目标和措施。该计划提出，重点发展太阳能和核能等低碳能源，使日本早日实现低碳社会。行动计划明确提出未来太阳能的发展目标，即到2020年，日本太阳能发电量是目前的10倍，到2030年是目前的40倍，重新夺回太阳能发电世界第一的宝座。为实现上述目标，日本政府正在积极推进技术开发，降低太阳能发电系统成本，同时进一步落实包括补助金在内的鼓励措施，推动日本人购置家用太阳能发电系统。行动计划提出，日本政府未来5年投入300亿美元，研发高速增殖反应堆燃料循环技术、生物质能利用技术等高效技术。行动计划还提出，从2009年起将就碳捕获与埋存技术开始大规模验证试验，争取2020年前使这些技术实用化。7月，在日本北海道举行的G8峰会上，日本力促各国就2050年全球温室气体排放减半达成共识。9月，日本政府修改了《新经济成长战略》，提出实施“资源生产力战略”，即为根本性地提高资源生产力采取集中投资，使日本成为资源价格高涨时代和低碳时代的胜者；同月，经济产业省资源能源政策咨询机构“综合能源调查会新能源部会”提交《构建新能源模范国家》紧急建议；9月30日日本正式向联合国气候变化框架公约长期合作行动问题特别工作组（AWG-LCA）提交了日本国家建议文件，全面阐述其对2013年以后国际减排机制的主张。10月，日本正式决定试行国内排放交易制度，经济产业省决定修改《石油替代能源促进法》（简称《替代能源法》）。11月，为落实《建设低碳社会行动计划》，经济产业省、文部科学省、国土交通省和环境省联合发布了《为扩大利用太阳能发电的行动计划》。

值得注意的是，日本从20世纪80年代起就开始发展风电、太阳能发电、生物能、废物发电、废热能等新能源。如今，日本石油依存度已经降至50%。据日本经济产业省公布的数据，2030年日本对不可再生能源的依存度将仅有40%。日本《选择》月刊2008年2月号刊登文章，把日本称为“新能源大国”，说日本创造1美元GDP所消耗的能源只有美国的37%，是发达国家中最少的。日本太阳能发电、利用间伐木材制造生物乙醇等新能源技术也都居世界最高水平。日本商业思想家大前研一在日本《追求》周刊发表文章，称“原油价格上涨是日本千载难逢良机，能源大国日本迎来曙光”。高碳经济时代的“资源小国”日本，在低碳经济时代到来的时候，竟然“摇身一变”，有底气自称“能源大国”，与其一贯的低碳发展路线不无关联。

2009年4月，日本政府公布了《绿色经济与社会变革》的政策草案，提出通过实行削减温室气体排放等措施，大力推动低碳经济发展。

（3）加拿大

加拿大作为世界上主要的能源生产和出口国之一，非常重视能源的节约和有效利用，同时加拿大在政策和体制上对于节能问题高度重视。1993 年，出台《加拿大节能法》，赋予联邦政府制定和执行有关节能措施和寻找替代能源的权利。1998 年，加拿大自然资源部专门成立了节能办公室，以指导公众提供在家庭、工作和交通等方面的能源使用效率。目前，加拿大生物能源、风能和太阳能等新能源的开发和利用处于世界先进行列。为鼓励发展风力发电，加拿大政府还对风力发电企业进行长期补贴。

在着力调整本国能源消费结构的同时，加政府还在建筑、工业和交通等主要能源消耗领域采取了有效的节能措施。为推动节能建筑的设计、建造以及对老建筑进行节能改造，节能办公室设立了现有建筑节能指导项目、商业建筑节能奖励项目、工业建筑节能奖励项目等，从设计、施工、材料、设备等各个环节加强政策和技术引导。

加拿大民众环保意识强，也为节能工作的开展提供了有利的社会环境，有时甚至起到了“自下而上”的推动作用。多次民意测验表明，环境问题已经成为民众最为关心的话题。不断增强的民众呼声推动了政府调整其环保政策，推出诸如一系列具有针对性和时效性的措施。

(4)澳大利亚

澳大利亚在 2007 年新政府成立之后，批准了《京都议定书》，于 2008 年发布了酝酿已久的《减少碳排放计划》政策绿皮书，提出了减碳计划的三大目标：减少温室气体排放；立即采取措施适应不可避免的气候变化；推动全球实施减排措施。澳大利亚政府长期减排目标是 2050 年达到 2000 年气体排放的 40%，并于 2009 年出台具体法规，2010 年正式实施。澳政府在低碳经济方面的技术和经验有以下几点。

第一，宏观政策指导与扶持。澳大利亚政府建立气候变化政策部，整合相关部门资源，促进政府与产业互动，全方位建设一个低碳经济环境。低碳经济着力于支持新能源普及和相关技术发展，采取强制性的可再生能源指标，计划 2020 年澳大利亚可再生能源比重要达到整个电力的 20%，并以不断完善的清洁能源技术做支撑。促进可再生能源技术的研究、开发和商业化，澳大利亚设立可再生能源专项基金，计划 7 年投资 5 个亿，重点用于热能技术升级与太阳能开发利用。澳大利亚政府对家庭购买太阳能系统，均给予资金奖励，以实现家庭节能减碳。2008 年 9 月实施“全球碳捕集与储存计划”，使澳大利亚对清洁煤技术的投资处于世界领先地位。这项计划包括建立一个全球碳捕集与储存中心，它将推动碳捕集与储存技术和知识在全球的推广。2009 年 12 月 15 日，澳大利亚政府发布了《降低碳污染计划》的政策白皮书。白皮书中列出了澳大利亚中长期降低温室气体排放的目标和实现这些目标的主要途径——澳大利亚温室气体排放贸易机制计划。澳大利亚特殊的国家环境，包括其快速的人口增长、大比重的能源和温室气体排放密集产业，以及对化石燃料能源严重依赖，意味着澳大利亚比许多发达国家都面临着更大结构调整任务。

第二，全面、强健的碳排放贸易机制。澳大利亚正在建立世界上最全面、最强健的温室气体排放贸易机制。这个机制将覆盖澳大利亚温室气体排放量的75%，将为整个经济创造降低温室气体的动力，刺激可持续、低排放增长，从而奠定澳大利亚未来繁荣的基础。通过实施《降低碳污染计划》，以证明大幅降低温室气体排放和经济的持续增长以及生活水平的上升是可以共存的。

第三，碳捕集与储存技术的推广。2010年9月，陆克文总理宣布了《全球碳捕捉与储存计划》，使澳大利亚对清洁煤技术的投资处于世界领先地位。这项计划包括建立一个全球碳捕集与储存中心，它将推动碳捕集与储存技术和知识在全球的推广。通过这些努力，澳大利亚希望帮助加强所有主要温室气体排放者的信心，采取有力的缓解气候变化的措施。发达国家和发展中国家团结合作，就能改变全球温室气体排放的轨迹，把世界带向一个低碳未来。

2.2.3.2 发展中国家低碳发展的战略举措

2.2.3.2.1 韩国：将“低碳绿色增长”作为国家战略

韩国制定了《低碳绿色增长的国家战略》，确定2009~2050年低碳绿色增长的总体目标：大力发展低碳技术产业，强化应对气候变化的能力，提高能源自给率和能源福利，全面提升绿色竞争力。

韩国低碳绿色增长的主要内容和政策措施包括以下几个方面。

第一，减少能源依赖。2008年8月，韩国公布《国家能源基本计划》，提出提高资源循环率和能源自主率的要求，其中，资源循环率将由1995年的5.5%提高到2012年的16.9%，能源自主率由2007年的3%提高到2012年的14%，2050年实现能源自主率超过50%。同时要降低能源消费中煤炭和石油的比重，从目前的83%下降到61%；扩大太阳能、风能、地热等新能源与再生能源的比重，从2006年的2%提高到2030年的11%，2050年达到20%以上。

第二，提升绿色技术。2009年初，韩国公布了《新增动力前景及发展战略》，提出了17项新增动力产业，其中有6项属于绿色技术领域，包括新能源和再生能源、低碳能源、污水处理、发光二极管应用、绿色运输系统、高科技绿色城市。三星、现代和SK等高科技企业已经开始投资节能技术的研究。韩国政府希望通过支持技术的研发来加速绿色电厂的发展，其目标是利用信息技术提高输电效率，成为全球第一个拥有国家级智能电网的国家。

第三，通过发展低碳产业扩大就业。根据韩国政府的估算，发展再生能源产业比制造业多创造2~3倍的就业。尤其是发展太阳能产业、风力发电业，需要8倍于普通产业的就业人口。作为环保努力的一部分，韩国政府还将投资3万亿韩元用于扩大森林面积，并提供23万个就业岗位。

2.2.3.2.2 印度：大力利用清洁发展机制

清洁发展机制(CDM)是《京都议定书》建立的三个合作机制之一，具体是指《联合国气候变化框架公约》(UNFCCC)规定的发达国家可以在发展中国家投资实施温室气体(GHG)减排项目，并据此获得所生产的经核证的减排量(CERs)，以帮助其遵守在议定书中所承担的减排义务，与此同时CDM项目方也能获得额外的资金和技术，被视作是双赢的合作机制。自《京都议定书》生效起3年后，印度已经成为出售温室气体排放权数量最大的国家。该国的能源、建材、钢铁甚至铁路、林业等行业都积极采取更加环保的措施，从该机制中获得了最大的经济收益。印度在《京都议定书》还未生效的时候，就看好并着手CDM项目，为此还专门成立了一个管理CDM项目开发的部门，出台了一系列鼓励、支持企业和中介服务机构发展CDM项目的政策。

自该项目2005年实施后，印度的许多行业都积极参与，从风能、生物能等可再生能源行业，到传统能源行业技术改造、工业行业流程改进、固体废料排放，再到建材、钢铁、铁路等行业，乃至农村边远地区植树造林等，参与的行业和参与形式多种多样。

除了私人企业外，印度的大型国有企业也积极参与该机制。印度更看重在节能和环保方面获得的技术支持，甚至连印度边远山区的农民也在申请CDM项目。印度政府内，还设立了专门的CDM局负责该项目的推进工作。目前印度在利用CDM机制方面走在了发展中国家的前列。

印度CDM市场的运作管理、政府作用有如下特点：一是印度政府积极寻求适合本国可持续发展的道路，对CDM持非常积极的态度；二是为推动CDM项目发展，建立了一整套自上而下的管理机构(包括CDM主管机构及许多中介咨询机构)和较为完善的体制框架，注意加强部门之间和各种机构之间的联系，提高各部门的专业水平，促进私人部门积极参与，印度电力部门为解决环境问题，将能源部门(包括新的能源技术，发电厂的改造等)确定为优先发展CDM项目的部门；三是政府及相关部门积极支持，使得CDM咨询机构非常活跃，为企业做中介和包装。

2.2.3.2.3 拉丁美洲：利用自身优势加快发展生物燃料

目前，拉丁美洲国家正在以生物能源领先国家巴西为榜样，发挥各自优势，加紧研究开发生物燃料等石油替代能源。除乙醇生产大国巴西和阿根廷外，智利、哥伦比亚、哥斯达黎加、厄瓜多尔、牙买加、乌拉圭、古巴和秘鲁等拉美和加勒比地区国家已经开始使用或正在研发生物能源。

巴西是世界上最大的甘蔗乙醇生产和出口国，其年产量约为160亿L，其中20亿L用于出口。巴西生物燃料主要以葵花、蓖麻、大豆和棉花等油料作物的籽，萝卜、甜菜等植物的块根，以动物脂肪做原料。据巴西农业部的统计，巴西发展生物燃料的热潮已为这个南美大国带来了70亿美元的投资，该数字到2010年达到150亿美元。

目前巴西国内有4000余个加油站销售含乙醇燃料，另外95座正在建设中。巴西政府2006年2月正式启动了全国生物柴油计划，规定在车用碳氢燃料中的乙醇含量必须达到40%，从2008年开始，在当地销售的柴油中必须添加2%的生物柴油，到2013年，比例将提高到12%。国有巴西石油公司去年已经开始在传统的柴油中添加生物柴油，2011年该公司已经生产12.8亿L以植物为原料的生物燃料，相当于日产2.2万桶原油。

巴西政府还专门成立了一个跨部门的委员会，由总统府牵头、14个政府部门参加，负责研究和制定有关生物柴油生产与推广的政策和措施。为了支持低碳产业的发展，巴西政府还推出了一系列金融支持政策。比如，国家经济社会开发银行推出了各种信贷优惠政策，为生物柴油企业提供融资；巴西中央银行设立了转向信贷资金，鼓励小农庄种植甘蔗、大豆、向日葵、油棕榈等，以满足生物柴油的原料需求。

拉丁美洲另一新兴能源生产大国阿根廷目前的生物燃料年产量约为5600万L。阿根廷政府2006年通过法律规定，从2010年起所有燃料中都必须包含5%的可再生能源，因此，在2007~2010年的4年内，阿根廷已经至少生产60万t生物柴油和16万t生物沼气。

目前拉美地区生物燃料因各国物产资源不同主要分为两种：以甘蔗和玉米为原料的乙醇和以油料作物提取物为基础的生物柴油。乌拉圭可以依靠其畜牧业发达的优势将牛羊脂肪用作生产生物柴油的原料，而且乌拉圭燃料公司已经决定投资4000万美元建立一个用向日葵、甜高粱和甜菜酒为原料的乙醇生产厂和一个生物柴油厂。委内瑞拉在2007~2011年内投入9亿美元用于扩大乙醇生产所用甘蔗的种植面积。此外，古巴等加勒比岛国因盛产甘蔗而倾向于用蔗糖提炼乙醇；南美和中美洲国家如哥伦比亚和哥斯达黎加更适合利用棕榈油、松子等发展生物柴油；智利于2008年开始生产乙醇和生物柴油；墨西哥可提炼乙醇的谷物类作物产量虽然不高，但可从临近的美国进口生产乙醇的黄玉米。

为了鼓励拉美国家发展新能源，一些地区性组织也出台了一系列新的政策和规划。美洲开发银行在2007年提出了名为“可持续能源和气候变化”的计划，增加对开发可替代能源项目的资助。2006年6月，由巴西农业部组织召开了首届美洲国家生物燃料会议。会议期间通过了一项联合美洲各国提高生物燃料生产能力的提议。同时，美洲国家农业合作研究所建议在农业能源和生物燃料领域开展技术合作，帮助拉丁美洲和加勒比地区发展农业能源，将各成员国带入世界生物燃料产业的前沿。

拉美在实施清洁发展机制（CDM）减排项目方面也一直走在世界前列。目前，拉美温室气体减排项目主要集中在墨西哥和巴西等经济大国，巴西还是建立碳交易市场的第一个发展中国家。智利、秘鲁、哥伦比亚和哥斯达黎加也非常活跃。拉美国家政府越来越重视 CDM 减排项目，减排项目一般由各国政府进行协调安排，并向私人投资者、地区政府和相关机构全面开放，积极推动 CDM 减排项目和该地区的可持续发展。

2.2.3.2.4　非洲：清洁发展机制项目起步

2006 年 11 月，时任联合国秘书长的科菲·安南发起了内罗毕框架，旨在支持未获充分开发的地区申请《京都议定书》下的清洁发展机制项目。此后，非洲国家清洁发展机制项目及其持有国的数量都有所增长，但总体而言，其所占份额仍然不足全球总量的 2%。

为促进清洁发展机制项目在非洲的发展，内罗毕框架的合作伙伴联合国开发计划署、联合国环境规划署、联合国气候变化框架公约秘书处、国际排放交易协会和世界银行已于 2008 年在塞内加尔举办了首届非洲碳论坛。2010 年，联合国培训和研究所、联合国贸易和发展协会、非洲发展银行加入了内罗毕框架。

2010 年 3 月 3 ~5 日，第二届非洲碳论坛在肯尼亚首都内罗毕举行。来自非洲 53 个国家负责能源与环境的官员以及联合国有关机构的专家代表共约 1000 多人就如何使《京都议定书》确定的清洁发展机制（CDM）在非洲获得更多支持，以及如何促进非洲低碳经济发展和可持续发展等议题展开了广泛讨论。肯尼亚总统齐贝吉在论坛开幕式上指出，非洲国家是气候变化的最大受害者之一。他呼吁非洲国家高度重视森林碳汇交易在温室气体减排方面所发挥的巨大作用。他说："非洲大陆受益于清洁发展机制最少。目前对我们来说最迫切需要仔细研究的根本障碍在非洲这些机制的制订。为了使非洲受益于庞大的全球碳市场，私营部门、私人团体和社区必须发挥重要作用。我们决不能忘记自己肩负的责任。"

联合国气候变化公约（UNFCCC）秘书处可持续发展机制项目主任约翰·吉拉尼在开幕式上指出：一方面，清洁发展机制可以帮助发展中国家实现可持续发展；另一方面，它可以以碳交易的形式促使发达国家加大对发展中国家清洁能源投资，以实现《京都议定书》中发达国家帮助发展中国家实现温室气体减排的承诺。非洲国家在实现工业化的进程中，如果没有可持续的清洁能源，工业化的目标就是一个空想。因此，清洁发展机制能够反映发展中国家对清洁能源的需求。

联合国环境规划署(UNEP)执行主任阿齐姆·施泰纳说，当前共有2060个清洁发展机制项目在全球63个国家施行，这些项目包括太阳能、风能发电、植树造林以及工业废气回收处理等，但是只有不到2%的项目是在非洲国家开展的，非洲在这方面潜力巨大。

施泰纳还高度评价中国在支持非洲开展清洁发展机制项目上所发挥的作用。施泰纳说："我认为中国和非洲在发展绿色经济和碳交易市场等领域的交流越来越广泛，中国有许多环保经验值得学习。比如，非洲国家没有雨水收集利用技术。中国在过去的两三年大力发展公共交通，为温室气体减排做出了贡献。我希望中国能够与非洲国家开展更加紧密的合作，以帮助非洲发展绿色经济，因为这会给中非双方带来实实在在的好处。"

肯尼亚总统齐贝吉强调，非洲在呼吁发达国家提供清洁发展机制项目的同时，也要建立自身应对气候变化的国家战略。他说，肯尼亚政府制定了国家气候变化应对战略，定期就气候变化对其农业、工业、民生等各领域的负面影响进行评估，以尽量减少气候变化对肯尼亚经济造成的损失。

2.3　低碳经济的基本特征

低碳最基本的含义是指较低(更低)的温室气体(二氧化碳为主)排放。因此，为维持生物圈基本的碳平衡、抑制全球气候变暖，需要降低生态系统碳循环中的人为碳通量，通过减排二氧化碳，减少碳源、增加碳汇，改善生态系统的自我调节能力。低碳经济有以下三个基本特征。

2.3.1　低能耗

低碳经济是相对于高碳经济而言的即相对于基于无约束的碳密集能源生产方式和能源消费方式的高碳经济而言的。低碳经济是目前最可行的可量化的可持续发展模式。温室气体长期减排和经济社会可持续发展，关键在于发展清洁、低碳能源技术，建立低碳经济增长模式和低碳经济消费模式，并将其作为协调经济发展和保护全球气候的根本途径。因此，发展低碳经济的关键在于降低单位能源消费量的碳排放量(即碳强度)，通过碳捕捉、碳封存、碳蓄积，降低能源消费的碳强度，控制二氧化碳排放量的增长速度。

2.3.2 低排放

低碳经济是相对于新能源而言的，是相对于基于化石能源的经济发展模式而言的。未来能源发展的方向是清洁、高效、多元、可持续。因此，发展低碳经济的关键在于促进经济增长与由能源消费引发的碳排放“脱钩”，实现经济与碳排放错位增长（低增长、零增长或负增长），通过能源替代、发展低碳能源和无碳能源控制经济体的碳排放弹性，并最终实现经济增长的碳脱钩。

2.3.3 低污染

低碳经济是相对于人为碳通量而言的，是一种为解决人为碳通量增加引发的地球生态圈碳失衡而实施的一种人类自救行为。全球应对气候变化正在引发能源领域的技术创新。低碳能源是低碳经济的基本保证，清洁生产是低碳经济的关键环节。因此，发展低碳经济的关键在于改变人们的高碳消费倾向和碳偏好，减少化石能源的消费量，减少碳足迹，实现低碳生存。

低碳经济本质上属于碳中性经济，它要求经济活动低碳化。低碳经济中“低”的要义在于降低经济发展对生态系统碳循环的影响，维持生物圈的碳平衡，其根本目标是促进经济发展的碳中性，即经济发展中人为排放的二氧化碳与通过人为措施吸收的二氧化碳实现动态平衡。由于低碳经济系统的特征尺度是全球，经济发展的碳中性是全球碳中性。

2.4 低碳经济的认识误区

发展低碳经济已成为全球性的热门话题，但由于低碳经济产生的时间比较短，同时也是国际博弈中相对敏感的话题，因此人们在认识和操作上还存在着种种误区。这些误区在未来有可能深度影响低碳经济的健康有序发展。

2.4.1 低碳经济与低速经济

在低碳经济问题上，有一种认识的误区，认为发展低碳经济，限制温室气体的排放量，就是降低了经济的增长速度，将会制约经济的发展；低碳经济就是“低速经济”，更甚者认为低碳经济就是“贫穷”经济，其理由是，最贫穷、最不发达的国家碳生产率都很低，人们不消费、不开车，当然就是低碳状态；而发达国家人均碳排放量都很高，高排放才有高生活品质。这是误解了低碳经济的本质。其实，低碳并不等于贫困，低碳经济并不等于“低速经济”，低碳经济的目标是以低碳的方式实现经济的高速增长。低碳经济是以减少温室气体排放为前提来谋求最大产出的经济发展理念或发展形式。“低碳”强调的是一种区别于传统的高能耗、高排放、高污染为代价的新的发展思路，“经济”则强调了这种新理念根本上并不排斥发展。如果能够抓住机遇，抢占先机，做好低碳经济的大文章，那么将会培育健康基因，促进经济健康和可持续发展。可以预见，低碳经济和绿色经济已经或将会成为世界经济发展的引擎。英国将发展低碳经济置于国家战略高度，不仅是为了推动环保、应对气候变化，还希望通过发展、应用和输出低碳技术来创造新的商机和就业机会，在未来可能的低碳大产业链中占据先机；美国奥巴马政府将发展低碳经济作为重要的经济刺激手段，计划在未来10年内创造出500万个新能源、节能和清洁生产就业岗位。如果我们不能抓住这一历史机遇，高度重视，奋起直追，我国将会拉大与发达国家的差距，难以融入国际经济主流，遭受边缘化的危局。

低碳生产有较长的产业链，产出效应明显。以减少和控制碳排放的新经济体系，至少可以在源头治理(以可再生能源为代表的新能源)、过程治理(生产和消费过程行为节能)、末端治理(对已排放的二氧化碳进行生产性利用和废物性回收)这3个环节上有显著的产出效应。在市场导向下，以上每个治理阶段都可以派生出完整的产业链，并推动整个生产体系的低碳化。因此，发展节能技术、碳捕获和储存技术，开发利用风能、太阳能等可再生能源，提高电力设施效率等，都可以创造就业机会，带动经济增长。

当然，对于大多数国家来说，发展低碳经济意味着GDP的增速会降低0.12个百分点；作为“高碳”经济典型的中国，这一影响大约在1.2个百分点左右。这一宏观经济成本是可以接受的，而且考虑到减排带来的对国民健康、能源安排等方面的积极因素，其好处完全可以抵消这一经济成本，实现“又好又快”的低碳型高增长。因此，广义上，“低碳”可以被视为经济发展在环境保护、节能降耗等方面新的约束条件；但是这类条件并非一味消极地限制和约束发展，而是可以通过与新约束条件相匹配的技术和制度，创造和扩大市场规模，激发人的创造性和盈利能力，从而促进发展。

2.4.2　低碳经济与工业化

发展低碳经济是否会减缓甚至是停止工业化进程？这是在推动低碳经济发展中容易表现出来的疑惑。回答是，发展低碳经济不仅不会减缓工业化进程，而且有利于更好地推动工业化。我国正处于工业化、城镇化和国际化的关键阶段，工业化是未来几十年我国经济发展的主线，也是我国经济发展的首要任务。发展低碳经济是一个系统工程，不仅仅只是发展新能源技术实现碳减排本身，而是经济发展方式由高碳向低碳的转型。低碳经济并不会限制发展，而是强调在低碳化的条件下进行发展。在能源危机、气候危机的大背景下，我国的工业化必须走出一条低能源消耗、低温室气体排放的新型工业化道路。这个新型工业化的核心就是低碳化，即“低碳工业化”。发展低碳经济，必须大力发展低碳技术、低碳产业、调整能源结构和经济结构，发展替代能源，改变生产方式和生活方式，这些都是工业化的题中之意或者与工业化密切相关的。因此，走低碳工业化道路是我国发展低碳经济的核心。

工业化发展始终面临着许多条件限制，比如资源、区域性环境的约束等。当前，工业发展遇到了前所未有的问题，即全球碳排放累积过多，导致气候变暖，而此时正是中国工业化进程的重要阶段。迎接低碳经济的挑战，更要抓住低碳经济的机遇，走上新型工业化发展道路。当全世界都在关注低碳，低碳就有了价值、有了市场，各国也都需要为此承担责任。不少国家把低碳作为新的增长点，我国工业也应该抓住低碳经济发展机遇，处理好发展权利与节能减排责任之间的关系。

2.4.3 低碳经济与消费水平

有一种观点认为，发展低碳经济就需要降低消费水平。这种观点的逻辑是从节约资源能源、环保以及减少碳排放等角度看，实现低碳生活不仅是件大事，也是件好事。但从低碳生活的要求上来看，可能会降低人们好不容易提升起来的生活水平。比如人们在生活水平提高的同时，希望通过购买汽车或者排量大、性能更好的汽车来改善自己的出行条件，希望购买较大的住房来改善自己的居住条件，这显然与低碳生活格格不入。这也是一种误解。发展“低碳经济”不仅意味着制造业要加快淘汰高能耗、高污染的落后生产能力，推进节能减排的科技创新，而且意味着引导公众改变习以为常的消费模式和生活方式，改变浪费能源、增排污染的不良嗜好。一是要戒除以高能耗能源为代价的“便利消费”嗜好。“便利”是现代商业营销和消费生活中流行的价值观，不少便利消费方式在人们不经意中浪费着巨大的能源。据推算，一家中型超市敞开式冷柜一年将会多消耗约4.8万度电，相当于多消耗约19t标准煤，多排放约48t二氧化碳，多消耗约19万L净水。二是要以“关联型节能环保意识”戒除使用“一次性”用品的消费嗜好。例如，要让公众理解“限塑”的意义不仅仅在于遏制白色污染，还在于节约塑料的来源——石油资源、减排二氧化碳，这就是一种“关联型”节能环保意识，其能引导公众觉悟到改变使用“一次性”用品的消费嗜好与节能、减少碳排放、应对气候变化的关系。三是要戒除以大量消耗能源、大量排放温室气体为代价的“面子消费”“奢侈消费”的嗜好。人们往往将“现代化生活方式”含义片面理解为“更多地享受电气化、自动化提供的便利”，导致了日常生活越来越依赖于高能耗的电动力技术系统，其环境代价是增排温室气体。

总之，全面实现低碳生活与保持或提高居民生活水平之间并不冲突，它们的共同目的都是为了更好地改善人们的生存环境和条件，其中的关键是要找到一个结合点，探索一种低碳的可持续的消费模式，在维持高标准的生活的同时，尽量减少使用消费能源多的产品、降低二氧化碳等温室气体的排放。低碳生活不是一个落后的生活模式，搞低碳经济并不一定会降低人们的生活品质。在低碳经济状态下，交通便利、房屋舒适宽敞是可以得到保证的，可以采取低碳技术来解决这些问题。如城市中可以利用中水浇灌绿地，利用太阳能灯可再生能源进行照明和日常使用，利用煤层气等清洁能源作为汽车的燃料，利用污水源、浅层水源、深层高温地下水源、土壤源等可能再生能源热泵技术解决建筑的供热等。

2.4.4　低碳经济与经济成本

还有一种观点认为，低碳经济就是“高投经济”和“低效经济”。低碳经济不一定成本很高，减少温室气体排放甚至会帮助节省成本，但发展低碳经济必须发展节能减排新技术。目前，专业技术上还有很多问题没有突破，即使技术上突破了，成本上也没有突破，差距依然很大。比如，光伏发电仍然是传统发电成本的8～10倍，太阳能仍然是传统发电成本的2倍以上。核电的选址要求严格，水力发电也受到自然条件以及生态保护的限制；同时，需要建立节能减排和低碳发展的市场机制。有报道称，我国为发展低碳经济，20年投入40万亿元，从静态上看，这个数据很惊人；但是，从动态上来看，以年度为基础计算，这部分所需的资金只相当于中国同期GDP的1.5%～2.5%。从全社会固定资产投资来看，中国总投资由2000年的3.29万亿元增加到2008年的17.23万亿元，年均增长23%。以年均增长20%计算，预计到2015年全社会固定资产投资可以达到61.7万亿元，若每年投入2万亿元，相当于总投资的3.2%；再以年均增长16%计算，预计到2020年总投资可以达到129.6万亿元，若每年投入2万亿元，只相当于总投资的1.5%。应当说，这个投资比例是很低的。同时低碳经济的核心是新能源技术，而新能源技术成本是较高的。但随着科学技术的日新月异，太阳能发电成本呈现不断下降趋势。预计到2015年，我国太阳能光伏发电成本有望降到1元/度以下，达到或接近常规发电成本，从而使太阳能光伏发电拥有完全取代化石燃料发电的经济基础和商业价值。低碳技术几乎遍及所有涉及温室气体排放的工业部门，包括电力、交通、建筑、冶金、化工、石化等，在这些领域，低碳技术的应用应该可以节能和提高能效，从而降低成本。

第3章　低碳经济的相关理论

3.1　低碳经济的基本认识

3.1.1　低碳经济的提出

低碳经济是随着经济社会的日益发展、人与自然关系矛盾的突出而提出的，在现代化快速发展的今天，其理论意义在不断更新变化，而在发达国家或发展中国家，其意义也有所不同。最早在美国，低碳经济被称为“低碳能源技术”；韩国把低碳经济与环境保护合二为一，进一步提升为“低碳绿色增长战略”；日本则将低碳的概念贯穿于经济生活的各个方面，定位为“低碳社会”；中国也有“低碳经济”“低碳城市”“生态与低碳”等概念的提出。

国内大部分学者都倾向于将低碳经济以“低碳发展”作为观点提出，这是由于我国现在处于社会主义社会发展的初级阶段，作为一个发展中国家，我国的人均收入不高，各项基础设施并不完善，地区间经济发展差异明显；同时随着经济的快速发展，经济发展与环境保护之间的矛盾也日益突出，而“发展”这一词的提出涵盖了经济增长、环境保护、教育与人力资源、收入分配、人民生活质量等涉及政治、经济、社会、环境的各个方面的内容，更加注重“质”的提高，而不是单纯追求“量”的增长，因而更符合中国实际国情。

3.1.2　低碳经济主要包含的内容

(1)低碳生产(low-carbon production);

(2)低碳能源(low-carbon energy);

(3)低碳技术(low-carbon technology);

(4)低碳交通(low-carbon transportation);

(5)低碳消费与生活方式(low-carbon consumption and life style);

(6)低碳建筑(low-carbon housing and building);

(7)低碳农村(low-carbon farm);

(8)低碳城市(low-carbon city)。

另外，各地区根据自身地理、资源等地方特色也可以因地制宜发展特色区域低碳经济。

低碳经济是一种低能耗、低污染、低排放、高效能、高效率、高效益的典型“三低三高”的可持续经济发展模式，体现了人类对人与自然、人与社会、人与人之间和谐关系的理性认知。低碳经济要求技术进步、工农业生产、社会消费等人类生产与生活的各项活动都建立在人与自然和谐相处、协调发展的基础上。发展低碳经济是一场涉及生产模式、生活方式、价值观念和国家权益的全球性革命，从本质上触及了人类经济发展方式变革的问题，是当代建设生态文明的最佳发展模式。

3.2 可持续发展理论

3.2.1 可持续发展在国际上的提出与发展

可持续发展(sustainable development)概念的明确提出，最早可追溯到1980年由国际自然资源保护联合会、联合国环境规划署和世界自然基金会共同出版的《世界自然保护策略：为了可持续发展的生存资源保护》一书中。1987年世界环境与发展委员会的报告《我们共同的未来》正式使用了可持续发展概念，并对之做出了比较系统的阐述，认为环境问题只有在经济和社会持续发展之中才能得到真正的解决。根据国际上的官方定义，可持续发展是指既满足当代人的需要，又不对后代人满足其需要的能力构成危害的发展。

低碳经济的理论溯源可推至可持续发展理论。可持续发展理论是在20世纪80年代由西方学者首先提出的。伟大的智慧领袖马克思，其传世著作《资本论》中在对自然资源与人类社会发展的关系上也提出了可持续发展的思想。认为人类应该在认识自然规律的基础上实现人类对自然界的利用，使人与自然和谐共存，更好地融为一体。

在20世纪70年代以前，世界各国普遍把经济增长作为国家优先发展的目标，认为只要经济迅速增长，整个社会就有了长远的发展，严重忽视了资源和环境的保护以及社会发展的目标。70年代初，片面追求经济增长的弊端逐渐暴露出来，严重的污染事件频频发生，人类的健康受到了前所未有的威胁，同时有些发展中国家出现了“有增无发展"和贫困化增长的现象，此时人们对单纯追求经济增长的战略产生了怀疑，开始探索人类社会与自然界的和谐相处模式。1992 年，在巴西里约热内卢举行的联合国环境与发展大会上，通过了《环境与发展宣言》以及《21 世纪议程》等关于可持续发展的纲领性文件。1992 年在日本京都召开了联合国《气候变化框架公约》第三次缔约大会，通过了《京都议定书》，旨在减少温室气体的排放，可持续发展观念已从理论走向实践。

到 90 年代初，可持续发展理论成为全球范围的共识并在这一时期逐渐传入中国，中国学者也在这一时期引进和接受了可持续发展的概念。可持续发展的概念和理论从西方传入中国，中国学者对其的认识是一个不断地引进吸收、创新与本土化、再引进吸收、再创新与再本土化的过程。

3.2.2 可持续发展理论在中国的发展

事实上，可持续发展理念与中华民族的传统文化息息相关，在一定程度上更是我国传统文化的批判继承。早在春秋战国时期，"天人之辩"就是一场关于如何认识人与自然的关系之争。后期，老子主张顺应、尊重自然规律，与大自然和谐共处的"天人合一"思想即"道法自然""知常曰明""知和约常""知止不殆""知足不辱"是中国传统文化的精华和核心所在，是解决当今可持续发展道路上诸多矛盾问题的良剂。人类要实现可持续发展，必须处理好人类与自然环境的关系，合理开发资源，掌握适度发展的原则，使得人类与整个自然和谐相处，相互依存。中国古代文学巨著《周易》中所探讨的环境观、"生生不息变易观"等思想更是体现了朴素的可持续发展思想，为此后的可持续发展思想内核以及发展模式奠定了思想基础。

中国古代社会从采集和狩猎的生产方式向农耕和畜牧时转化的先秦时期，人类第一次遇到了人口、资源和生产、消费的矛盾冲突，因此，产生了保护生物资源以便持续利用的思想，人口与土地等资源相协调、与生产相适应的思想，以及生财和节用并重的生产和消费思想。虽然还不是可持续发展的系统理论，但它可以说是较系统的可持续发展的经济思想。

而近代学者对中国可持续发展理论的研究则始于 20 世纪 80 年代末 90 年代初，众多不同领域的学者在这一阶段对"可持续发展"提出了众多不同的理念。国家计委、国家科委在 1994 年关于进一步实施《中国 21 世纪议程》的意见中将可持续发展定义为：可持续发展是指既要考虑当前发展的需要，又要考虑未来发展的需要，不以牺牲后代人的利益为代价来满足当代人利益的发展，可持续发展就是人口、经济、社会、资源和环境的协调发展，既要达到发展经济的目的，又要保护人类赖以生存的自然资源和环境，使子孙后代能够永续发展和安居乐业。

而与西方发达国家和地区不同，国内可持续发展理论研究起步较晚，且我国可持续发展理论的起步不但是对我国传统经济增长方式反思的结果，而且具有从国外引进和政府推动的特点。

1972年，中国代表团参加了联合国在斯德哥尔摩召开的人类环境大会。

1992年，时任国务院总理李鹏总理率团参加了联合国环境与发展大会，并向大会提交了《中华人民共和国环境与发展报告》，阐述了我国关于可持续发展的基本立场和观点。

1994年，我国通过《中国21世纪议程——中国21世纪人口、环境与发展白皮书》，正式确立了中国21世纪可持续发展的总体战略框架和各个领域的主要目标。同年，政府发布了第一部关于可持续发展的理论专著——《可持续发展导论》。

1995年，江泽民强调："在现代化建设中，必须把可持续发展作为一个重大战略。"由此，正式将可持续发展提升到经济发展的战略高度，引起了社会各界的高度重视。

1996年，八届全国人大四次会议明确做出中国今后在经济和社会发展中实施可持续发展战略的重大方针政策，由于政府大力倡导经济的可持续发展，该理论在学术界的研究和讨论尘嚣直上，更是出现了一大批专业领域研究的人才和专著，而这些理论研究学者为该理论逐步发展成为中国特色可持续发展理论奠定了坚实的基础。

3.2.3 可持续发展评估指标体系研究

早在1994年中国政府编制完成并通过的《中国21世纪议程》中，就提出了可持续发展评估指标。在此前后，中国科学院可持续发展研究组、清华大学、北京大学、国家统计局等都对可持续发展评估指标体系的研究做出重大贡献。

目前，在国内影响最大的是中国科学院可持续发展战略研究组提出的"五级叠加，逐层收敛，规范权重，统一排序"的中国可持续发展指标体系。这个指标体系依照人口、资源、环境、经济、技术、管理协调的基本原理，对有关要素进行外部关联及内部自给的逻辑分析，并针对中国的发展特点和评判需要，把可持续发展指标分为总体层、系统层、状态层、变量层和要素层5个等级。

3.2.4 未来我国可持续经济的发展之路

(1)大力发展以电子信息为主体的高新技术产业，努力将其发展成为能够参与国际竞争的先导产业，从而带动整个工业结构的优化和升级。

(2)提高企业的技术创新能力，提高国际竞争能力。积极参与国际经济、科技一体化的进程中，引进先进技术并与自主创新相结合实施跨越战略。

(3)大力发展教育，从价值观念、思维方式等方面对人类行为产生影响，同时开发人力资源，提高劳动者的科学文化素质和技能，动员社会力量办教育，重视贫困地区教育事业的发展。

(4)加强政策引导，用经济手段调节经济过程，为企业提供公平的竞争环境；支持企业的重组，提高企业的竞争能力。

(5)完善社会保障体系。可持续发展的核心是人的全面发展，而人的全面发展不只是满足物质生活需要，还要不断满足人的精神需要。针对我国城镇差距过大的事实，政府应积极采取措施，增加投入，逐步建立起农村的社会保障体系，提高城镇的社会保障水平。

总之，可持续发展要求人类的活动必须控制在自然界能够承担的水平上，要求把有限的资源优先用于保障人的基本生活需要。人的全面发展是可持续发展追求的终极目标。同时兼顾效率与公平，经济增长与环境保护，努力营造一个文明、健康、公开、公正、公平的社会环境。

3.3 生态经济理论

3.3.1 生态经济的提出

生态经济(ecological economy)的概念，最早是由美国经济学家肯尼思·鲍尔丁1996年发表的题为《一门科学：生态经济学》的论文中提出的。他认为：不断增长的经济系统对自然资源的需求无穷无尽，与相对稳定的生态系统对资源供给的局限性之间潜在巨大矛盾，而解决这个矛盾的有效办法就是生态经济发展模式。这一模式以生态与经济系统协调发展为中心，借鉴生态学的物质循环和能量转化原理，把经济系统与生态系统的多种组成要素联系起来进行综合考察与实施，追求经济社会与生态发展全面协调，达到生态经济的最优目标。

3.3.2 马克思、恩格斯的生态经济理论

马克思和恩格斯的生态经济理论具有非常丰富的内容，从环境是生产力的组成部分，是影响劳动生产率的重要因素，以及对资本主义社会产生环境问题的直接原因和

根本原因的分析，解决环境问题必须坚持以人为中心，主张环境问题的解决与人的解放相一致的理论等为解决我国现阶段面临的环境问题、参与国际环境问题的对话提供了理论依据。

深入研究和全面掌握马克思和恩格斯的生态经济理论，对提高人们建设和谐社会、落实科学发展观的自觉性以及丰富和发展马克思主义生态经济学都具有重大的现实意义。

3.3.3　生态经济理论与实践进展

早期的生态经济理论在总体上将生态危机归结于人类中心主义的哲学理念，在微观上则归于人类的自利和贪婪。例如，莱易斯在《自然的控制》中认为，生态危机的根源在于人类的欲望是无止境的，其自身的需求永远得不到满足，而这也将最终导致人类社会的自我毁灭。事实上，这在一定程度上揭示了生态经济理论研究的两大意义，即社会意义和经济意义，旨在提出合乎自然和生态要求的行为规范，告诫人们不能只看生产活动创造的社会财富，而忽视生态环境的和谐发展。

作为最早揭示现实中人与自然关系存在不和谐问题的学科之一，以及最早探索人与自然和谐关系的学科之一，生态经济理论的核心在于寻求企业发展最优化与社会发展最优化相结合、个体理性与集体理性相结合、经济理性与生态理性相结合，这是生态经济理论研究领域区别于其他经济学分支的极为重要的特征。随着市场经济的不断发展和完善，人民生活的基本温饱问题得到解决，社会消费需求越来越大，导致资源的过度使用，而这种过度消费给生态环境带来的冲击逐渐成为生态经济学家研究的重点。

生态经济理论的研究集中在生态产业、生态恢复、生态保护三个领域，并形成了产业生态经济学、恢复生态经济学和保护生态经济学三个分支。

目前，生态经济研究主要包含以下三方面内容：

(1)利用数学方法和生态模型，对整个生态系统以及人类活动对生态环境的影响进行量化研究，其中包括生态系统顺向演替带来的价值增值和逆向演替造成的价值损失，并在此基础上提出在政治上必须提出相关政策保护生态环境。

(2)从社会制度创新入手，将企业或经济人对自身利益的追求与创造社会福利有机结合起来，协调人与人之间的社会关系，同时将企业的经营行为规范化、合理化、组织化，实现经济社会与生态环境、人类社会与自然环境的协调发展。

(3)从利益相关者的协商、谈判入手，在全面界定利益相关者的基础上，通过利益相关者的学习、协商和合作，形成并实践共同认可，即具有双赢乃至多赢性质的解决生态问题的方案。

作为一个新兴学科，生态经济类的理论体表还很不完善，学者们也不断进行学科研究，丰富生态经济学的理论体系，如提出了新的物质分类方法；完善了成本核算公式，即CT(总成本)=CV(活劳动成本)+CC(物化劳动成本)+CR(资源成本)+CE(环境成本)+CU(使用者成本)；提出了与生态经济理论相关的产业结构理论、产权理论和外部性理论等，为政府制定经济发展政策提供了理论支持。

3.3.4 发展生态经济的意义

(1)发展生态经济是应对当今社会生态危机的急切需要。纵观整个人类发展社会，每一次生产力的巨大进步和发展，都与科学技术的进步密不可分。但科学技术同时也是一把“双刃剑”，在运用科技推动社会发展、人民生活水平提高的同时，也是环境污染和破坏的“元凶”之一，其影响范围从陆地、海洋、大气到河湖、乡村、城市等各个方面。从20世纪30年代开始，环境污染事例就层出不穷：30~60年代的比利时马斯河谷毒气污染事件、美国多诺拉烟雾事件、日本富士县骨痛病事件等震惊世界的“八大公害事件”；70~80年代的美国三哩核电站放射性污染、前苏联切尔诺贝利核电站核反应堆爆炸、伊朗超级油轮“哈克五号”爆炸起火海域受原油污染事件等“十大公害”事件等。这些以牺牲环境为代价来发展经济的行为已经给数以万计的人民带来永久性的病痛。

马克思在阐述人与自然的关系，提出自然界对人类具有优先性，人本身是自然环境的产物，又是构成自然界的重要组成部分，人类必须深刻反省自身对生态环境的破坏行为，正视人与自然之间和谐的发展关系，在发展经济的同时，必须要做到爱护自然环境、保护生态资源，只有这样人类社会才能长久地发展下去。

(2)发展生态经济是完善人类社会制度的必然选择。生态问题绝不是一个单纯的自然问题，只有从解决社会问题入手，才能克服人与自然的异化。这是基于生态危机是由资本主义社会的基本矛盾引起的经济危机的转变形式。而所谓“社会主义稳态经济”，就是要在放缓工业经济增长的同时，使社会的政治经济结构分散化、非官僚化和社会化。要缩减资本主义的生产能力，并扩大国家的调节作用，把资源的消耗限制在既可以维持生态平衡、又能有效利用的限度内。通过“使生活分散化和非官僚化，就可以保护环境的不受破坏的完整性，而且在这一过程中可以从性质上改变发达资本主义社会的主要社会、经济和政治制度。”

马克思主义的生态经济学理论既反对任何集中的社会主义计划经济的概念，也不主张返回到自由经营的纯资本主义市场经济形式，而是在全面的计划性的市场和无政府状态之间找到一种中间的经济组织形式，从而更加合理地确定社会的生产和消费。实现生态经济，更要从政治入手，补充和完善政治制度的内涵、实行“生态政治”，将社会变革与生态变革相结合，作为一个社会主义国家将“红色政权”和“绿色政权”相结合，使政治的发展向生态社会过渡，只有这样才能从根本上缓解人与自然之间的矛盾。

3.4　绿色经济理论

3.4.1　绿色经济的提出及发展

绿色经济(green economy)是由英国经济学家皮尔斯首先提出来的，并在1989年出版的《绿色经济蓝皮书》中做了较为系统的讲解。其主要观点是：经济发展必须从社会及其生态的基础条件和承载能力出发，决不能盲目追求经济增长，造成社会发展失衡、生态环境出现危机，也更不能以无限制消耗自然资源、破坏生态环境为代价发展经济，必须将可持续发展的理念贯穿始终，科学地使用资源，并不断进一步改善生态环境以及人类赖以生存的家园，只有这样，人类社会才能生生不息。皮尔斯在《绿色经济蓝皮书》中从环境经济学的角度，阐述了环境保护及改善问题，讨论的核心问题是经济和环境相互作用、相互影响的环境经济政策，因此，该书在本质上是一套环境经济系列丛书，而不是绿色经济系列丛书。正因如此，本丛书1996年在我国出版时，就界定为《环境经济学系列》。

但皮尔斯等人在世界范围内率先使用绿色经济这个概念，并阐述在环境经济学领域的研究新进展，这对整个经济学学术界是一个重要的创新，在我国也引起了不少学者对绿色经济研究的兴趣。

2008年10月，联合国环境规划署发起了“绿色经济倡议”，旨在全球金融危机和经济衰退的背景下，在全球范围内的金融、贸易等各大主要经济领域倡导发展绿色经济，希望使更多的投资者认识到环境对经济增长、增加劳动力需求的积极影响，并最终反映到经济政策的制定上。所谓“绿色经济倡议”，核心宗旨和理念是：经济的“绿色化”不是增长的负担，而是增长的引擎；希望通过绿色投资等推动世界产业革命，推动国家经济的“绿色化”，创造新的绿色工作机会，从而复苏和升级世界经济。

该倡议的提出得到了国际社会的积极响应。特别是美国、韩国、日本、德国、丹麦、法国、英国等发达国家都将环境方面的投资作为经济刺激方案中的重要内容，发展绿色经济已经开始成为协调全球经济与环境和谐发展的新趋势。

3.4.2 绿色经济的内涵和基本特征

3.4.2.1 绿色经济的内涵

从绿色经济这一说法的提出，到现如今各国学者对其的新研究，在这漫长的发展过程中，绿色经济是在经济发展模式创新过程中出现的新兴经济学理论，它并不仅仅是某些特定产业发展的理论集合以及生产方式变革的整合，更是对生产、交换、消费等基本经济活动的“绿色化”，是将环境保护作为实现可持续发展重要支柱的经济发展形态。

因此可以把绿色经济的内涵理解为：绿色经济是一种以保护环境资源为经济发展的内在动力，通过将主要经济活动“绿色化”“生态化”，以实现经济、政治、文化、环境的可持续发展的新型经济理论。

3.4.2.2 绿色经济的基本特征

从绿色经济的历史演变进程可以看到，绿色经济作为一种新的经济形态或模式，主要具备以下3方面基本特征。

第一，绿色经济以促进经济活动的全面“绿色化”“生态化”为重点内容。在以前强调的绿色经济发展中，由于理论和观念的不成熟，各国主要是在宏观上扶植和帮助在经济活动中与环境保护相关的绿色产业，涉及面比较狭小。但在新的经济发展阶段，不仅仅要大力发展节能环保等绿色产业，还要加大对传统产业的绿色化、生态化改造，将发展绿色经济作为一种推动经济发展、实现产业转型的战略性政策，加快企业的绿色化改造，提高环境保护准入的门槛，优化经济产业发展结构，提升经济发展的质量。

第二，绿色经济以绿色投资为核心、以绿色产业为新的增长点。新阶段下发展绿色经济，必须准确把握绿色经济的核心和增长点，必须加大绿色投资的力度。这里所指的绿色投资，既包括传统的环境保护、节能减排方面的投资，也包括一切有利于环境保护、可持续发展的投资行为，特别是联合国环境规划署提出的几大绿色投资优先领域，要着力扶持和培育新的经济增长点，实现经济的绿色复苏和振兴，最终促进人类社会走向绿色繁荣。

第三，绿色经济强调可持续性，充分考虑生态环境容量和自然资源的承载能力。生存与发展是人类的永恒主题，是建立在尊重自然规律、合理利用资源环境的基础之上的。发展绿色经济，环境资源不仅是其内生变量，而且也是其前提条件，生态环境容量和自然资源的承载能力是其刚性约束。因此，绿色经济重点强调可持续性，必须把经济规模控制在资源再生和环境可承受的界限之内，既要考虑当代的可开发利用，又要考虑后代的可持续利用，全面提高人的生活质量；同时，经济要具有可持续的发展模式，以原生资源投入为主的工业发展模式最终是不可持续的，必须发展以绿色产业为支柱的经济发展模式。

总之，绿色经济是一个较为广义的概念，是人类经济发展的新方向。只有正确把握绿色经济的内涵和基本特征，对各种经济模式和概念之间的逻辑关系分析清楚，才能准确把握绿色经济的发展方向。

3.4.3　绿色经济理论的基本内容

绿色经济强调以人为本，遵循自然规律，保持绿色环境，发展绿色产业，打造资源、环境、产品、再生、利用、循环产业链，实现人与自然、经济、社会的协调和统一。它具有以下基本内容。

(1)绿色经济发展的根本要求在于坚持以人为本，立足于人与自然的和谐相处。坚持以人为本，也就是经济的发展必须贯彻可持续发展的理念，这不仅仅是发展宏观经济的整体思想，更是通往生产发展、生活富裕、生态良好的文明社会的必由之路。

(2)绿色经济发展的基础是绿色生态环境建设。生态环境是人类赖以生存和发展的源泉，将生态环境回归应有的绿色，是人类得以长存的重要一环，人类在向大自然索取的同时，必须回报大自然，保持大自然的生命本色。因此，建设绿色生态环境是发展经济的基础，是绿色经济的直接体现，是绿色经济的重要使命。

(3)绿色经济的核心内容是发展绿色产业。绿色产业就是无污染、环保型、回收处理再利用的产业，鲜明特点在于不破坏自然生态链，保持和维护人与自然平衡体，传承和发展大自然的绿色生命体，使城乡经济和产业沿着生态化方向发展。

(4)绿色经济的本质和规律在于打造资源、环境、产品、再生、利用、循环产业链，走可持续发展道路。绿色经济要求遵循自然环境的规律，合理规划使用自然资源，将清洁生产和废物利用相统一，将资源利用和再生相统一，将节约成本和提高质量相统一，将经济效益和社会效益、环境效益相统一，使经济发展纳入到自然生态系统的生命循环过程中，实现经济绿色化。

3.5 循环经济理论

3.5.1 循环经济的提出

循环经济(circular economy)的理念起源于美国，是鲍尔丁于1968年在其“宇宙飞船经济”理论的基础上提出的。循环经济的理论研究伴随着生态学的发展而深入，要求将人类作为地球大系统的子系统来看待，研究符合客观自然规律的经济原则，考虑自然生态系统的承载能力，针对资源浪费问题，以加强物质循环利用、减少资源消耗为目标，不断提高自然资源的利用效率，以实现整个社会的物质循环。

目前，各国普遍认为，循环经济是由“资源—产品—再生资源”所构成的，物质反复循环流动的经济发展模式，其基本特征是低开采、高利用、低排放。循环经济的基本行为准则是“3R”原则，即“减量化”(reduce)，减少进入生产和消费过程的物质量，从源头节约资源，预防污染物的产生，减少污染物排放；“再利用”(reuse)，提高产品和服务的利用效率，产品和包装容器以初始形式多次使用，减少一次性用品的污染和资源浪费；“再循环”(re-cycle)，要求物品完成使用功能后能够重新变成再生资源。循环经济是当今时代以市场驱动为主导的产品工业向以生态规律为准则的绿色工业转变的产业革命，体现了经济效益、环境效益和社会效益的统一。

3.5.2 循环经济的基本原则

(1)预防优先原则。即“抑制废物形成的原则”。“3R”原则的第一点即是“减量化”，从源头减少废物的产生，无疑是最经济的。

(2)程序安全原则。程序安全原则的含义是生产、回收利用等循环的程序中要做到对环境和人类健康安全。如德国1994年《循环经济和废物清除法》附件1的第二部分强调，废物必须以不损害环境和人类健康的13类方式和程序进行；附件3中规定废物的处理和再生、循环必须采用最佳可得技术。

(3)环境评价原则。环境评价原则即在立法、制定政策、规划、审批项目的过程中对可能造成的环境影响进行分析、预测和评估，提出预防或者减轻不良影响的对策和措施。环境影响评价制度的目的是通过建立一种环境与发展的综合决策机制，从决策的源头避免或减轻经济建设对环境造成的不良影响，是贯彻“环境预防”理念的重要手段。2002年，我国制定了《环境影响评价法》，已经将环境评价原则的部分内容纳入其中。

另外还有有偿使用原则和共同参与原则，将“外部不经济性”合理数量化进行核算，纳入成本。有偿使用原则对我国的资源、环境现状来说尤为迫切。总体来说，发展循环经济离不开全社会的参与，仅靠政府部门的努力无法完成这一宏伟工程。

循环经济是有利于环境和社会可持续发展的重要战略，其经济效益、环境效益和社会效益会使全体大众都受益，所有的生产者、消费者也负有参与原则的核心在于明确责任，政府、企业、中介组织、消费者都要各自按照法律法规的规定，各自承担应尽的义务。

3.6　清洁生产理论

3.6.1　清洁生产的提出及发展

清洁生产(cleaner production)起源于20世纪60年代美国化工行业的污染预防审计，而清洁生产概念最早是在1976年欧共体在巴黎举行的“无废工艺和无废生产”国际研讨会上被提出的，研讨会同时提出了在生产全过程和工艺改革中减少废物产生的论点。

1984年，美国提出了包括源消减和废物回收利用的“废物最小化”理论，强调了减少废物的产生和回收利用废物。直到1989年，在可持续发展的指导下，联合国环境规划署(UNEP)明确提出了清洁生产的概念。清洁生产理论发展至今，已经不仅仅局限于企业内部生产过程改进，循环经济和生态工业对清洁生产进行扩展，实现了两次重大飞跃。

清洁生产理论在生产设计和环境保护方面的理念本质核心是消除生产过程中的污染排放量的做法，替代原先要求企业污染达标排放的做法。清洁生产的原意是通过企业生产工艺的设计，削减或消除污染产生量，其基本对象是生产过程。然而在现实中，往往只有少数大型企业才有可能将清洁生产发挥到应有的水平。这种做法显然不符合企业生产专门的发展方向。为了既合乎企业生产专门化的要求，又将清洁生产的作用充分发挥出来，客观上要求开展企业间的合作，即把清洁生产从企业内部拓展到企业之间。而这其中必然要发生理论的提升，即清洁生产理念的第一次飞跃。此时，清洁生产是从企业内部和企业之间2个层面上展开的，完全在企业内封闭运行而不与其他企业相联系的做法，便成为清洁生产的一个条例。这个迟早要发生的变化，为工业生态学的发展展现了必要性。

而从企业走向企业群，走向生态工业园区，则是清洁生产实现飞跃的标志，也是工业生态学获得成功的标志。随后，清洁生产又从生产领域渐渐扩展到消费领域，强调从产品的生产、交换，直到最终消费的全过程——产品全生命周期的清洁生产。清洁生产理念的第二次飞跃。此时，清洁生产是在企业内、企业间和企业社会间3个层面上展开的。这个迟早要发生的变化，为循环经济的发展提供了机会；而清洁生产从工业园区走向社会，则是清洁生产再次飞跃的标志，也是循环经济获得成功的标志。

3.6.2 清洁生产在我国的发展概况

20世纪以来，地球上发生了3种影响深远的变化：一是社会生产力的极大提高和经济规模的空前扩大，经济增长了几十倍，创造了前所未有的物质财富，大大推进了人类文明的进程；二是人口的爆炸性增长，世界人口翻了两番，并且仍以每年约8000万以上的速度在继续增长；三是由于自然资源的过度开发与消耗和污染物质大量排放，导致全球性的资源短缺、环境污染与生态有破坏。进入21世纪之后，自然灾害、安全事故层出不穷。因此无论是政府经济部门，还是环境部门或者企业，都逐步认识到保护生态环境的重要性。

1993年，国家经贸委和国家环保局在上海召开的“第三次全国工业污染防治工作作会议”上，正式使用了清洁生产的概念，提出要积极推行清洁生产，走可持续发展的道路。2003年1月《中华人民共和国清洁生产促进法》颁布实施，为清洁生产提供了法律保证。但是该法颁布实施1年多以来，并没有达到预期的效果，各地政府和企业对清洁生产的热情依然不高，许多企业连清洁生产基础知识都不是很了解，使得清洁生产的推行工作步履维艰。所以我们必须认识到，并不是有了《清洁生产促进法》这样的指导性法律就万事俱备了，我们在法制上依旧不健全，仍缺乏一套与《清洁生产促进法》相配套的推行机制，只有进一步健全法制管理，再配合政府的正确引导，《清洁生产促进法》才能真正发挥其指导作用。

国外的实践表明，要使清洁生产的主体——企业有积极性，能够持续地实施清洁生产，需要采取法律、经济、技术、标准和信息等多种手段。因此，我们急需真正认识到清洁生产的重要性并建立与《清洁生产促进法》相配套的推行机制。

3.6.3 清洁生产理论的基本内涵

针对清洁生产理论的基本概念，一些国家在提出转变传统的生产发展模式和污染控制战略时，曾采用了不同的提法，如废物最少量化、无废少废工艺、污染预防等。

但是这些概念都不能明确表达在当代社会将环境污染防治与生产可持续发展相结合的新战略。

为此，联合国环境规划署与环境规划中心(UNEPLE/PAC)综合各种说法，采用了“清洁生产”这一术语，来表征从原料、生产工艺到产品使用全过程的广义的污染防治途径，给出了以下定义：清洁生产是指将综合预防的环境保护策略持续应用于生产过程和产品中，以期减少对人类和环境的风险。清洁生产是关于产品生产过程的一种新的、创造性的思维方式，对于生产过程，它意味着充分利用原料和能源，淘汰有毒有害的原材料，在各种废物排出前，尽量减少其毒性和数量；对于产品，它意味着减少从原材料选取到产品使用后最终处理处置整个生命周期过程对人体健康和环境构成的影响；对于服务，则意味着将环境的考虑纳入设计和所提供的服务中。

《中华人民共和国清洁生产促进法》中关于清洁生产的定义为：“清洁生产，是指不断采取改进设计、使用清洁的能源和原料、采用先进的厂艺技术与设备、改善管理、综合利用等措施，从源头削减污染，提高资源利用效率，减少或者避免生产、服务和产品使用过程中污染物的产生和排放，以减轻或者消除对人类健康和环境的危害。”清洁生产的内涵涉及面广，使用范围不仅在工业过程，还包括农业、建筑业、服务业等多种行业。这一定义概述了清洁生产的内涵、主要实施途径和最终目的。清洁生产的实现手段是新技术、新工艺的采用和先进的管理。清洁生产着眼的不是消除污染引起的后果，而是消除造成污染的根源。清洁生产不仅致力于减少污染，也致力于提高效益；不仅涉及生产领域，也涉及整个的管理活动，从这个意义上讲，清洁生产也可称为清洁管理。

3.6.4 清洁生产的基本目标

根据经济可持续发展对资源和环境的要求，清洁生产谋求达到两个目标：

(1)通过资源的综合利用、短缺资源的代用、二次能源的利用以及节能、降耗、节水，合理利用自然资源，减缓资源的耗竭；

(2)减少废物和污染物的排放，促进工业产品的生产、消耗过程与环境相融，降低工业活动对人类和环境的风险。

3.6.5 清洁生产理论的主要内容

清洁生产的内容主要包含四个方面。

(1)清洁及高效的能源和原材料利用。即矿物燃料的利用过程要清洁，技术进步和技术改造要以节能为重点核心，从而提高能源和原材料的利用效率。

(2)清洁的生产过程。在生产工艺技术和高效生产设备过程中，减少废物排放量；尽量少用、不用有毒有害的原料；减少生产过程中的各种危险因素和有毒有害的中间产品；组织物料的再循环；优化生产组织和实施科学的生产管理；进行科学的污染治理，实现清洁、高效的利用和生产。

(3)清洁的产品。产品应具有合理的使用功能和使用寿命；产品本身及在使用过程中，对人体健康和生态环境不产生或少产生不良影响和危害；产品失去使用功能后，应易于回收、再生和复用等。

(4)对所生产产品的整个生命周期和清洁生产的全过程进行有效地监测和控制。也就是说，从选择产品生产的原材料上到加工、提炼，再到产品产出、产品使用及报废的各个主要环节采取必要措施，将资源和能源在整个产品生命周期的消耗最小化。另外，针对从产品开发、规划、设计、建设、生产到运营管理的全过程也要进行合理化管理，注重生产效率的提高，尽量避免发生对环境的破坏和污染。

总体来说，清洁生产是一个相对的、动态的概念，最大的特点就是要持续不断地改进。随着社会经济发展和科学技术的进步，需要适时地提出新的目标，争取达到更高的水平。

3.7 脱钩理论

3.7.1 脱钩理论的提出

1966年，国外学者率先将“脱钩”这一概念引入社会经济的发展领域，综合分析与探讨经济发展与环境承受压力的“脱钩”问题。随着经济社会的不断发展，脱钩理论也日益成熟，已经进一步扩展到能源、环境、农业、循环经济等多个领域，并取得了阶段性成果，当前，脱钩理论主要用来分析经济发展与资源消耗之间的响应关系。

对经济增长与物质消耗之间的关系的大量研究表明，一国或一地区工业发展初期，物质能源的消耗与经济总量的增长呈正方向变化，甚至超过了经济的增长速度；但在随后的某个时间点又出现了变化，随着经济的增长，物质的总体消耗并没有同方向增长，而是略低于经济增长的速度，甚至开始有所下降，这时出现倒U形，即为“脱钩”理论。而脱钩理论又包含初级脱钩、次级脱钩和双重脱钩三大基础指标：初级脱钩是指经济增长与资源利用的脱钩，即能源与GDP的脱钩；次级脱钩是指自然资源与环境污染的脱钩，即二氧化碳与能源的脱钩；双重脱钩是指同时达到初级脱钩和次级脱钩的状态。

从脱钩理论看，通过发展低碳经济大幅提高资源生产率和环境生产率，能够实现用较少的水、地、能、材消耗和较少的污染排放，换来较好的经济社会发展。

3.7.2 脱钩理论在实际中的应用

国际上通常用"脱钩"指标来反映经济增长与物质消耗不同步变化的实质。其目的在于，检验一国气候变化政策的有效性，并寻求影响连接与可能造成脱钩的因素，作为制定适当脱钩政策的依据。二氧化碳排放率与GDP增长率呈现不平行的现象，称为"经济体系产业脱钩现象"，经济增长率高于二氧化碳排放增长率，称为"相对脱钩现象"，即为相对的低碳经济发展；如果经济驱动力呈现稳定增长，而二氧化碳排放量反而减少，称为"绝对脱钩现象"，即为绝对的低碳经济发展。

从长期来看，一个国家(或地区)向低碳经济转型的过程，就是温室气体排放与经济增长不断脱钩的过程。从全球层面来看，如果没有足够的政策干预，人均收入增长和人均排放之间的正相关关系将长期存在。所以，必须通过适当的政策措施来打破这种联系。而中国正处于这一曲线的上升阶段，即经济社会的发展伴随着物质消耗的增加，资源环境与社会环境并没有达到和谐发展的阶段。由于发达国家和发展中国家的发展存在差距，发达国家的发展可能代表世界发展的方向和水平，说明温室气体排放可能符合环境库兹涅茨曲线的假说。

经济合作与发展组织(OECD)对环境压力与经济增长脱钩指标的国家差别进行了研究，并于2002年发表调研报告。报告指出，环境与经济脱钩的现象普遍存在于OECD国家中且存在进一步脱钩的可能；从而得出：在经合组织的国家，环境与经济二者之间的冲突已经取得了极为有效的控制，并向着更为良好的方向发展，在可预见的未来，环境与经济的冲突能够找到合理满意且有效的解决方法。

TaPio利用脱钩弹性的概念进一步将原有的三大脱钩指标细分为连接、脱钩、负脱钩三种状态，再根据不同的弹性值指标细分为弱脱钩、强脱钩、弱负脱钩、强负脱钩、扩张负脱钩、扩张连接、衰退脱钩、衰退连接总共八大类。这不仅仅使脱钩指标进入新的理论研究阶段，同时对环境压力指标和经济驱动力指标的各种可能组合也给出了较为合理和全面的定位。

同样，脱钩指标也具有自身的理论缺陷，如缺乏与环境容量的自动联系，难以兼顾各国国情以及受环境压力的最初水平和使其选择的影响等，但脱钩理论总体上对低碳经济的发展依旧是非常重要的。

3.8 低碳经济的政治经济学分析

3.8.1 低碳经济起源于应对全球范围内最大的市场失灵

市场失灵是微观经济学的基本概念，通常是指自由的市场均衡背离帕累托最优的一种情况，即无法通过正常的市场机制实现资源的最优配置，导致无效率的一种状况。公共物品和外部性效应往往是导致市场失灵的重要原因。当前，全球气候变化是指由于人类活动向大气中排放了过量的二氧化碳等温室气体，导致大气中的温室气体浓度过高，从而在全球平均气温基础上产生了以增温为主要特征的全球范围内的气候变化现象，在《斯特恩回顾：气候变化经济学》中，气候问题被称为“迄今为止范围最大、规模最大的市场失灵现象”。

首先，地球大气层是全球性的公共物品，具有自然公共物品的属性，在全球范围内对每个国家都具有供给的普遍性和消费的非排他性。由于公共物品的这 2 个特征，往往导致“公地悲剧”，即每个个体追求自身利益最大化的结果导致集体行动的低效甚至无效。正是由于大气环境资源不具有排他性，没有产权的划定，各国为了经济快速发展，向大气排放的温室气体量越来越大，使得气候变化问题越来越严重，从而产生了“公地悲剧”。

其次，全球气候变化问题具有很强的外部性效应，而且外部负效应大于外部正效应。气候变化问题直接造成人类自然环境的改变，还严重影响到人类经济社会的发展，带来经济大萧条。

第三，“搭便车”效应。“搭便车”指的是得到一种物品的收益却不需要为此付费。在公共物品的消费中，价格反映偏好的机制失灵，每个经济主体都有“搭便车”的动机。在应对全球气候变化的问题中，单个国家的温室气体减排也具有积极的外部效应，其他国家不承担减排成本也会得益。因此，每个主权国家都希望其他国家去承担减排责任和成本，自己可以“免费搭车”。国际环境合作本应是解决全球环境问题的有效途径，但严重的“搭便车”问题又导致了有效的国际环境合作难以达成。

3.8.2 低碳经济的发展反映了政治、经济乃至人与自然全面博弈的进程

在经济学中，一些相互依赖、相互影响的决策行为及其结果的组合称为博弈。全

球气候问题的复杂性不仅在于环境和气候是公共产品，是市场机制不能充分发挥作用的领域，更在于温室气体的全球流动性与环境气候资源的国家属性之间的悖论，即必须通过国家间的政治谈判与经济合作才能共同解决。因此，气候变化问题虽然表面上是一个环境问题，但究其实质是政治问题和经济问题。

首先，低碳经济是国际气候政治博弈的结果。在研究环境与经济协调发展的这个过程中，博弈的焦点在于谁应该承担更多的减排责任。发达国家竭力弱化自身碳排放的历史责任和摆脱对发展中国家提供资金、转让技术的义务，试图将自己的气候欠账转嫁发展中国家，要求发展中国家共同承担量化的强制减排义务；而发展中国家既没有享受到高碳能源时代的红利，又深受当前气候危机的灾难性影响，还不可避免地要通过增加能源消费以完成工业化进程，承受着前所未有的碳减排压力。

其次，低碳经济反映了不同经济发展模式的博弈竞争。与传统的高能耗、高污染、高排放“高碳”经济发展模式相比，低碳经济是以低能耗、低污染、低排放为基础的全新经济发展模式，是一次重大产业革命。因此，在全球经济格局中，新兴工业化国家和发展中国家如果要避免与发达国家再次拉大差距，对现有制度进行创新，使低碳经济发展模式下的生产关系适应生产力发展水平就显得尤为重要、尤为紧迫了。

第三，从更广阔的视角分析，低碳经济还是人类和自然生态系统博弈均衡的产物。人类文明的发展史本身就是一部人类与自然相互影响、博弈运动的历史。在农业社会，人们生产和生活均处于较低的水平上，崇拜自然、敬畏自然，对环境基本不会造成多大污染，即使存在温室气体，也能被自然系统消化和吸纳，社会处于一种低收益、低消耗、低排放的自然低碳经济阶段；在工业社会，随着生产力水平的提高，人类对自然系统的干扰和影响不断加大，同时经济增长方式粗放，能源利用效率不高，并且化石能源消费结构占较大比例，温室气体排放骤然增加，此时的社会进入了一种以大量投入、大量消耗和大量排放为特征的高碳经济阶段；进入后工业化社会以后，资源枯竭、环境污染、自然生态系统的失衡严重制约到人类经济社会的进一步发展，人类逐渐认识到生态环境也是稀缺资源，与自然生态系统均衡发展才是博弈中的一种最优策略，从而不断加强资源节约与环境保护力度，力求步入一个高收入同时温室气体排放稳定甚至下降的低碳经济阶段。因此，低碳经济是人类社会继农业文明、工业文明之后的又一次重大革命，是推动人类社会从工业文明发展为生态文明的重大进程。发展低碳经济，可促使人类协调与自然生态系统的关系，自觉尊重和维护自然，保持人类自身赖以生存发展的生态平衡，实现人与自然的和谐共生与博弈均衡。

3.8.3 低碳经济的目标是以尽可能低的发展成本谋求最大的经济收益和社会福利

在全球气候变暖的大背景下，低碳经济是指通过尽可能低的温室气体排放量(尤其是二氧化碳)实现经济社会最优发展的一种经济发展方式，是目前能够满足能源、环境和气候变化挑战的前提下实现可持续发展的唯一途径。在发展经济学的理论框架下，低碳经济是经济发展的碳排放量、生态环境代价及社会经济成本最低的经济。在传统的经济发展模式中，经济发展的目标是单纯地追求 GDP 的增长，为了实现这一目标，人们往往以牺牲资源环境生态为代价，导致经济发展成本过高，甚至超过了发展的收益，从而形成不可持续性的发展。而低碳经济的提出也不可能完全消除经济发展成本，其只能将经济发展成本降低在一定的范围内。在这个范围里，一方面全球气候环境系统自身能得到恢复，另一方面经济发展的收益大于发展的成本，符合成本 - 收益法则。因此，经济发展成本是低碳经济的基本问题，经济发展成本的分析是低碳经济的理论基础。从这一理论基础出发，低碳经济是一种具有竞争力的低成本经济，就是要通过对能源资源的合理利用，减少温室气体排放，保护生态环境，使经济发展对全球环境气候系统的损害所形成的发展成本达到最小状态。

第4章　低碳经济的生产模式

4.1　低碳的农业生产模式

4.1.1　低碳农业概述

哥本哈根世界气候大会，让“低碳经济”成了2009年的岁末热词，低碳意味着环保、节能减排，意味着生产、生活和价值观念的转变……但现在人们一谈到低碳经济，都是讲工业的多、讲农业的少，讲城市的多、讲乡村的少。联合国粮农组织新近指出，耕地释放出的温室气体超过全球人为温室气体排放总量的30%，相当于150亿t的二氧化碳；同时，联合国粮农组织估计，生态农业系统可以抵消掉80%的因农业导致的全球温室气体排放量，无需生产工业化肥每年可为世界节省1%的石油能源，不再把这些化肥用在土地上还能降低30%的农业排放。所以，在发展低碳经济方面，农业潜力巨大。

农业的发展经历了刀耕火种农业阶段、传统农业阶段和工业化农业阶段。工业化农业过程对生物多样性构成威胁：农田开垦和连片种植引起自然植被减少，以及自然物种和天敌的减少；农药的使用破坏了物种多样性；化肥造成了环境污染，进而也引起生物多样性的减少；品种选育过程的遗传背景单一化及其大面积推广，造成了对其他品种的排斥……如果用碳经济的概念衡量，这种农业可以说是一种“高碳农业”。改变高碳农业的方法就是发展生物多样性农业。生物多样性农业由于可以避免使用农药、化肥等，某种意义上正属于低碳农业。

据第一次全国污染源普查结果显示，农业污染是污染源的“大户”，是水环境的主要破坏者。农业源是总氮、总磷排放的主要来源，其排放量分别为270.46万t和28.47万t，分别占全国排放总量的57.2%和67.4%。在农业源污染中比较突出的是畜禽养殖业污染，其化学需氧量、总氮和总磷分别占农业源的96%、38%和56%。如何制定低碳农业发展政策，降低农业生产过程中的碳、氮排放，越来越成为社会各界关注的焦点和区域经济发展中重点考虑的领域之一，尽快转变农业发展模式，发展低碳高效农业已成当务之急。可以说，内部产业结构调整的迫切要求与外部资源环境约束的日益加大，已将发展低碳农业提升到前所未有的战略高度。

无需生产工业化肥每年可为世界节省1%的石油能源，不再把这些化肥用在土地上还能降低30%的农业排放，要想抵消其他的农业排放——如牲畜肠道发酵、稻田、生物质燃烧和粪肥处理——要求耕地的固碳率达到400kg/(hm^2·年)，牧场则需达到200kg/(hm^2·年)，有机农业系统能够达到这一水平，即抵消掉80%的因农业导致的全球温室气体排放量。

在新农村建设中推行“一池三改”，把沼气建设与改厨、改厕、改圈结合起来，生活垃圾、牲畜粪便、作物秸秆发酵成沼气，残留物——沼液可以代替农药，沼渣可以代替化肥，既变废为宝、美化环境，又节省开支、增加收入，这就是典型的农业低碳化。

除此之外，无论是按照传统的做法，把秸秆深翻到土壤里腐烂做基肥，还是把秸秆粉碎掺杂畜禽粪便发酵后做生物质有机肥，或者将秸秆做原料，制作成各种类型的纤维板、燃料，都可以大大减轻对生态的破坏、对环境的污染。

所以，在农业生产和生活中，无论是节地、节水、节肥、节种，还是节电、节油、节柴(节煤)、节粮，只要是可以降低农业生产成本，保护农业生态环境，增强土壤的固碳能力，减少温室气体排放，都属于化解农业风险，发展循环农业、低碳农业最有效最现实的形式。

综合各种观点，我们认为低碳农业的主要含义是：在农业生产经营过程中，通过一系列发展模式、技术的运用，以最大限度降低温室气体排放，获取最大社会、经济、生态效益的一种生态、循环农业生产方式。

当然，从目前的生产方式来看，低碳农业虽然前景广阔，但距离“低碳农业”的标准还有很大差距。首先，劳动力是发展低碳农业前期投入成本中的主要部分，尤其是知识型劳动力的投入；其次，我们目前的农业生产特点决定了规模化低碳农业发展的困难。例如，一个农户或一个种植园实行低碳农业的模式，而周围的耕地仍是化学农业，这个生态模式的土壤、空气和水源仍旧受到影响和污染，这就需要在组织形态上进行改变，比如成立生态农户合作社等。此外，发展低碳农业，需要大面积采用生态农业的部分技术、需要相应的生产技术与之相匹配、需要政府和一些高校社会组织专业人员的指导和培训，特别是市场的衔接。同时，我国鼓励低碳农业的政策和优惠措施应该更完备、机制可以更灵活。

由此看来，“低碳农业”的发展不是玩时尚的概念，而是重在科技的持续扶持及加大各种资源要素投入，以点带面，最终形成带动农民增收、农业增效的可持续发展模式。

4.1.2　发展低碳农业的意义

随着经济社会的快速发展，人们追求品质生活的要求越来越高，对现代农业的发展提出了更高的要求。以低能耗、低污染、低排放为基础的低碳农业经济发展模式正是适应了这一发展趋势，可以预见，低碳农业的发展将在今后农业生产发展中起到主导作用。

(1)发展低碳农业是农产品安全生产的需要。农产品安全生产是食品安全的前提和保障，直接关系到人类的健康与安全。在现代农业生产中，农药、兽药、化肥、饲料、添加剂、激素和抗生素等农业化学投入品的广泛使用，是保证农业丰收和农产品优质的重要手段。但是，片面地追求产量和效益，不科学地使用农药、化肥等农业化学投入品，就会严重污染食物，在威胁人类健康的同时还会造成严重的环境污染，影响人们的健康。低碳农业的技术核心是通过技术创新、产业结构调整和制度创新以及农业生产发展观念的根本性转变，达到低能耗、低污染、低排放、高效益，从而为人们提供优质、安全的农产品。

(2)发展低碳农业是保护生态环境的需要。目前生态环境的恶化已经为人类社会的发展敲响了警钟，气候变暖已经成为世界生态恶化的首要原因。农业生产与全球气候变化息息相关，政府间气候变化专业委员会第4次评估报告表明，在人类活动所放出的温室气体中，农业是温室气体的第二大重要来源，排放量介于电热生产和尾气之间。低碳农业是在应对全球气候变化中应运而生的新生事物，是一种生态高值农业模式。低碳农业经济是一种全新的以低能耗和低污染为基础的绿色农业经济。通过大力发展低碳农业，减少农业品的投入量，通过各种绿色、生态农业技术的应用，最大限度地增加碳储量，可大大减少农业温室气体的排放，从而达到改善和保护生态环境的目的。

(3)发展低碳农业是农业转型升级的需要。农业的发展经历了从刀耕火种的原始农业到广泛应用现代科学技术、现代工业提供的生产资料、设施装备，再到以现代科学管理方法为主的现代农业发展历程。随着现代农业的快速发展，农业生产主为了片面地追求产量效益，追求利益的最大化，大量地使用了农业化学投入品，使现代农业生产走入了另外一个极端。针对目前农业生产的发展现状，国内外不少学者提出了农业的转型升级发展模式，即按照发展循环经济、低碳经济的要求，从转变资源利用、生产方式入手，加快发展低碳农业。大力推广资源节约型农业技术，减少资源消耗和物质投入，积极推进农作制度创新，推广应用农牧结合、水旱轮作、立体种养等新型高效农作模式，提高土地单面积产出、改良生态环境、培肥耕地地力，实现经济效益和生态效益的有机统一。

(4)发展低碳农业是改善农村环境、提高农民生活质量的需要。在新农村建设中，各地都认真开展了农村环境整治，很多地方旧貌变新颜。但农村环境建设是一项长期的任务，当前在不少地方仍然存在诸多问题，如令人颇为头疼的农药、化肥、农膜过度使用的农业面源污染问题，包括乡村农产品加工厂在内的污染治理问题，部分农机能耗高、废气排放多的问题，一些农户焚烧秸秆、污染大气的问题，畜禽粪便等畜牧业废弃物难以处理的问题等。这些问题若长期得不到有效解决，不仅影响了环境，而且还降低了农民生活质量。要彻底解决这些问题，既要治标，更要治本。治标之策是继续加大对农业生态环境和农村环境的治理力度，逐个地方、逐个问题予以解决。治本之策是发展低碳农业经济，用低能耗、低投入、低污染、低排放、高效益的农业经济模式取代高能耗、高污染、高排放、低效益的农业经济模式，让农民群众既有好收益又有好环境，真正做到持续增收、人居适宜、心旷神怡。

4.1.3 低碳农业发展模式

低碳农业，是人类协调生产、能源、环境、社会、经济、改善人民生活质量而产生的一种新型、综合农业形态。发展低碳农业首先要在农业领域大力推行低碳技术，并不断创新发展模式，形成集约化生产，提高效能，推行社会、生态、经济的和谐统一发展。

4.1.3.1 农业投入品减量、替代模式

化肥、农药、农用薄膜的使用是工业科技成果在农业上的应用，对农业的增产作用显著。随着这些农业投入品的广泛大量使用，其负面作用也不可忽视。近年来频频出现的农药残留超标及农业面源污染和土壤退化等问题，严重影响了农业的可持续发展。为此，要在以往成功研发的基础上，积极探索化肥、农药、农用薄膜的减量与替代的配套技术。如用农家肥替代化肥、用生物农药生物治虫替代化学农药；用可降解农膜替代不可降解农膜；用集成推广测土配方与精准施肥技术，推广集成生物农药与综合防治技术。通过一系列新技术的推广应用，使农业投入品用得少、用得好，少残留、少污染，真正实现肥药的合理利用，以求达到丰产治污双赢的目的。该模式的主要技术主要有以下几项：

(1)测土配方技术。测土配方施肥是指根据作物的需肥规律、土壤的供肥能力和肥料效应，在增施有机肥的基础上，通过科学配比确定氮、磷、钾和微量元素的施用

量，以满足作物生长发育对各种营养元素的需要，获得高产优质的施肥方法。测土配方施肥是提高肥料利用效率的一种有效手段和技术，具有提高作物产量、改善农产品品质、减少资源浪费、节约种植成本、保护生态环境等优点。

(2)统防统治技术。该项技术主要是以统一防治时间、统一防治药剂、统一防治器械、统一防治技术和统一防治人员“五个统一”为主要内容的一条新型绿色防控模式，它集成了有害生物的监测技术、无害化防控技术及信息传递新技术，具有专业性强、用药科学、防治工本低、效果好等优点。

(3)农家肥替代化肥技术。以农家肥替代化肥主要是取材于农家肥的来源广、数量大、便于就地取材就地使用、成本也比较低的优点。另外农家肥所含营养物质比较全面，不仅含有氮、磷、钾，而且还含有钙、镁、硫、铁以及一些微量元素。以农家肥替代化肥施用技术，有利于促进土壤团粒结构的形成，使土壤中空气和水的比值协调，使土壤疏松，增加保水、保温、透气、保肥的能力。

(4)物理、生物灭虫技术。病虫害是影响农业生产的一个重要问题，传统的灭虫方法主要是喷洒化学农药，这样一来，虽然将害虫杀死了，但也不可避免杀死了害虫的天敌及产生化学污染，影响生态平衡。利用物理灭虫技术主要是利用害虫的趋光性、性信息的引诱性等原理来杀灭害虫，降低了化学污染，保护了害虫的天敌，从而达到节本增效的目的。目前推广应用的杀虫技术主要有频振式杀虫灯、性诱剂、遮虫网、黑光灯等。

4.1.3.2 立体种养节地模式

立体种养节地模式主要是指在种植、养殖时充分利用土地、阳光、空气、水等自然资源，拓展生物生长空间，增加农产品产量，提高单位面积产出效益。常见的有农作物合理间种、套种等高效种植模式。推广立体种养模式对山多地少的地方具有十分重要的现实意义，通过立体种养可以在一分地上产出二分甚至三分地的效益。立体种养节地模式比较成熟的技术主要有以下几项。

(1)园地养鸡技术。园地养鸡是充分利用山地果园和林地等自然资源进行的生态型养鸡模式，既可以弥补畜牧业用地的不足，也可为社会提供优质、无公害的畜产品。园地养鸡一年四季均可，主是利用园地虫草作为鸡的补充饲料，用鸡粪肥果、桑、茶等园地。利用园地养鸡，每亩园地每年可新增收入约1500元，从而达到鸡、果(茶、桑)的双赢，形成一个立体的种养模式新农作制度。

(2)茶园套种吊瓜技术。为节约茶园土地资源，提高集约利用率，增加单位茶园的经济附加值，提高茶农经济效益，近几年在平地、缓坡茶园推广示范了“幼龄茶园－吊瓜套种”技术。该技术主要是在新茶园开发或老茶园改造过程中，充分利用从开发到投产的2~3年时间套种吊瓜，形成一个立体的种植模式，提高了土地利用率，既增加农民收入，又通过改善茶园环境，提高茶苗成活率以及茶叶的生态品质。与单一的茶叶种植比较，茶园套种吊瓜平均每亩园地每年可增收约2000元。

(3)果园番薯套种技术。该模式主要是根据山多地少、低收入农户相对较多的现状，通过引进番薯新品种、推广地瓜栽培新技术，实施果园(桔、梨、枣)套种番薯，发展"薯干初、精加工，薯皮及薯藤养猪－猪粪产沼气－沼液肥还田还地"的循环利用模式，增加农民收入，为实现农业可持续发展和低收入农户致富奔小康提供一个操作性较强的样板。

(4)水田"薯－瓜－菜"新三熟技术。该模式主要是利用有限的水田资源，合理充分地安排茬口时间：在12月下旬至1月中旬，采用稻田免耕、稻草全程覆盖技术栽培马铃薯以取代油菜或冬闲田，至5月中下旬马铃薯收获，亩产2000~2500kg，亩产值2000元左右；第二茬为6月10日前夏播西瓜，8月底西瓜采收上市，亩产量2100kg，亩产值2100元；第三茬于10月10日前播种小青菜，至年底前上市，亩产值均可达到1500元。这样，"新三熟"全年总产值能达到5000元，比油菜－水稻－水稻"老三熟"每亩增值4000元，经济效益十分明显。

4.1.3.3 节水模式

目前，我国农业年用水量约为4000亿m^3，占全国总用水量的68%，是最大的用水户。在农业用水量中灌溉用水量为3600亿~3800亿m^3，占农业用水量的90%以上。据水利部农水司测算，全国灌溉水利用系数仅为0.46，即从水源到田间，约有一半以上的灌溉水因渗漏、蒸发和管理不善等原因没有被作物直接利用，灌溉后农田水的利用效率也很低，每立方米水生产的粮食约1kg，仅为发达国家的一半。近年来，各地大力发展节水型农业，采取科学的工程措施，积极发展防渗渠道和管道输水，减少和避免了水的渗漏与蒸发；改造落后的机电排灌设施，推广水稻节水灌溉技术和农作物喷灌、微喷灌、滴溉等技术，较大限度地提高了水资源的利用率，从而达到了节水增效的目的。该模式的主要应用技术为山地蔬菜微蓄微灌技术、单季晚稻强化栽培技术。

(1)山地蔬菜微蓄微灌技术。近年来兴起的高山蔬菜由于病害少、品质优，在其采收上市期正好填补市场的淡季空缺，故经济效益良好，已成为山区农民增收的重要渠道。但缺水干旱成为制约山地蔬菜可持续发展的主要因素。山地蔬菜微蓄微灌技术正是针对这一技术瓶颈应运而生的，其原理是在农田(山地)修建容积数十至数百米的小型蓄水池，利用山坡地势落差产生自然水压，通过塑料管道连接蓄水池和田间的滴灌系统，对地势相对较低的田块实行自流灌溉。利用微蓄微灌技术可对灌溉水量自主调节，使水能的利用率达到了最大化。

(2)单季晚稻强化栽培技术。该项技术是20世纪80年代起源于马达加斯加的一种水稻高产高效栽培法，具有增产潜力大、节省育秧和移栽用工、节约灌溉用水、改善土壤理化性状等优势。强化栽培的核心技术是：小苗早栽、单本稀植、湿润灌溉、有机肥为主、耘田除草。

4.1.3.4 节能模式

节能模式主要是大力推广节能技术，从耕作制度、农业机械、养殖及龙头企业等方面减少能源消耗，改革不合理的耕作方式和种植技术，探索建立高效、节能的耕作制度。该模式主要是大力推进免耕少耕、水稻直播等保护性耕作技术；旱作地区推广耐旱作物品种及多种形式的旱作栽培技术；冬季建造充分利用太阳能的温室大棚，种植反季节蔬菜；推广集约、高效、生态畜禽养殖技术，降低饲料和能源消耗；利用太阳能和地热资源调节畜禽舍温度，降低能耗。节能模式技术应用范围较广，较成熟的技术主要有以下几项。

(1)蔬菜大棚栽培技术。蔬菜大棚种植原理主要是充分利用太阳光能，通过搭建大棚，在原本不适合蔬菜生产的季节积累出适合蔬菜生长的温度来进行蔬菜生产，从而填补市场空缺，获取良好收益。

(2)反光地膜覆盖技术。反光地膜覆盖主要技术要点是选用无毒透气、轻便、耐久性强的地膜，对果园内除沟道外都进行地膜覆盖，充分利用光能，增加精品果的产出率。反光地膜覆盖技术是近年来在精品橘园建设中应用较多、使用效果较好的一项技术，其产生的作用有：增加柑橘园的漫散光，促进树冠下部果实发育良好，改善果面光泽度，增加糖分；减少柑橘病虫害，减少果面污染；增强土壤保肥保水性能，调控土温等。

(3)地膜覆盖技术。地膜覆盖技术是指利用地膜紧紧贴盖于栽培畦面上，促进植物生长发育的简易覆盖栽培方法，可为农作物创造适宜又相对稳定的保温、保水、保肥的环境条件，促进生长，延长生育期，获得早熟、丰产的效果。地膜覆盖的技术核心是：通过覆盖地膜提高光能利用率来提高地温，促进土壤养分分解，增强地力等。地膜覆盖技术广泛应用于农业生产的各个方面，如蔬菜、玉米、番薯等。

4.1.3.5 “三品”基地模式

“三品”指无公害农产品、绿色食品、有机食品。这三种农产品因其品质好、无农药残留或微农药残留，深受消费者欢迎。由于“三品”基地建设有其严格的技术规程，故发展“三品”基地对低碳农业的发展有积极的推动作用。

(1)有机农产品是指根据有机农业原则和有机农产品生产方式及标准生产、加工出来的，并通过有机食品认证机构认证的农产品。有机农业的原则是在农业生态系统能量的封闭循环状态下生产，全部过程都利用农业资源，而不是利用农业以外的能源(化肥、农药、生产调节剂和添加剂等)影响和改变农业的能量循环。有机农业生产方式是利用动物、植物、微生物和土壤4种生产因素的有效循环，不打破生物循环链的生产方式。有机农产品是纯天然、无污染、安全营养的食品，也可称为“生态食品”。

(2)绿色农产品是指遵循可持续发展原则、按照特定生产方式生产、经专门机构认定、许可使用绿色食品标志的无污染的农产品。绿色食品必须具备的条件：一是产地或原料的生产必须符合农业部制定的绿色食品生态环境标准；二是农作物种植、畜禽饲养、水产养殖及食品加工必须符合农业部拟定的绿色生产操作规程；三是产品必须符合农业部制定的绿色食品质量和卫生标准；四是产品外包装必须符合国家标签通用标准，符合绿色食品特定的包装和标签规定。

(3)无公害农产品是指产地环境、生产过程和产品质量符合国家有关标准和规范的要求，经认证合格获得认证证书并允许使用无公害农产品标志的未经加工或者初加工的食用农产品。无公害农产品产地应当符合下列条件：一是产地环境符合无公害农产品产地环境的标准要求、区域范围明确、具备一定的生产规模；二是无公害农产品的生产管理条件则必须达到生产过程符合无公害农产品生产技术的标准要求、有相应的专业技术和管理人员、有完善的质量控制措施，并有完整的生产和销售记录档案。

4.1.3.6 清洁能源模式

利用农村丰富的农业资源发展清洁能源，减少对传统能源的依赖性，大大减少碳的排放量，减缓气候变化，从而达到改善和保护生态环境的目的。清洁能源的利用目前主要有风力发电、秸秆发电、秸秆气化、沼气、太阳能利用等。特别值得一提的是，近几年，各地积极实施“一池(沼气池)三改(改厕、改厨、改圈)”生态富民工程，既净化了环境，又获取了能源，还增加了收益，农民群众对此赞不绝口。目前在清洁能源的利用方面主要是沼气入户技术及太阳能综合利用技术。

(1)沼气入户技术。沼气的开发与利用，在可再生能源建设中占据很重要的地位。其原理是沼气发酵。沼气发酵又称厌氧消化、厌氧发酵和甲烷发酵，是指有机物质(如人畜禽粪尿、生活污水和植物茎叶等)在一定的水分、温度和厌氧条件下，通过多种大量和功能不同微生物的分解代谢，最终形成甲烷和二氧化碳等混合性气体(沼气)的复杂生物化学过程。沼气是一种取之不尽、用之不竭的优质、廉价和卫生的可再生能源，具有资源丰富、制取容易、用途广泛及综合效益显著等特点。近年来，在发展农村户用沼气池、畜禽养殖场小型沼气池和农村生活污水净化沼气池等方面进展显著，所产生的经济、生态和社会效益也非常突出。沼气利用已从炊事和照明的生活领域向生产领域发展。沼气系统本身的功能也日益拓宽，已成为一个具有能源、生态、环保和其他社会效益的多功能综合系统，其经济效益日益提高。一些沼气用户把沼气作为发展庭院经济、副业生产的纽带，利用“三沼”(沼气、沼液和沼渣)发展养殖业、种植业，获得显著的综合经济效益。发展沼气不但使农户增加了经济效益，而且有利于改善农户庭院环境卫生，推动农村精神文明建设。发展沼气，还提高了农民用能质量，减轻妇女家务劳动，节约砍柴工，减少薪柴采伐量，促进了生态公益林建设，保护了森林资源，改善了农村生态环境。

(2)太阳能综合利用技术。太阳能既是一次能源，又是可再生能源，它资源丰富，既可免费使用，又无需运输，对环境无任何污染。在农村地区推广使用太阳能，可以大大减少其他传统能源的使用，同时太阳能作为清洁能源又可以在一定程度上缓解能源危机，改善农村的生态环境。

4.1.3.7　种养废弃物再利用模式

农业废弃物是农业生产、农产品加工、畜禽养殖业和农业居民生活排放的废弃物的总称。农业废弃物按其来源不同主要是三种类型：一是农业生产废弃物，主要指农田和果园残留物，如作物或果树的秸秆或枝条、杂草、落叶、果实外壳等、农副产品加工后的剩余物；二是牲畜和家禽的排泄物及畜栏垫料等；三是农村居民生活废弃物，包括人类粪便及生活垃圾、生活污水等。农业废弃物的处理与资源化不仅关系到资源的再利用和环境安全，而且与农业的可持续发展和社会主义新农村建设紧密相关。由于农业生产的特殊性，农业废弃物的产生与农产品的生产过程通常相伴而生，农业废弃物的循环利用对于缓解资源不足、减少环境污染、拓展农业的外部功能、提高农业的综合效益，具有重要的意义。

种养废弃物再利用模式主要有秸秆还田培肥地力、秸秆氨化后喂畜、秸秆替代木材生产复合板材、利用桑树修剪下的枝条种植食用菌、利用畜禽粪便生产微生物有机肥、将花生壳粉碎加工成细粉再利用等。该模式目前较为成熟的技术有桑－菌－沼－肥循环生产技术和生物发酵床养殖资源循环利用技术。

(1)桑－菌－沼－肥循环生产技术。利用桑枝条生产食用菌是依据丰富的蚕桑资源，遵循科学发展观和循环经济的规律，以蚕业资源为纽带，遵循产业循环组合和生态链要求，形成以微生物为中心的农业产业化项目。利用蚕桑副产品和废弃物栽培食用菌，变废为宝，以生产后的废弃菌棒生产沼气、沼渣沼液还田作肥来形成一个闭合性的循环农业生产技术模式，转变了农业增长方式，改善了农村生态环境，促进了农业产业的可持续发展。

(2)生物发酵床养殖资源循环利用技术。生物发酵床养猪，就是在养猪的圈舍内利用高效有益的微生物与垫料建造发酵床，猪的粪尿直接排泄在发酵床上，利用生猪的拱掘习性，加上人工辅助翻耙，使猪的粪尿和垫料充分混合，通过有益微生物菌落发酵，猪粪尿中的有机物质得到充分的分解与转化。该技术主要在猪舍内设置一定深度的地下、地上或半地下、半地上式垫料池，填充稻壳等农副产品以及锯末等，并接种高效的有益微生物菌种对垫料进行发酵，从而形成利于有益菌繁殖的发酵床。猪的粪尿直接排泄在垫料上，不流向猪舍外，从而实现了粪污零排放。因此，猪生存的环境得到明显改善，并有效解决了粪尿处理和恶臭难题，生猪抗病力也会增强。垫料一般2～3年清理1次，可作为肥料使用，从而达到降低成本、提高效益的目的，并改善了农村生态环境。然后利用有机肥料肥地和在桑园地中制作蚯蚓着床垫料养殖蚯蚓，养成的蚯蚓用来养殖优质土鸡，从而形成一条生猪养殖→粪尿即时发酵成有机肥料→有机肥肥桑养蚕和特种养殖(蚯蚓)→桑地养鸡一条龙的立体开发型农业生产体系和农业资源循环利用体系，既可解决养猪场生猪养殖过程中的污染问题，又可提高当地农民种桑养蚕和饲养优质土鸡的经济收入。

4.1.3.8 农业休闲观光模式

农业休闲观光旅游是利用农村的田园景观、自然生态景观、人文历史及民俗民风、农业生产营销活动、农业产品等资源，经过策划设计使其具有旅游的功能，吸引游客前来休闲度假，满足其食、住、行、购、娱、游需求，是实现农业与旅游业可持续发展的一种新型农业及新型旅游形式。农业休闲观光旅游属于农业旅游的范畴，更加侧重于放松心情、观光、休闲度假。

休闲观光旅游主要分为两大类：一是在种植业的基础上发展起来的种植型农业，主要包括绿色农业、花卉种植、果园种植等多种不同类型，主要以观光度假休闲为主，如鸠坑乡的鸠坑茶文化休闲观光园、安阳白茶基地休闲观光园、界首乡柑橘休闲观光带；二是在养殖业的基础上发展起来的养殖型旅游活动，如利用库湾养鱼为游客提供垂钓、捕捞等休闲观光娱乐活动，主要集中在沿湖边的休闲农庄。

4.1.4 低碳农业发展模式的选择

第一，全球气候变化背景下的低碳经济发展模式。“低碳经济”概念提出的背景是：由于人类大量消耗含碳能源，大气中 CO_2 浓度升高加剧温室效应，进而引起全球气候变暖的事实。低碳经济是相对于高碳经济的概念。所谓低碳经济是指尽量转变过度依赖不可再生的含碳化石能源，发展太阳能、风能、水能等可再生能源为主要能源，以低能耗、低排放、低污染为特征的新型经济发展模式和发展理念。政府间气候变化专门委员会(IPCC)从20世纪90年代开始相继开展了四次气候变化科学评估。

2008 年2 月正式发布的IPCC 第四次评估报告指出：全球气候系统变暖是一个不争的事实，人类活动“很可能”是气候变暖的主要原因(90%以上可能性)，尤其是最近50年的气候变化主要是人类活动造成的，其中最主要的因素是CO_2的过量排放，计算表明CO_2的增温效应占温室气体总效应的六成左右。

中国在低碳经济时代转变发展方式的压力很重。中国大量排放CO_2的历史虽然比主要发达国家短，但是排放的增速快、总量可观。2007 年我国CO_2排放总量已经位居全球第二，仅次于美国；并且由于工业化、城市化进程的快速发展，以及考虑到中国长期以煤炭为主的能源消费结构，预计温室气体排放量不会很快下降。中国作为发展中的CO_2排放大国，在应对全球气候变化的CO_2减排行动中，面临着严峻的挑战，中国的产业发展必须寻求低碳发展模式和路径。

第二，中国农业现行发展方式的不可持续性。自改革开放以来，中国农业取得巨大成就，一个13 亿人口大国，实现了粮食自给率高达95%，以不足10%的耕地养活了占世界22%的人口。其中以家庭联产承包制度为代表的政策变革和以“绿色革命”为代表的农业科技进步是中国农业成功的两大原因。但不可否认的是：中国现行的农业生产方式和发展模式是属于“高碳”型。如生产过程中农用化学品过量投入现象，浪费了大量的含碳能源和资源，也带来了严重的环境问题。化肥的过量投入不仅导致种植成本不必要的增加，也是我国农业面源污染的主要原因之一。更为严重的是，氮肥过量施用是导致我国农田土壤酸化的最主要原因，甚至会威胁到农业的基础——土壤本身的健康。再如农药的广泛施用已经带来了一系列生产、环境和食品安全等问题。农业机械化的大量采用尽管节省了大量人力和时间，但也消耗了大量高碳能源，尤其是过度耕作现象的存在。诸如此类“高碳”型的农业生产方式在当前积极倡导“低碳经济”发展模式以及石油、煤炭等不可再生能源日益稀缺的背景下显然是不可持续和亟待改变的。

人类的农业生产活动与全球气候变化相互联系和相互发生影响，全球气候变化给中国农业部门带来巨大不确定性和压力。政府间气候变化专业委员会第4 次评估报告表明，农业生产活动是温室气体的第二大来源，同时农业生产又受到气候变化的严重影响。总体来说，气候变化导致极端气候灾害出现频率的增加，也使农业结构、农业病虫害发生规律和农业气象灾害发生规律产生了变化，加剧了气候灾害对农业生产的影响，使得农业生产的不稳定性增加，产量波动幅度增大，全球变暖趋势甚至将严重影响我国长期的粮食安全。

其作用机理是气候变化影响到光资源、温度、土壤质量和水环境等农业生产要素，进而对我国作物种植区域和种植制度、农作物病虫害发生、农业生产能力等方面产生实际影响。

第三，低碳经济模式是未来中国农业的发展方向。从农产品生产的产业链分析，农业生产消耗用碳大致有三种途径：①化学性农业投入品的生产和使用，如化肥、农药、农用薄膜等；②农业机械的制造和使用，如拖拉机、耕地机械、水泵等；③农产品的加工流通过程中能源使用，如加工过程、运输和包装等。那么就需要针对性的改变原有高碳的农业生产方式，向低碳农业生产方式转变。

据政府间气候变化专门委员会统计，全球农业减排的技术潜力高达每年5.5亿~6亿t当量CO_2，其中90%来自减少土壤CO_2释放，即土壤固碳。鲍建强等依据人类社会能源结构中碳用量把人类社会发展分为3个阶段，并指出发展低碳农业可以走有机、生态和高效的路径。王松良等指出农业在碳问题上兼有“碳汇”和“碳源”双重属性，低碳农业通过把大量的碳“扣押(sequestration)”在农业土壤和植物来抵消人类碳释放。赵其国等提出农业的可持续发展的路径必须通过农业科学技术的创新和突破，发展“生态高值农业”。其宗旨是在保护生态环境的前提下通过农业的高值化，大幅度提高农业生产能力、产业化水平、竞争力和比较效益。发展过程的中间阶段就是低碳农业经济，指在农业生产、经营过程中排放尽可能少的温室气体，同时获得社会最大效益的技术。

本研究在前述文献基础上进一步提出：由于高碳生产方式和发展模式的不可持续性，低碳农业经济实质是一种新的发展模式和理念，在这种模式和理念下农业生产方式和活动发生改变，改变的方向“低碳化”，即农业产业链从“高碳型”移到“低碳型”(图4-1)；改变的内容是在尽量不减少农业产出和收益的前提下，各种农业活动减少含碳能源和自然资源的使用消耗。

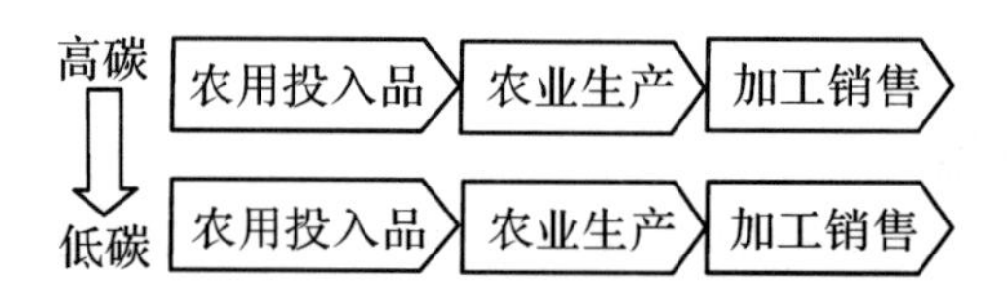

图4-1 未来中国农业产业链整体趋向低碳模式

4.1.5 低碳农业的发展趋势

4.1.5.1 节约资源能源的耕作技术

(1)保护性耕作技术。中国传统农作制度中精耕细作长期以来被认为是一种好的耕作习惯，但过分的精耕细作不但消耗大量能源，而且也是没有必要的，甚至有负面作用。如我国北方春天常年干旱，农田土壤耕作层裸露疏松，过度机械耕作不但直接耗费了大量石油能源，而且加剧了北方旱作农区的水土流失和生态环境的恶化，同时也是我国北方地区沙尘暴、土壤沙化等现象的原因之一。

保护性耕作的采用起源于20世纪70年代，目前已经在部分发达国家得到大面积推广。到2005年，全球大约有近1亿hm^2的耕地采用了保护性耕作技术，占全球总耕地面积的6%以上，其中超过90%的面积集中在美国(26%)、巴西(24%)、阿根廷(19%)、加拿大(13%)和澳大利亚(9%)等国家；另外，保护性耕作的采用主要是在雨养地(面积超过96%)。我国保护性耕作的推广工作起步较晚，1991年农业部与澳大利亚合作成立了保护性耕作研究中心；2002年政府筹集专项资金来支持保护性耕作的试验和示范；2005年农业部开始推动保护性耕作的示范和推广。

在农业固碳和减排措施中，保护性耕作被认为是最具推广潜力的重要技术措施之一，因为它不仅可以提高土壤对CO_2的固碳能力，而且通过减少燃料使用量及秸秆焚烧现象，减少了温室气体的排放。首先，免耕少耕可以减少农业机械的使用，这也就减少了化石燃料的燃烧，相应减少CO_2的排放。其次，随着土壤肥力的增加，在耕作中化肥的使用也相应减少。保护性耕作主要从4个方面保护耕地生产肥力：①深松打破犁底层，有利于雨水下渗和作物根系成长；②利用免耕、少耕技术，减少对土壤层的破坏；③用大量秸秆和残茬覆盖地表，以减少雨水地表径流和水分的蒸发；④秸秆腐烂形成大量的有机质增加土壤肥力。保护性耕作还可以显著节省劳动投入，增加效益。在我国的北方旱作农业区、西南季节性干旱区，尤其是严重缺水的西北地区，保护性耕作更有推广价值。

(2)节水抗旱技术的推广。近些年由于全球气候变暖，导致全球降水分布失衡，表现在我国北方大部地区连续干旱。北方地区作物播种生长季节的旱灾几乎每年都发生，节水抗旱技术对于这些地区农业生产越来越重要。目前，我国抗旱的主要方式仍然是传统的大水漫灌，这种方式水资源和能源浪费严重，而节水抗旱技术有广阔的推广应用潜力。

节水灌溉技术分为两类：①从工程角度分类，包括改土渠为防渗渠输水灌溉，可节水20%左右；推广管道输水灌溉(管灌比土渠输水灌溉相比一般可省水30%～50%)、微灌技术(包括微喷灌、滴灌、渗灌及微管灌等)。②从农艺角度分类，包括根据作物生长的关键时期灌水，提高灌溉水的有效利用率；根据不同的区域特点选用抗旱品种，增施有机肥；在有机肥不足的地方大力推行秸秆还田技术，增加土壤有机质，减少土壤水分蒸发，提高土壤的抗旱能力；平衡施肥也是提高土壤水分利用率的有效措施，配合应用化学调控抗旱措施，如保水剂、抗旱剂等效果更好。

4.1.5.2 农用化学品的合理投入趋势

（1）化肥投入趋向于减少。中国是农业生产大国，也是化肥生产和使用大国。改革开放以来化肥工业发展很快，从1995年起每年产量位居世界第一，2002年的产量占世界总产量的25%；同时化肥消费也增长迅速，到1994年我国化肥消费量超过美国，跃居世界第一，2002年的化肥消费量占全世界的30.7%。张福锁等(2005)对2001~2005年全国11个省的水稻、小麦、玉米数据研究发现，中国化肥利用效率低的最主要原因是施肥过量，尤其是氮肥，同时区域和农户之间的使用水平有很大差异。

鉴于在不到世界10%的耕地上使用超过占世界30%的氮肥用量，大量化肥投入成为我国养分资源利用的主要方式。国际合作委员会农业面源污染控制课题组研究发现：我国氮肥施用量的一半在被农作物吸收之前就以气体形态逸失到大气中或从排水沟渠流失到水体环境中，造成巨大危害，也是引起湖泊、河流的富营养化、农业面源污染的主要原因。化肥的过量使用导致种植成本不必要的增加，使土壤的物理、化学及生物属性退化，而且消耗大量宝贵的能源和资源。

化肥的合理使用是符合低碳发展理念的养分利用方式：①测土配方施肥是合理施肥的前提，根据作物需求平衡施肥，可以避免农田土壤中氮肥过剩；②增加有机肥使用数量，可以改善农田土壤的团粒结构和酸碱度；③需要改革目前我国在化肥使用上的鼓励使用政策，改为区别化、鼓励节约使用和科学平衡使用的政策。

（2）降低农药投入与IPM技术的推广。中国是农药生产大国，农药生产和运输过程要耗费石油、煤炭等能源。中国农民普遍存在农药过量施用的现象，仅2005年中国农药的消费量约为28.3万t。大宗农作物如水稻、棉花施药强度较大(Bt抗虫棉的出现使农药用量大大减少)，经济作物，如蔬菜、水果高强度使用农药更令人担心。如2010年在山东发生的“毒韭菜”事件，直接打击了消费者的信心，进而严重损害了产业链。

过量和滥用农药不但损害消费者健康，而且污染了环境、增加了成本，农药残留更是威胁到国土和民族的健康。改变不合理的植保措施，首先要严格农产品安全检查机制和剧毒农药的管理体制；第二要加强技术推广，实施农作物病虫害的综合防治(IPM)措施。充分发挥自然因素的控害作用，全面普及生物防治和物理防治病虫害技术，积极推广农药增效剂和化学农药替代品，加强农业清洁生产技术的研究，以恢复和保持农田生态平衡，达到控制害虫、保护益虫、环境友好，实现农产品安全、增加农民收益的多重目的。

（3）合理使用农膜。农膜能够有效改善和优化栽培条件，具有保湿、保温、保肥、保土作用，可以促进农作物早熟、增产，提高农产品质量。据农业部统计，我国每年农用膜实际消费量超过110万t，使用量居世界第一。自我国推广应用农膜以来，一方面改变了传统的农业耕作方式，达到增产增收的效果，给农民带来明显的经济效益；另一方面，农膜的残留现象也造成农田环境污染，“白色革命”变成了“白色污染”。而且农膜的制造流通也要消耗大量高碳能源。

农膜材料的主要成分是高分子化合物，在自然条件下，这些高聚物难以分解，一般可残存20年以上，残留物若长期滞留耕地，会影响土壤的透气性，阻碍土壤水肥的循环，影响农作物根系的生长发育，导致作物减产。合理使用农膜，一是要加强环保宣传教育和技术推广；二是要鼓励企业开发废旧农膜再利用技术，大力提倡利用天然产品和农副产品的秸秆类纤维生产农用薄膜，以取代塑料制农膜。

4.1.5.3 农业生物技术研发能力的大幅提升

(1)抗病虫作物的培育。现代农业生物技术包括基因工程、酶工程和细胞工程等，其中转基因生物育种是重要的应用领域。抗病虫是转基因作物的一个重要育种方向。1996年世界第一例转基因作物在美国应用于商业化生产，仅仅10年间全球转基因作物的种植面积增长了60倍，达到了1.02亿hm^2，种植转基因作物的农户数量超过了1000万户。Bt抗虫棉是中国唯一大规模推广使用的转基因作物，仅2009年，Bt抗虫棉占棉花总播种面积达到68%。但由于受到国际上“转基因安全性争议”和国内一些环境保护人士的影响，近年来我国转基因作物推广应用的速度放慢了。

我国《国家中长期科学和技术发展规划纲要(2006~2020)》和国家“十一五”规划中已将“转基因生物新品种培育”列为16个重大专项之一，该重大专项是新中国成立以来投资额最大的单项农业科研项目，体现了国家对农业生物技术的高度重视和我国政府支持转基因生物育种发展的政策导向。2008年《转基因生物新品种培育科技重大专项》通过并开始组织实施，这对于增强农业科技自主创新能力、提升我国生物育种水平、促进农业增效和农民增收、提高我国农业国际竞争力，具有重大战略意义。实施这一重大专项的目标，是要获得一批具有重要应用价值和自主知识产权的基因，培育一批抗病虫、抗逆、优质、高产、高效的重大转基因生物新品种，提高农业转基因生物研究和产业化整体水平，为我国农业可持续发展和国家粮食安全提供强有力的科技支撑。其中由于前期Bt抗虫棉的成功推广应用，和考虑到我国在抗病虫转基因领域具有较强的技术储备、生物安全监管和商业化经验，抗病虫作物将率先突破，其田间推广应用将节约大量化学农药投入。但考虑到社会各界(尤其是民间)反对农业转基因的强大压力，距离实际商业化推广种植还有很长的路要走。但相关领域的研发和技术储备将继续取得进展和突破，尤其在生物安全领域预计将大幅增加投资。

(2)抗逆境作物的培育。抗逆境指植物抗干旱、抗冻害、抗盐碱、抗洪涝等恶劣环境的能力。全球气候变暖使极端气候出现频率增加，未来新品种选育的另一个重要趋势是增加其对逆境的抵抗力。如2004年上海育成的杂交节水抗旱稻(非转基因)，不仅可以节水50%以上，而且产量不低，系列品种对缓解水资源危机和保障粮食安全有重要意义。

转基因技术通过跨物种间基因的定向转移，在解决常规育种技术难以克服的抗病虫、抗逆、高产、优质等性状协调改良方面日益显示出不可替代的重要作用。2008年的《转基因生物新品种培育科技重大专项》为我国在这方面的技术发展奠定了基础，因此，精心组织专项攻关，通过转基因等精准技术手段，重点解决抗旱、耐盐碱新品种的培育，与常规育种技术紧密结合，在做好转基因生物安全监管的前提下，加强相关领域的技术研发能力和技术储备，做好应对气候变化的长期负面影响准备，以满足我国社会经济发展对农产品持续增长的需求。

4.1.5.4 农业废弃物综合利用技术的普遍采用

(1)作物秸秆综合利用。在我国，焚烧秸秆是农村常见的现象，夏季黄淮海地区冬小麦收获后抢种玉米阶段、或南方秋季水稻收获后抢种油菜的时段，经常可以看到农民把大量秸秆用火烧掉，既污染环境，又浪费了宝贵的秸秆资源。分析其原因一是为省事，二是没有很好地利用渠道。

农作物秸秆既是一种廉价、清洁的可再生能源，又可做反刍动物的饲料。我国农作物秸秆年产量约6.37亿t。就作物残留物的管理方式而言，焚烧秸秆不仅损害大气环境，向大气层直接释放碳，还容易引发火灾等事故；而秸秆还田(包括过腹还田方式)则可以增加土壤有机质的含量，保护大气环境，降低碳排放，增加农民收益。此外，还可以探索利用秸秆发电、秸秆培养食用菌、发展秸秆为原料的加工产业等适合我国国情的秸秆高效资源化利用方式。

(2)养殖业废弃物利用。畜禽养殖不仅排放大量废水，还是一个导致全球变暖的温室气体主要来源渠道。由传统的养殖方式向清洁养殖转变，首先要严格按照《畜禽养殖场污染物排放标准》建设标准化畜禽养殖场，对集约化养殖场畜禽粪便和污水进行无害化处理与肥料化利用等措施。对已有的不达标畜禽养殖场改造的内容主要是改水冲粪为干法清粪工艺，并将产生的粪渣及时运至贮存或处理场所，实施雨污分流管道改造等。建设固体粪便有机肥厂，对规模化畜禽养殖场，进行畜禽粪便无害化处理并制成有机肥，也是发展有机食品、绿色食品的良好肥料。

发展农村沼气工程可以节约化石能源，减少温室气体排放，减少污染，保护环境，并且可以通过交易减排的温室气体而增加农民的收入。沼气是可再生新能源，它是利用农业固体废弃物(主要是畜禽粪便等)进行发酵，产生可燃气体用于生活燃料和发电，是一种节约不可再生能源、防治污染、变废为宝的有效废弃物利用形式。农村沼气工程不但能解决农村燃料来源问题，节约大量薪柴和煤炭资源，也减少温室气体的排放量。沼渣还可作为有机肥在农田中施用，减少农村面源污染，提高耕地肥力。

4.1.5.5 农业生产组织形式与加工流通环节的低碳变革

(1)农业生产合作的快速发展。我国目前实行的是以家庭经营为基础的农业经营体制。尽管这种体制在过去30年取得了巨大成功，但也显露出一些弊端。如土地细碎化不利于机械使用等，尤其是家庭小生产面对大市场中的其他经营主体常常处于劣势地位，实质就是缺乏个体生产者之间的农业合作。

农民合作经济组织是应对农业家庭小规模生产与大市场矛盾的有效合作形式，这种组织制度已经在全球取得成功和共识。农民从合作组织的获益不仅体现在降低成本、提高在市场中的议价能力等方面上，也体现在应用先进科技成果以及经营管理能力的学习上，而一些低碳科技成果的推广应用和能力的提升也直接或间接地加速在农业领域践行低碳发展模式。根据农业部农村经济体制与经营管理司的统计，自2007年《中华人民共和国农民专业合作社法》颁布以来，全国各地农民专业合作社快速发展。截至2010年年底，全国已经建立超过35万家，成为带动农民增收致富的得力抓手。

农民专业合作经济组织下一步的发展趋势一是多样化，即不但有产品销售的合作，而且有生产资料购买、生产过程和技术服务等产业链各环节的合作，甚至还可能出现金融等产业链辅助环节的合作。二是合作社之间的规模扩大趋势，如合作社之间的联合等。一些地方的农民专业合作社通过自愿合作，在扩大规模和提高层次上联合经营，解决了单个农民专业合作社发展中的困难，这也是专业合作社发展到一定阶段的必然要求。

(2)加工流通环节的低碳变革。农业产业链上的农产品加工和流通包装环节有着向低碳模式发展的巨大潜力。目前，我国农产品加工领域存在的问题，一是加工工艺落后，耗能大；二是加工流程的副产品和废弃物利用率低。如青岛许多企业做日、韩的鱿鱼鳕鱼来料加工，过去把加工过程中产生的废渣当垃圾处理掉，直至科研人员研发出从这些废渣里提炼牛磺酸的技术，应用成本不高，也减轻了废渣的处理压力。这样不仅消除了污染，还实现了废弃物高值化利用。农产品包装领域的问题是产品的过度包装，尤其在食品包装领域。过度的包装不但浪费资源能源，而且增加了生产成本，也增加了消费者不必要的成本负担。

针对农产品加工流通环节的问题，首先应该转变观念，大力推广节能减排的“绿色”科技，倡导以减量化、再利用、资源化为原则，尽量延长加工链条，“榨干吃尽”加工副产品和废弃物，实现经济发展和保护环境双赢的目标。其次应加大包装运输环节的科技含量。良好的包装设计和合理的结构不但能减少包装废料，还能减少对物料的使用，相应地也降低了企业的生产成本，增加了利润。农产品物流要向供应链管理升级，加大电子商务的应用，节省这个环节的资源能源消耗和成本。

4.2 低碳的工业生产模式

4.2.1 低碳工业概述

4.2.1.1 低碳工业的发展背景

低碳工业是以低能耗、低污染、低排放为基础的工业发展模式，是人类社会继农业文明、工业文明之后的又一次重大进步。低碳工业实质是能源高效利用、清洁能源开发、追求绿色 GDP 的问题，核心是能源技术和减排技术创新、产业结构和制度创新以及人类生存发展观念的根本性转变。

“低碳工业”提出的大背景，是全球气候变暖对人类生存和发展的严峻挑战。随着全球人口和经济规模的不断增长，能源使用带来的环境问题及其诱因不断地为人们所认识，不只是烟雾、光化学烟雾、霾和酸雨等的危害，大气中二氧化碳浓度升高带来的全球气候变化也已被确认为不争的事实。

在此背景下，“碳足迹”“低碳经济”“低碳技术”“低碳发展”“低碳生活方式”“低碳社会”“低碳城市”“低碳世界”“低碳工业”等一系列新概念、新政策应运而生。而能源与经济以至价值观实行大变革的结果，可能将为逐步迈向生态文明走出一条新路，即：摈弃 20 世纪的传统增长模式，直接应用新世纪的创新技术与创新机制，通过低碳工业这种经济模式与低碳生活方式，实现社会可持续发展。

作为具有广泛社会性的前沿经济理念，低碳工业其实没有约定俗成的定义，学术界也存在很大的争论。低碳工业也涉及广泛的产业领域和管理领域，乃至人们的生活观念和方式。

4.2.1.2 低碳工业的重要途径

“低碳经济”的理想形态是充分发展“阳光经济”“风能经济”“氢能经济”“生态经济”和“生物质能经济”。但现阶段太阳能发电的成本是煤电水电的 5 ~ 10 倍，一些地区风能发电价格高于煤电水电；作为二次能源的氢能，目前离利用风能、太阳能等清洁能源提取的商业化目标还很远；以大量消耗粮食和油料作物为代价的生物燃料开发，一定程度上引发了粮食、肉类、食用油价格的上涨。从世界范围看，预计到 2030

年太阳能发电也只达到世界电力供应的10%，而全球已探明的石油、天然气和煤炭储量将分别在今后40、60和100年左右耗尽。因此，在“碳素燃料文明时代”向“太阳能文明时代”（风能、生物质能都是太阳能的转换形态）过渡的未来几十年里，“低碳经济”“低碳生活”的重要含义之一，就是节约化石能源的消耗，为新能源的普及利用提供时间保障。特别从中国能源结构看，低碳意味节能，低碳经济就是以低能耗低污染为基础的经济。

“戒除嗜好！面向低碳经济”的环境日主题提示人们，“低碳经济”不仅意味着制造业要加快淘汰高能耗、高污染的落后生产能力，推进节能减排的科技创新，而且意味着引导公众反思哪些习以为常的消费模式和生活方式是浪费能源、增排污染的不良嗜好，从而充分发掘服务业和消费生活领域节能减排的巨大潜力。

转向低碳经济、低碳生活方式的重要途径之一，是戒除以高耗能源为代价的“便利消费”嗜好。“便利”是现代商业营销和消费生活中流行的价值观。不少便利消费方式在人们不经意中浪费着巨大的能源。比如，据制冷技术专家估算，超市电耗70%用于冷柜，而敞开式冷柜电耗比玻璃门冰柜高出20%。由此推算，一家中型超市敞开式冷柜一年多耗约4.8万度电，相当于多耗约19t标准煤，多排放约48tCO_2，多耗约19万L净水。上海约有大中型超市近800家，超市便利店6000家。如果大中型超市普遍采用玻璃门冰柜，顾客购物时只需举手之劳，一年可节电约4521万度，相当于节省约1.8万t标准煤，减排约4.5万t二氧化碳。

转向低碳经济、低碳生活方式的重要途径之二，是以“关联型节能环保意识”戒除使用“一次性”用品的消费嗜好。2008年6月全国开始实施“限塑令”。无节制地使用塑料袋，是多年来人们盛行便利消费最典型的嗜好之一。要使戒除这一嗜好成为人们的自觉行为，单让公众理解“限塑”意义在于遏制白色污染，这只是“单维型”环保科普意识。其实“限塑”的意义还在于节约塑料的来源——石油资源，减排二氧化碳。这是一种“关联型”节能环保意识。据中国科技部《全民节能减排手册》计算，全国减少10%的塑料袋，可节省生产塑料袋的能耗约1.2万t标准煤，减排31万t二氧化碳。关联型环保意识不仅能引导公众明白“限塑就是节油节能”，也引导公众觉悟到“节水也是节能”（即节约城市制水、供水的电能耗），觉悟到改变使用“一次性”用品的消费嗜好与节能、减少碳排放、应对气候变化的关系。

转向低碳经济、低碳生活方式的重要途径之三，是戒除以大量消耗能源、大量排放温室气体为代价的“面子消费”“奢侈消费”的嗜好。2009年第一季度全国车市销量增长最快的是豪华车，其中高档大排量的宝马进口车同比增长82%以上，大排量的多功能运动车SUV同比增长48.8%。与此相对照，不少发达国家都愿意使用小型汽车、小排量汽车。提倡低碳生活方式，并不一概反对小汽车进入家庭，而是提倡有节制地使用私家车。日本私家车普及率达80%，但出行并不完全依赖私家车。在东京地区私家车一般年行使3000～5000km，而上海私家车一般年行使1.8万km。国内人们无节制地使用私家车成了炫耀型消费生活的嗜好。有些城市的重点学校门口，接送孩子的一二百辆私家车将周围道路堵得水泄不通。由于人们将“现代化生活方式”含义片面理解为“更多地享受电气化、自动化提供的便利”，导致了日常生活越来越依赖于高能耗的动力技术系统，往往几百米的短程或几层楼的阶梯，都要靠机动车和电梯代步。另一方面，人们的膳食越来越多地消费以多耗能源、多排温室气体为代价生产的畜禽肉类、油脂等高热量食物，肥胖发病率也随之升高。而城市中一些减肥群体又嗜好在耗费电力的人工环境，如空调健身房、电动跑步机等进行瘦身消费，其环境代价是增排温室气体。

转向低碳经济、低碳生活方式的重要途径之四，是全面加强以低碳饮食为主导的科学膳食平衡。低碳饮食，就是低碳水化合物，主要注重限制碳水化合物的消耗量，增加蛋白质和脂肪的摄入量。目前我国国民的日常饮食，是以大米、小麦等粮食作物为主的生产形式和“南米北面”的饮食结构。而低碳饮食可以控制人体血糖的剧烈变化，从而提高人体的抗氧化能力，抑制自由基的产生，长期还会有保持体型、强健体魄、预防疾病、减缓衰老等益处。但由于目前国民的认识能力和接受程度有限，不能立即转变。因此，低碳饮食将会是一个长期的、艰巨的工作。不过相信随着人民大众普遍认识水平的提高，低碳饮食将会改变中国人的饮食习惯和生活方式。

人们要实现宏大的节能降耗战略，或许要取决于很多细微之处。人们应看到，这“细微之处”不只是制造业、建筑业中许多节能技术改进的细节，也包括日常生活习惯中许多节能细节。对于世界第一人口大国来说，每个人生活习惯中浪费能源和碳排放的数量看似微小，一旦以众多人口乘数计算，就是巨大的数量。科技工作者和社会科学工作者都有责任从日常生活的各方面向公众开展低碳经济、低碳生活的创意活动和普及工作，使党的十七大提出的“节能减排”“建设资源节约型、环境友好型社会”“加强应对气候变化能力建设，为保护全球气候做出新贡献”的科学发展决策，变为全民的实际行动。发展低碳经济，是中国的“世界公民”责任担当，也是中国可持续发展、转变经济发展模式的难得机遇。推行低碳经济，需要政府主导，包括制定指导长远战略，出台鼓励科技创新、节能减排、可再生能源使用的政策，减免税收、财政补贴、政府采购、绿色信贷等措施，来引领和助推低碳经济发展；但也需要企业认清方向自觉跟进，促进低碳经济发展的“集体行动”。只有更多企业改变目前的被动状态，自觉跟进低碳经济的发展步伐时，中国向低碳经济转换才有现实的基础和未来的希望。

4.2.1.3　低碳工业的挑战

在全球气候变暖的背景下，以低能耗、低污染为基础的“低碳经济”成为全球热点。欧美发达国家大力推进以高能效、低排放为核心的“低碳革命”，着力发展“低碳技术”，并对产业、能源、技术、贸易等政策进行重大调整，以抢占先机和产业制高点。低碳经济的争夺战，已在全球悄然打响。这对中国，是压力，也是挑战。

挑战之一　工业化、城市化、现代化加快推进的中国，正处在能源需求快速增长阶段，大规模基础设施建设不可能停止；长期贫穷落后的中国，以全面小康为追求，致力于改善和提高13亿人民的生活水平和生活质量，带来能源消费的持续增长。“高碳”特征突出的“发展排放”，成为中国可持续发展的一大制约。怎样既确保人民生活水平不断提升，又不重复西方发达国家以牺牲环境为代价谋发展的老路，是中国必须面对的难题。

挑战之二　“富煤、少气、缺油”的资源条件，决定了中国能源结构以煤为主，低碳能源资源的选择有限。电力中，水电占比只有20%左右，火电占比达77%，“高碳”占绝对的统治地位。据计算，每燃烧1t煤炭会产生4.12t的二氧化碳气体，比石油和天然气每吨分别多30%和70%，而据估算，未来20年中国能源部门电力投资将达1.8万亿美元。火电的大规模发展对环境的威胁，不可忽视。

挑战之三　中国经济的主体是第二产业，这决定了能源消费的主要部门是工业，而工业生产技术水平落后，又加重了中国经济的高碳特征。资料显示，1993～2005年，中国工业能源消费年均增长5.8%，工业能源消费占能源消费总量约70%。采掘、钢铁、建材水泥、电力等高耗能工业行业，2005年能源消费量占了工业能源消费的64.4%。调整经济结构，提升工业生产技术和能源利用水平，是一个重大课题。

挑战之四　作为发展中国家，中国经济由“高碳”向“低碳”转变的最大制约，是整体科技水平落后，技术研发能力有限。尽管《联合国气候变化框架公约》规定，发达国家有义务向发展中国家提供技术转让，但实际情况与之相去甚远，中国不得不主要依靠商业渠道引进。据估计，以2006年的GDP计算，中国由高碳经济向低碳经济转变，年需资金250亿美元。这样一个巨额投入，显然是尚不富裕的发展中中国的沉重负担。

4.2.2　发展低碳工业的意义

第一，可持续发展的必由之路。发展低碳工业，是中国实现科学发展、和谐发展、绿色发展、低代价发展的迫切要求和战略选择。既促进节能减排，又推进生态建设，实现经济社会可持续发展，与国家正在开展的建设资源节约型、环境友好型社会在本质上一致，与国家宏观政策吻合。国家“十一五”规划提出了发展循环经济、建设资源节约型和环境友好型社会的任务，主要是因为我国在新世纪新阶段的发展中碰到了资源约束和环境污染的矛盾，要用发展的思路和途径来解决。国家“十二五”生态文明和可持续发展的课题研究，涉及了绿色发展的内容，包括绿色经济、循环经济和低碳工业等议题，目的是追求我国经济社会发展的可持续性，或者说用尽可能少的资源消耗和尽可能小的环境污染实现我国的工业化和城市化。

第二，重中之重的国家战略。发展低碳工业，确保能源安全，是有效控制温室气体排放、应对国际金融危机冲击的根本途径，更是着眼全球新一轮发展机遇、抢占低碳工业发展先机、实现我国现代化发展目标的战略选择。

第三，节能减排改造和提升传统产业。立足国情，中国发展低碳工业既有对新兴产业的培育和发展，也包含对传统产业的改造和提升，涵盖国民经济的方方面面。应将调整优化结构作为经济工作的重点。尽管工业化的经济发展阶段不可能短期逾越，但可以通过调整行业内部结构和产品结构，降低高耗能行业的比重，淘汰落后产能和技术，从结构上促进经济的低碳化。

第四，强化国际合作，新的发展契机。发展低碳工业，是对传统经济发展模式的巨大挑战，也是大力发展循环经济、积极推进绿色经济、建设生态文明的重要载体。首先强调的是节能减排，其次是循环经济的发展，第三是新能源产业的发展，增加清洁能源的比重。可以加强与发达国家的交流合作，引进国外先进的科学技术和管理办法，创造更多国际合作机会，加快低碳技术的研发步伐。中国发展低碳工业，不仅是应对全球气候变暖、体现大国责任的举措，也是解决能源瓶颈、消除环境污染、提升产业结构的大契机。展望未来，低碳工业必将渗透到我国工农业生产和社会生活的齐个领域，促进生产生活方式的深刻转变。

4.2.3 低碳工业发展模式

4.2.3.1 低碳产业链

“十二五规划”将到 2020 年我国单位 GDP 的碳排放比 2005 年下降 40%~45% 作为约束性指标纳入国民经济和社会发展中长期规划，并制定相应的国内统计、监测、考核办法。据摩根士丹利预测，中国潜在的节能市场规模达 8000 亿元。

长期以来，我国不少地区一直单纯强调 GDP 的增长，忽略增长过程中的科学性和可持续性，如今减排目标公布后，这种局面就需要在短时间内得到有效控制，由此也需要新能源行业更快的发展与成熟。

现在国家正在制定新能源行业的振兴规划，规划将全面提升和发展新能源行业，包括创新能力和产业应用。中国已经形成了比较完整的风电、太阳能产业链，形成了产业的群体，比如，光伏电池从最前端的硅材料，到生产多晶硅的原料，到铸锭、切片，生产电池，到生产组件，到建立电站，有完整的产业群，通过政府宏观政策推动和市场机制的导向下，我们的基础力量已经开始形成了。

但是，与此相对应，传统行业的既有发展模式将遭到严峻挑战。除了传统的钢铁、水泥、电力、铝业等排放大户外，航空业也将可能遭受挑战。鉴于全球航空业每年大约排放6.5亿 tCO_2 的现实，欧盟已经做出规定，在2012年以前，所有进出欧盟市场的全球2000多家航空公司都必须承担减排责任，这意味着包括国航、东航、南航在内的11家拥有欧洲航线的国内航空公司都将付出巨额成本。

因此，我们需要要打造新的低碳产业链来解决这一问题，目前我国产业链的价值分布是向资源型企业倾斜的，低碳经济的发展将改变这一分布。

首先是缩短能源、汽车、钢铁、交通、化工、建材等高碳产业所引申出来的产业链条，把这些产业的上、下游产业“低碳化”；其次是调整高碳产业结构，逐步降低高碳产业特别是“重化工业”在整个国民经济中的比重，推进产业和产品向利润曲线两端延伸：向前端延伸，从生态设计入手形成自主知识产权；向后端延伸，形成品牌与销售网络，提高核心竞争力，最终使国民经济的产业结构逐步趋向低碳经济的标准。

同时，要推进全球碳交易市场的发展。历史经验已经表明，如果没有市场机制的引入，仅仅通过企业和个人的自愿或强制行为是无法达到减排目标的。碳交易市场从资本的层面入手，通过划分环境容量，对温室气体排放权进行定义，延伸出碳资产这一新型的资本类型，而碳市场的存在则为碳资产的定价和流通创造了条件。

碳交易将金融资本和实体经济联通起来，通过金融资本的力量引导实体经济的发展，因此它本质上是发展低碳经济的动力机制和运行机制，是虚拟经济与实体经济的有机结合，代表了未来世界经济的发展方向。

总之，节能环保、新能源产业必将是未来各国产业发展的主要方向和新的利润增长点，我们必须通过各方面的不断努力，大踏步向低碳经济迈进。

有中国制造业巨头海尔率先发起全球低碳行动，主导组建了全球首条“无氟变频空调低碳产业链”。首批加盟成员共8家，均是拥有全球顶级研发能力的供应商，包括三菱、霍尼韦尔、金龙、三花、菱电、松下、台达、瑞萨等。这一全球性产业链，以“双百方针”(即定频空调100%一级能效、变频空调100%无氟)为指导，彻底颠覆了传统供需模式，代之以用户需求为起点、即需即供的模块化新模式，将全面加速普及无氟变频空调，为全球用户提供舒适空气最佳解决方案。

对此，作为目前中国可对企业减碳状况进行“测量、报告、核证”资质的中国质量认证中心做出高度评价。陈伟副主任表示：海尔空调的这一举动不仅是助力全人类、全球实现低碳经济发展的一次伟大创举，标志着中国企业成功向低碳经济进军的开始，更将为国内企业发展低碳经济起到良好的示范作用。

藻类的养殖是对二氧化碳最快的消耗，比如说生产天然虾青素而养殖的雨生红球藻(一种单细胞的经济藻)，每100mL的藻液要消耗18g左右的CO_2，藻类是一种浮游植物，在其生长繁殖的过程中除了少量的氮、磷、钾外绝大部分需要的是CO_2，CO_2转化为藻类的细胞壁以及脂类和多糖类，因此大力发展经济藻以及产油的能源藻是消耗CO_2“变废为宝”的一个非常重要而有效的途径，煤、石油是碳氢化合物经过千万年的演变而来，养殖藻类就是缩短这个变油的进程。在太阳能的作用下充分利用CO_2光合作用变成生物柴油，好处是消耗了CO_2，变成了储藏的我们急需要的能量，关键是其效能远远大于普通植物对CO_2的消耗量以及对太阳能的利用。荒山滩头均可养殖经济藻和能源藻类，而且可以立体养殖，因此值得大力发展。

工业设计作为文化创意产业、现代服务业、生产性服务业、绿色智力产业，具有与生俱来的低碳经济优势，一直被经济发达国家或地区作为核心战略予以普及与推广、被称为“创造之神”、“富国之源”。

工业设计创意产业与产业经济结构转型升级。“6+1”产业利润高端(品牌、研发、销售)分享产业净利润90%。创意设计、核心技术、销售渠道、品牌位于产业利润的金字塔顶，研发设计的缺失导致中国战略缺失。产品设计产品研发一直为中国的薄弱环节，提升中国综合国力之软实力必须确立研发设计战略。中国设计创意产业中，工业设计是最具潜力领域之一，同时最需迫切发展的也是工业设计。工业设计改变中国经济“全球制造工厂”角色，实现经济结构转型升级。工业设计公司凭借智力创造附加值，处于产业链上产品设计研发领域，通过提高产品的科技含量与设计附加值来提高产品的附加值，进而提高产品的利润空间。但当产品科技含量不高时，企业只有靠加大产品工业设计含量来提高产品的附加价值。引入工业设计，延展工业设计产业链，构建产品完整生命周期产业链，促进整个产业集群的产业升级。

中国在金融危机经济危机之后已将工业设计列为政策资金等重点支持的高技术服务业，中国鼓励工业企业将可外包的设计业务发包给工业设计企业，鼓励社会各类资本加大对工业设计投资，支持符合条件的工业设计企业在境内外资本市场上市融资，鼓励创业风险投资机构对工业设计企业开展业务。杭州良宇工业设计公司之工业设计增加产品附加值提高产品竞争力提升品牌价值理念切合中国经济结构转型升级大趋势。世界经济转型期工业设计公司肩负着改造提升传统产业、转变“世界工厂”角色、实现经济结构升级、增强国家核心竞争力、扩大国际影响力的重担。

工业设计是在市场竞争中实现综合品牌价值的关键手段。对低利润的制造业来说，工业设计不仅可以为企业提升品牌美誉度，同时可以降低生产成本提高企业对市场环境的应变能力，工业设计甚至可以成为一个品牌维系其消费者忠诚度的工具。当技术同质化时代来临，工业设计将开始代表着企业的质量水平技术水平，成为制造企业提升品牌形象的重要工具，制造企业市场策略的重要延伸。良宇工业设计增加产品附加值提高产品竞争力提升品牌价值。工业设计已经越来越成为企业竞争的重要筹码，工业设计已经成为制造企业的核心竞争力之一。

4.2.3.2 低碳交通

以上海为例，2009年，上海汽车保有量达到146万辆，机动车碳排放已占到全社会碳排放的相当比重。在客运行业能源消耗结构中，社会客车占65%、出租汽车占17%、公共汽车占10%、轨道交通占7%、轮渡占1%，个体机动方式作为城市交通运输行业能源消耗的主体，是最大的碳排放源。

在当前中国机动化快速增长的前提下，低碳交通运输是实现节能减排、发展低碳经济的重要组成部分。2009年11月25日，我国政府正式对外宣布，到2020年我国单位GDP二氧化碳排放比2005年降40%~45%，并作为约束性指标纳入国民经济和社会发展中长期规划，强调加快建设以低碳为特征的工业、建筑和交通体系。

因此，加快发展低碳交通运输体系是一项重大而紧迫的战略任务，是转变交通运输发展的内在要求。

4.2.3.2.1 “低碳交通”概述

低碳交通运输是一种以高能效、低能耗、低污染、低排放为特征的交通运输发展方式，其核心在于提高交通运输的能源效率、改善交通运输的用能结构、优化交通运输的发展方式，目的在于使交通基础设施和公共运输系统最终减少以传统化石能源为代表的高碳能源的高强度消耗。要实现低碳交通运输，应注意以下5个方面。

一是要低碳化。交通运输发展是力求不断“减碳”的过程。由于运输工具必须依赖能耗，除非使用洁净能源(如太阳能等)，否则交通运输难以实现无碳化，只能是不断低碳化的发展过程。

二是重视减排，尤其是运输工具的尾气排放。“节能”和“减排”都是交通运输低碳化的重要途径，既要重视“节能”，更要把“减排”上升到应有的高度。

三是理念体系化。低碳交通运输是一个体系化的概念，无论是交通运输系统的规划、建设、维护、运营、运输，还是交通工具的生产、使用、维护，乃至相关制度和技术保障措施，人们的出行方式或运输消费模式等，都需要用“低碳化”的理念予以改造和优化。

四是综合性。一方面，低碳化的手段是多样的，既包含技术性减碳（如节能环保技术应用），也包括结构性减碳（如通过优化网络结构、运力结构等提高能效），还包括制度性减碳（如市场准入与退出机制）。另一方面，低碳化的途径是双向的，既包括“供给”或“生产”方面的减碳（如提供一个更低碳的交通运输服务系统），也包括“需求”或“消费”层面的减碳（如引导公众理性选择出行方式，鼓励乘用公交或骑自行车等）。

五是系统性。完整的低碳交通运输体系应包括3个基本的系统：一是节能减排基础支撑系统，这是低碳体系建设的第一步，还需加大推进力度，把传统工作系统化提升；二是清洁能源优化利用系统，积极发展新能汽车是交通运输低碳化的重要途径；三是公众出行社会引导系统，要运用一切法律、经济、技术乃至公德力量，正确引导公众的交通消费。

4.2.3.2.2 “低碳交通”的优势

我国目前的交通运输发展，从总体上说仍是一种粗放型的发展方式，主要依靠土地、资源等高投入；同时，对环境造成较大的污染，交通运输的全要素生产率较低，因此必须下大力气改变这一现状，加快构建低交通运输体系。

我国土地资源有限，农业耕地面积少，人均耕地面积不到世界平均水平的1/2，节约土地和保护耕地是我国的基本国策。在我国土地资源稀缺、耕地面积日益减少的情况下，节约用地对交通运输可持续发展具有十分重要的意义。

目前，我国各种运输方式交通线路和港站建设都要占用大量土地资源。据测算，双线电气化铁路每公里占用土地约90亩，高速公路四车道每公里占用土地约110亩，六车道每公里占地约120亩，水运、航空、管道等方式的运输线路占地较少，但港站建设因规模不同也占用不等的土地。

由于土地资源的紧缺性和有限性，要想满足不断增长的运输需求，单靠加大土地等投入的粗放式发展方式是不可持续的，必须转变发展方式。充分发挥各种方式的比较优势，选择交通发展最佳方式。

此外，交通运输是目前能源消耗量最大，也是能源消耗增长最快的行业。发达国家交通运输业能耗占全社会能源消耗的比例一般在1/4～1/3之间。2000年，我国交通运输业能源消耗量为9721万t标准煤；2004年上升到14783万t标准煤，年均增长11%，占全社会能耗总量的7.8%，比2003年增长182%，预测2020年我国交通运输能耗将是现在的2倍以上，这还不包括私人小汽车出行的能耗。

统计显示，我国各类汽车平均每百公里油耗比发达国家高20%以上，其中卡车运输的百公里油耗较国际平均水平高出近50%。据预测，如果全行业采用节能运输模式，全国公路运输行业营业性车辆汽柴油综合能耗将降低10%，可节约燃油800万t左右。

我国人均能源占有率很低(人均可开采石油资源仅相当前世界平均水平的7.7%)，石油进口对外依存度逐年提高，2008年升至接近52%，预计2020年将达到66%。

交通运输的发展需要能源的支撑，有效节约和合理利用不可再生的能源，既关系到交通可持续发展，又关系到我国的能源安全。转变交通运输发展方式，发展低能耗的交通运输方式，提高能源的利用效率已成为构建"两型"社会，促进交通运输永续发展的客观需要和必然选择。

交通运输作为主要碳排放源之一，是国际温室气体减排、缓解气候变化的重要领域。据2009年国际能源署(IEA)出版的《运输、能源与二氧化碳：迈向可持续发展》报告表明，全球二氧化碳排放量约有25%来自交通运输，美国的大气污染50%来自运输工具，日本也占到20%。

预计到2050年全球交通运输业的能源消费量将翻一番。亚洲发展银行预计，在未来的25年内，全球交通源二氧化碳排放将增加57%，而由于发展中国家的汽车行业发展迅速，其排放增长将占到80%。

在我国，汽车尾气排放已成为大中城市污染的来源，如北京市汽车排放的碳氢化合物、碳氢化合物、氮氧化合物已占排放总量的40%~75%，尽可能防止和减少交通建设、运输对生态环境的不利影响，使交通运输发展与生态环境相协调，就必须转变交通运输发展方式，尽可能选择对环境影响小的运输方式。

4.2.3.2.3 "低碳交通"的构筑

转变交通运输发展方式，实现交通可持续发展，必须站在交通发展的全局和战略高度，从交通发展与国民经济和社会发展的关系出发，要更加重视资源的使用效率和运输服务效率，更加关注交通运输的可持续发展能力，处理好交通运输发展与环境、资源制约的关系，在遵循又快又好与可持续发展的原则下，确定符合我国国情和历史发展阶段的交通运输发展战略：以最短的时间完善交通基础网络；以较低的成本提供安全、高效、便捷的运输服务；以最佳的途径缩短与发达国家管理和技术上的差距；以创新的理念，构建低碳交通运输体系。要以最小的资源环境代价实现交通运输又好又快发展，努力建设资源节约型和环境友好型行业。

国内交通运输业加快低碳化发展的步伐，首先要积极贯彻落实国家应对气候变化的有关工作部署。结合行业实际，切实把应对气候变化要求纳入"十二五"交通运输发展规划之中；依据《中国应对气候变化国家方案》制定并组织落实交通运输行业专项行动计划；大力培育绿色交通运输相关技术与产业；建立健全行业相关法律规范和标准制度体系；积极开展相关国际交流与合作，做好有关国际谈判以创造有利的国际运输环境。

党中央、国务院反复强调要“全面加强应对气候变化能力建设”，低碳交通运输体系建设不仅要切实抓好节能减排，更需要从能源结构、发展方式上走清洁化、低碳化的道路整合行业节能减排的各项技术、政策、制度，加快开展交通运输行业温室气体排放研究，积极参与国家应对气候变化的各项工作，系统提升行业应对气候变化的综合能力。

最后，要研究探索低碳交通运输体系的合理模式和有效途径。低碳交通运输体系建设是一个系统工程，需要从战略上着眼，全局上统筹。要组织开展低碳交通运输体系研究，摸清交通运输行业碳排放的基本现状，探索构建我国低碳交通运输体系的基本模式，提出我国交通运输行业科学合理的“减碳路径”。

4.2.3.3 低碳工业发展模式的选择

地球对于人类而言，扮演两类重要角色——人类生产生活资源(能源)的“来源地”(the source)和废弃物的“排放地”(the sink)，在其承载能力范围内人类才能不断得以生存繁衍。18 世纪以来，在蒸汽机、电力与铁路、信息与生物科技 3 次技术革命的推动下，人类建立了现代工业文明，使社会生产力再次发生质的飞跃，进入信息化和全球化新的阶段。与此同时，这样的工业化进程是以化石能源巨大消耗为代价的，按照这种高碳经济的模式，世界能源将无法满足需要，而与之对应的二氧化碳排放等温室气体排放更有可能引起灾难性后果。高碳工业化的老路没有前途，资源和环境无法承载世界上占多数的发展中国家继续走下去，必须走一条不同的“低碳工业化”道路。

尽管从总体发展趋势判断，人类将最终走上低碳经济的道路，但是对个别国家，尤其是发展中国家而言，还是会存在两种选择：一是继续加快推进高碳工业化，在达到发达国家的水平后再来推进低碳经济；二是从现在就开始转型，直接走低碳工业化道路。前者尽管继续走这样的道路，有经验可循，技术成熟，风险小，但是更可能丧失掉百年难得的发展机遇，其后果不可避免地引起资源环境的冲突。后者与之相反，先行者尽管有可能享受到发展低碳经济的“垄断租”，但是这毕竟是一条没有经验可循的新路，因此隐藏着巨大的风险。

对于中国而言，应该怎样选择？从外部环境来看，作为世界上最大的发展中国家、第三大经济体、第二大能源消费和碳排放国家，在日益激烈的国际竞争中，要实现“和平崛起”，必须率先实现经济转型——走低碳工业化道路。从内部可持续发展来看，如果我们继续走高碳工业化的道路，必将极大地依赖电力能源等基础设施的保障，而按照一般经验这类基础设施投资规模大、建设周期长、使用期限也长，极易在技术基础和社会基础设施层面形成“锁定”效应或“路径依赖”，最终我们只能成为发达国家转移高碳产业的基地，在新的发展机遇面前再次滞后。

低碳经济被认为继信息技术革命、生物技术革命之后的第五次革命，在信息革命之前几次经济浪潮中，中国远远落后于世界，在信息革命中，中国抓住了机遇实现较快速的发展，而今低碳经济则是中国加快发展、实现赶超的历史性机遇。因此，从现在开始推进低碳工业化，是我们唯一的选择，是中国作为负责任大国的具体体现，与党的十七大提出的建设生态文明、为人类做出更大贡献的要求是一致的。

我国低碳工业化道路的实质是要通过低碳式的发展，跨过传统工业化道路的固有阶段，穿过碳排放的“高峰”，实现跨越式发展。中国是工业化的后来者，既有机会避免其他国家的错误，又有机会创新本国的发展模式。中国作为发展中国家，实现工业化从高碳向低碳的转型，可以通过有效的政策措施，吸收、引进和模仿发达国家成熟的低碳生产技术，从更高的起点切入，以更小的资源环境代价获得更好更快的发展。后进国家在其工业化进程中，可能由于直接模仿和借用先进国家的技术和经验，从而能够从一个比较高的起点开始发展，跳越先发国家的一些必经发展阶段。落后国家与先进国家之间存在技术差距，后进国家直接采用当时最先进的技术，而不用承受先进国家逐步发展这种技术的代价，因此落后国家的工业化能够实现“突变”或“井喷”式发展，以更小的成本和更高的时效达到发达国家的发展水平。

低碳技术差距使得中国低碳工业化有后发优势。从目前的情况看，中国与发达国家在低碳技术领域的差距是相当明显的，低碳技术的模仿和创新仍有较大的潜力。碳减排国际合作机制为中国低碳工业化带来资金和技术。2005年正式生效的《京都议定书》，提出温室气体减排“三机制”，即联合履行(joint implemented，JI)、清洁发展机制(clean development mechanism，CDM)和“碳减排”贸易(emission trade，ET)，促进碳减排的国际间合作。根据议定书，率先履行减排义务的发达国家允许采取以下减排方式：两个发达国家之间可以进行排放额度买卖的“排放权交易”，发达国家和发展中国家共同减排温室气体。2006年全球碳交易项目总金额达到300亿美元。而中国作为碳交易市场中最大的供给方，拥有较好的谈判地位，可以通过“市场换技术”的手段不断引进低碳技术和低碳领域的投资，实现技术的升级，弥补基础设施投资资金缺口，并且可以通过国际合作催生我国的碳排放交易市场，促进我国低碳产业的发展。

根据已有的历史经验判断，中国低碳工业化未来将经历两个发展阶段：第一个阶段是对前沿低碳技术的引进、模仿阶段，也包括对西方发达国家低碳政策机制的模仿与创新，这一阶段主要特征是化石能源利用效率不断提高、生产和消费的环境影响逐渐减小，但是高碳生产方式、高碳产业依然占据主导地位，中国与发达国家之间的低碳技术差距将逐渐缩小，对传统高碳生产方式的低碳化改造的收益将不断降低，预示着新的革命性技术突变来临；第二阶段是自主创新阶段，通过持续不断地对低碳技术研发的投资最终迎来全面的技术革新，中国届时要力争成为低碳技术的发源地，引领世界低碳技术和低碳产业的发展，实现低碳的生产方式和低碳产业对高碳的生产方式和高碳产业完全替代，并最终摆脱对化石能源的依赖。

低碳工业化，必须从工业化的四类驱动因素——制度、技术、生产要素(自然资本、物质资本和人力资本)和外部环境着手。在四类因素中，制度创新是最重要的驱动力量，要把潜在的后发优势转变为现实可行的条件，关键是政府通过制定有效的低碳经济政策，激励微观经济主体行为低碳化——低碳消费、低碳生产。

中国的低碳工业化要通过低碳经济技术、产业、能源、贸易和投资政策的制定和执行，推动制度和技术创新，引导土地、资本、人口(人力资本)等生产要素向低碳技术研发和扩散领域集聚，向低碳产业集聚，向低碳能源生产和转换领域集聚，向低碳城市和地区集聚，并进一步参与到新的国际分工之中，适应外部发展环境的变化，走出一条资源环境约束下可持续的新型工业化道路。

4.2.5 低碳工业的发展趋势

4.2.5.1 世界已进入低碳经济时代

低碳经济这一概念是由最早完成工业革命国家英国提出的，为了应对不断恶化的气候状况与能源供给不足，英国政府于2003年率先发表了政策白皮书《我们能源的未来——构建一个低碳社会》，这份白皮书体现的是英国决心以能源环境为首要目标，建立低碳经济发展模式和低碳社会模式的初步构想。在这一构想下，英国相继推出一系列政策，2006年英国政府发布了《能源回顾——能源挑战》。2007年发布《能源白皮书——迎接能源挑战》，并责成波特恩对气候变化进行经济学角度研究，发表了《波特恩回顾：气候变化的经济学》《气候变化全球协定的关键要素》，在这些成果的基础上制定了《气候变化法案》，从而初步形成了英国的低碳经济发展战略。此后，其他欧盟主要成员国德国、法国等为应对低碳经济时代的到来，先后出台了各自的能源战略。欧洲在平衡与统筹各成员国低碳经济战略基础上，于2008年12月，就能源气候一揽子计划最终达成一致，制订了欧盟的低碳经济政策框架。美国、日本、澳大利亚等国于2007~2008年之间先后制定《低碳经济法案》，中国也于2007年6月制定了应对气候变化国家方案。

低碳经济的内容是经济发展过程中要实现低能耗、低排放、低污染，与高碳经济的“三高”形成鲜明对照，经济增长与能源消耗、二氧化碳气体排放的相关性要降低，能源消耗量和能源弹性系数要发生改变。这一内涵决定发展低碳经济的主要方式是节能减排，在以化石能源为主的能源结构中，只有节能才能减少相对排放或者绝对排放，低碳经济模式是含碳燃料所排放的二氧化碳逐步降低的经济模式。

低碳经济的发展经历了由理念到共识再到经济发展模式的过程。从世界各国的反应上看则经历了由战略到法案、由各国相互博弈再到全球化统一行动的过程。可以说自地球上发现人类以来，人与自然的关系就是个一直在探讨的重大命题。中国先哲提出了“天人合一”思想，揭示了人与自然是融为一体的真理，不能把自然作为敌对方，也不能无节制地向自然索取，即使科学技术发展到今天的地步，人类对自然的了解仍然是有限的，也可以说是沧海一粟，人类对自然应存敬畏之心。但是工业文明的200多年来，机器的神通使人类信心大增，必然错乱，对付自然的态度由农业文明时期奉为神明，到工业文明时期的被改造对象，且自以为是地球主宰。传统工业化道路所造就的经济增长是以破坏生态文明为代价的，其结果是人类遭到自然的惩罚——气候变暖、生态恶化、灾害频发。经济和社会发展陷入困境。低碳经济的提出是人类反思、自省、自警和自我救赎的结果，是人类的理性回归。

作为全球最初对低碳经济达成共识的标志会议是1992年联合国在巴西里约热内卢召开的世界环境与发展大会，发表了里约宣言，制定《联合国气候变化框架公约》，世界真正开始认真思考经济发展与资源环境的关系这个严肃问题，各国纷纷制定自己的可持续发展战略。

《联合国气候变化框架公约》最大的贡献在于确定了对温室气体减排的“共同承担，但有区别”的原则，并强调发达国家有义务向发展中国家提供资金和技术支持。1997年经过各国共同努力达成了《京都议定书》，并经过长达八年的艰辛历程，于2005年开始生效。2007年确立“巴厘路线图”，规定2012年各缔约国要兑现自己的温室气体减排承诺。2009年12月全球气候变化大会在丹麦首都哥本哈根举行，192个国家和地区参加了这次会议，吸引了世界几十亿人口关注和期待，世人对这次会议寄予厚望，被认为是“拯救人类最后机会”的会议。

这一系列重要公约、协议、行动方案和国际会议的召开说明国际社会对高碳经济的危害性、后果的严重性有了共识，对发展低碳经济的重要性、必要性、紧迫性不断深化共识，积极寻求国家合作机制、途径、办法。人类发展所面临的这种困境从另一方面也说明传统工业化道路已走到尽头，同时现代生活方式下高耗能、高污染、高排放也必然转型。由此提出走新型工业化道路、建立低碳城市、低碳社会的概念，向低碳经济模式和低碳生活方式转型问题。

向低碳经济模式转型，解决气候变暖问题需要世界各国一致行动，而客观存在的世界各国发展水平差异、工业化阶段不同、历史排放和人均排放的不同，重点关切的差异以及缺乏互信，使各国对怎样减排难以形成一致意见。主要体现了发达国家与发展中国家的矛盾比较尖锐，发达国家要求发展中国家平等分担减排义务，承诺减排目标；发展中国家则认为这是不公平的、不客观的，违背《联合国气候变化框架公约》和《京都议定书》基本原则，与十几年的艰苦努力所达成的意见不一致。“共同但有区别的责任”原则不能动摇。人类历史上传统工业化道路所经历的200多年以来，发达国家排放的二氧化碳占全球排放总量的80%。如果因温室气体增加而使全球气候变暖，那么发达国家自然应承担主要责任。也就是说从历史上、存量上看，已有排放主要是由发达国家造成的。发达国家已完成了工业化任务，进入后工业社会，当前排放属于享受型的；而发展中国家尚处于工业化初期或中期阶段，没有完成工业化、城市化任务，面临的主要任务是加快发展，当前的排放主要是生产排放、生存排放和国际转移排放。今天全球仍然有24亿人以煤炭、木炭、秸秆为主要燃料，有16亿人没有用上电。温家宝总理指出：“应对气候变化必须在可持续发展的框架下统筹安排，决不能以延续发展中国家的贫困和落后为代价。”发达国家认为发展中国家在排放增量上、增长速度上均快于发达国家，理应首先遏制住这种势头，起码要与发达国家承担相同的减排任务。

在减排技术援助、资金支持和项目合作方面发达国家裹足不前，担心失去技术优势和竞争优势，迟迟拿不出合作诚意，难以建立起真正的互信。这样在减排任务的落实上各国各怀心腹事，且难以做到妥协、让步，相互博弈、互不相让，结果难以落实巴厘路线图所做的减排承诺。本次哥本哈根世界气候变化大会也没有实现预期目的，于当地时间2009年12月19日下午在达成没有法律约束力的《哥本哈根协议》后闭幕。2050年减排计划能否实现还悬而未决，灾难性后果能否避免还是个未知数。

4.2.5.2 中国在低碳经济时代面临的挑战与机遇

中国作为世界上最大的发展中国家，处于工业化中期和工业化和城市化的关键时期。中国有13亿多人口，人均国内生产总值刚刚超过了3000美元，按照联合国确定的标准尚存1.5亿人生活在贫困线以下，发展经济和改善民生的任务十分艰巨。中国区域发展不平衡，生产力水平在地区之间差异很大。

第一，向低碳经济转型符合中国自身发展要求。低碳经济是以低消耗、低排放、低污染为特征的经济模式，它的实质内容是提高能源利用效率和创造清洁能源结构。核心是以低碳经济观念进行技术创新、制度创新和发展方式的转变，走新型工业化道路，兼顾物质文明和生态文明。中国向低碳经济转型的必要性、紧迫性主要来自内部因素和外部压力两个方面。

从内部因素来看，中国改革开放30年年平均经济增长速度是9.8%，持续的高增长、粗放式的经济增长方式。一方面对能源的需要急剧增长；另一方面，由于能源效率低、能源结构不合理、排放量增大，结果是能源供求关系高度紧张。以石油为例，供求矛盾越来越尖锐。1/2左右的石油需求依赖进口，石油安全问题日益突出。2009年初冬季节，大幅度降温又出现"气荒"。

从外部因素看，能源结构特点和高碳经济模式导致与中国快速发展相伴的是高排放，目前中国温室气体排放已居世界第一。2007年中国碳类燃料共排放$CO_2$54.3亿t，居全球第二。中国每建成1m^2的房屋，约释放出0.8tCO_2；每生产1度电，要释放1kgCO_2；每燃烧1kg汽油，要释放出2.2kgCO_2。中国的能源系统效率为33.4%，比国际先进水平低10个百分点，电力、钢铁、有色、石化、建材、化工、轻工、纺织八个行业主要产品单位能耗平均比国际先进水平高40%，机动车消耗水平比欧洲高25%，比日本高20%，单位建筑面积采暖能耗相当于气候条件相近发达国家的2~3倍。这种现实说明同样的经济增长中国排放量比发达国家高出许多，快速增长排放量就更大。

第二，向低碳经济转型面临的挑战。在当今的体制下，不论中央政府遏制气候变化的决心有多大，节能减排的措施有多严厉，地方政府受GDP增长和开辟财源内在冲动驱使，企业受利润最大化目标的驱使，牺牲环境为代价的行为难以纠正，使中央的节能减排目标难以实现。温家宝总理在哥本哈根气候变化会议上承诺中国到2020年单位国内生产总值二氧化碳排放比2005年下降40%~45%，并将作为约束性指标纳入国民经济和社会发展中长期规划中，保证承诺受到法律和舆论的监督。如果从"十一五"规划算起，在长达15年的时间跨度内，大幅度地持续降低二氧化碳排放，确实需要付出艰苦卓绝的不懈努力，对传统工业化道路下的粗放式增长方式是一个严峻考验。同时也表明中国根据自己的国情所做出的相对减排承诺体现出了作为一个负责任的大国形象。

第三，向低碳经济转型带来的历史机遇。向低碳经济发展模式转型为中国产业结构调整升级、建设创新型国家、实现环境生态友好型资源节约型社会提供难得的机遇。结构不合理是制约中国未来经济持续稳定快速发展的根本问题，长期以来我们一直在试图调整不合理的经济结构，但始终没有调整好。低碳经济模式的时代要求为我们调整经济结构提供了外在的压力，中国政府已在国际会议上做出庄严承诺，节能减排的约束性任务逼迫我们必须淘汰落后产能，必须按照低碳经济模式安排国民经济结构。

低碳经济模式也为中国进行重大科技攻关、技术创新、重大发明指出了方向，提供了动力。在新能源领域中国同发达国家在一个起跑线上竞争，会缩小同发达国家的距离。

4.2.5.3 顺应低碳经济时代要求，推进新型工业化进程

从中国的国情出发，只有加快推进新型工业化进程我们才能战胜低碳经济时代对中国又好又快发展所形成的各种挑战，抓住机遇向低碳经济模式转型，实现可持续发展。只有按低碳经济模式要求指导新型工业化进程才能走出一条既顺应国际气候形势要求，又符合中国国情的新型工业化道路。

低碳经济模式与新型工业化道路有一致的一面。前者要求经济发展要符合“三低”标准，后者要求工业化要不同于传统工业化道路，走科技含量高、环境污染少、资源消耗低、人力资源得到充分发挥、以工业化促进信息化、以信息化带动工业化道路，二者均强调低消耗低排放低污染的发展理念，强调走内涵式、集约式发展道路。着眼点是人类社会的可持续发展，用循环经济思维来构建经济发展模式，突出强调以人为本的发展理念，发展的目的是不断提高民生指数、幸福指数，不能仅仅为了 GDP 的增长而发展，使人民的生存环境日益恶劣，二者均符合科学发展观的要求，是科学发展观在经济发展道路上的具体体现。

低碳经济模式与新型工业化道路也有不同的地方，一是范围不同，前者是从人类整个经济社会活动出发，把低碳作为生产生活的基本准则，不但要构建低碳经济而且要构建低碳城市、低碳社会、低碳国家，同时，低碳经济也是就生产、流通、分配、消费所有环节和一二三次产业全部领域而言的。后者局限于工业化道路的选择，工业化的结果不可避免会造成对环境的破坏，围绕先污染后治理还是对污染物进行有效防控处理，防止污染事件的发生，有传统工业化道路和新型工业化道路之分。已经完成工业化的国家主要是西方发达国家，这些国家所走过的工业化道路属于传统工业化道路，结果目前碳排放的 80% 是发达国家所造成的。在这个不断积累的过程中，人们开始时没有认识到碳排放会对气候变化、环境生态变化有如此大的影响，现在已认识到这个问题的严重性。发达国家已完成工业化过程，进入后工业时代，产业结构高度化，制造业向发展中国家推移，生产排放大幅度下降，而生活排放相对较高。中国是世界上最大的发展中国家，实现工业化是中华民族复兴的不二选择，但时代决定我们不能走传统工业化道路，只能走新型工业化道路。

4.2.6 低碳工业的发展建议

低碳工业应以节能减排为核心，重点解决提高能源利用效率，发展可再生能源，

提高环境质量，为中国的经济转型和结构调整打好基础，避免走发达国家曾经走过的路。在推进新能源等技术研发的同时，兼顾传统工业生产能效与资源利用效率的提高，完善低碳工业在财政、税收、金融、土地、用电等方面的扶持政策，探索符合我国国情的发展道路。

第一，提高能源效率。在工业化阶段，减少碳排放量见效最快的方法就是使能源利用率提高，并且这个提升空间是很广阔的。拿建筑节能来说，发达经济体制下，建筑排放、交通运输排放、工业排放是三者鼎立的。而中国目前的排放是工业占大头，排放量最高，而交通建筑则很小。随着人们生活水平的提高，居民住房面积增加，住房品质也不断提高，假如我们和欧洲一样推广零排放建筑，那么建筑节能的发展空间是很广阔的。

工业能源效率同样具有很大的提升空间。中国作为最大的发展中国家，兼具最先进和最落后的技术。以钢铁行业为例，中国有一些领先技术，例如大中型钢铁联合企业吨钢的综合能耗水平比较低，不过小炼钢的技术就很落后，高能耗、高排放，也就是说落后产能要加快淘汰。电力上，火电在中国目前肯定不会淘汰，只能上大压小，引入超临界、超超临界发电机组，最大限度降低单位度电的排放量。钢材、水泥、化工、机械等领域中国的投资力度也特别大，“十一五”规划提出要将小火电、小水泥、小造纸淘汰掉，取得的效果显著。

我们还有很多工作要在交通运输方向开展。与地面交通相比，空中交通的油耗要高得多：比低效率的小汽车至少高出1倍；要比大容量的公交、铁路运输高出3~4倍还多。现在，北京到上海的客机每小时一班，高铁建好以后每小时一班，飞机就可以基本上取消了，一样的便捷服务，排放量却降低了80%。

第二，开发利用可再生能源。可再生资源在中国特别丰富，虽然成本也特别高，但商品化的部分已占相当比重。像现在已普遍使用太阳能热水器，小沼气也在农村广泛使用；水电、一些发展不错的风电(如新疆塔里木的风电)等，竞争力也很强；中国每年所利用的农作物秸秆等生物质能，折合标准煤约3亿t，如果每年的商品能源消费总量是30亿t，生物质能占了10%。已经商业化的可再生能源，可以进一步推广。

太阳能光伏发电、光热发电两种技术现在都在运行。欧洲有一项远大的工程规划，准备在非洲撒哈拉沙漠上建大的太阳能光热发电站，然后建远距离输变电系统，把电力输送到欧洲。中国有广袤的戈壁滩，如果太阳能发电技术成熟，戈壁滩的开发前景将非常广阔。现在我们就可以进行研发投入，做好前期准备。

交通领域，汽车不再只烧石油和液化天然气，现在有混合动力汽车、电动汽车等。电动汽车时速可以达到150km，最远可以跑400km，如果蓄电池性能再好一点、动力更强一点，竞争力就会更大。太阳能汽车、氢能燃料电池等技术也在研发中，如果成熟，我们的交通服务将实现很少的碳排放甚至是零排放。

不仅可以大力开发利用可再生能源，还可以积极开发核能。英国一直很反对发展核能，但现在为了发展低碳经济，也开始讨论发展核能了，正在准备筹建核电站。美国也有新的核能计划启动。虽然现在在核能的开发上处置废料方面有一些问题存在且尚未解决，但与其他形式相比，它还是经济可行的；在安全方面，世界核电大国——法国迄今为止还没有大的核电事故发生。中国的核电发展力度也很大，正从沿海地区蔓延到内地。有一个问题就是，中国对核电需要的铀矿资源比较缺乏。在经济全球化、一体化和世界共同应对气候变化的背景下，我们可以通过国际协定，要求铀矿资源丰富的国家，如澳大利亚、加拿大以及中亚国家给中国提供铀矿资源。

第三，引导消费者行为。在推进低碳经济建设的过程中很重要的一点就是要提高消费者的节能意识。所以，我们必须制定相关的政策措施。

一是二氧化碳对气候变化有负面作用，是有环境成本的。所以我们应该征收二氧化碳排放税。和其他税种不同，能源税的征收可能会抑制可再生能源的发展，所以要区分对待。征收碳税只会影响高碳能源。零碳能源和低碳能源随着高碳能源比较利益的降低其比较成本也有所下降，提高了其市场竞争力。

中国目前应该是具备了成熟的条件来征收碳税。条件不成熟的主要原因有，第一，中国是发展中国家，未曾在国际上承诺减排。碳税的征收有悖于国际政策。但是我们完全可以避免这一点，我们可以用可枯竭能源税来代替碳税这一称呼，但实质与碳税相同。第二就是如果征收碳税就必须要有相应配套的技术、信息、统计资料。普遍认为，目前我们还没有这种统计能力。但这个问题的解决并不困难，因为只有煤炭、石油、天然气这些不可再生资源里才有碳，而这3项都是在市场中使用的，对它们进行统计应该不困难。具体是在生产环节收税还是在消费环节征税，都是可以商量的。因此，征收碳税并非原则上行不通，而是技术操作方面存在问题。

二是我们应该有相应的政策补贴。所有技术的研发、运用，都会经历从高成本到低成本的转化过程，假设政府给予补贴，推动成本的降低速度，加大补贴那些暂时缺乏竞争力的、社会成本低的能源和技术，推进他们的发展，让其尽快融入市场。

三是要提高研发投入。很多低碳能源技术、产品还需要进一步研究开发，政府公共财政投入和企业商业化的投入，可以双管齐下。

四是对于消费者行为，要有相应的经济政策措施对奢侈浪费加以限制。几年以前曾有学者提出过一种设想，叫能源消费累进税制(或者叫碳排放累进税制)。我们的碳排空间并非无限的，每个人的消费需求也是有一定上限的，所以可以规定每个人的碳排放标准，让其对超出的部分缴纳税款，超出越多纳税比例越高，与所得税类似。如此一来，既使我们的基本需要得到了满足，同时又使消费者的行为得到规范，减少了奢侈浪费现象。必须要指出的是，一定要使用累进税率的方法来征收能源消费税，而非统一税率，因为统一税不仅会鼓励富人，还会限制穷人。

五是要对公共消费加以控制。中国在公共消费方面浪费特别严重，跑在高速公路上的小汽车里很多都是公车；办公楼的空调等用电也存在很多浪费现象。很多发达国家对公共消费的低碳化特别重视，部长出门也用公共交通工具，因此，政府应先做出表率。

六是国外在低碳社区、低碳城市等领域有很多先进经验，我们完全可以借鉴，开展国际合作。

第四，建立适合低碳工业发展的政策体系。加快研究制定气候资源、生物资源、可再生能源的保护和开发利用等地方性法规、规章，完善资源节约和环境保护的相关政策措施，加大环境保护执法力度。

一是强化低碳工业发展内涵。把低碳工业的理念贯彻到国民经济社会发展规划、各类专项规划中，建立和完善针对产品生产全过程的监督、报告和评价体系。构建低碳产业标准体系。研究低碳产业标准体系，制定低碳产业发展指南。

二是加强"高碳"产业准入管理。制定准入制度和第三方评估论证制度，鼓励低碳招商和低碳产业发展；限制和淘汰落后生产能力，遏制"两高"行业的增长。

三是发展"低碳金融"。加大政府财政低碳投入，对重点低碳产业发展实行税收减免和财政支持，逐步建立低碳工业价格体制，理顺资源(能源)性产品价格，争取对新建或拟建大型风电、太阳能发电等新能源基地的电力送出工程单独核定输电电价。

四是建立低碳工业示范园。园区建设从规划之初就引入低碳理念，在规划中加以落实，使产业结构的调整变得可行，走出一条适合我国国情的新型工业化和城市化发展道路。

4.3　低碳的服务业生产模式

4.3.1　低碳服务业概述

4.3.1.1　低碳服务业

服务业占经济总量的比重和发展水平已经成为衡量国家或地区经济发展水平和国

际竞争力的重要指标。目前，西方发达国家的服务业占国民经济的比重达到了70%，部分国家甚至超过80%。改革开放以来，我国服务业得到了长足进步，但与西方发达国家比起来还存在巨大差距，并且在经济快速发展的同时，资源和环境问题日益突出。长期以来，中国服务业的发展主要依靠传统的高投入、高能耗、高污染的发展方式，而低碳经济作为以低消耗、低污染、低排放和高效能、高效率、高效益为基础的经济发展模式，是当代社会实现可持续发展的主要途径。在这种时代背景下，中国作为最大的发展中国家，面临着经济发展与节能减排的多重任务，低碳经济是发展中国经济的必然选择，基于低碳经济的服务业发展路径也是服务业发展的必然路径。

在我国国民经济核算中，服务业又称为第三产业，即指除农业、工业和建筑业之外的其他各产业部门，包括交通运输、仓储和邮政业、信息传输、计算机服务和软件业、批发和零售业、住宿和餐饮业、金融业等15个产业部门。我国正处于全面建设小康社会、构建社会主义和谐社会的快速发展时期，服务业的发展，特别是现代服务业的发展，对推动社会经济可持续发展、转变经济增长方式具有重要意义。一方面，以低消耗、低污染、低排放和高效能、高效率、高效益为特点的低碳经济与服务业发展趋势是一致的。另一方面，低碳经济与服务业之间相互促进、共同发展，低碳经济发展要求大力发展服务业，而服务业的发展又反过来为低碳经济的发展提供保障。

改革开放以来，我国服务业在产业结构调整中不断发展完善。1978年，我国服务业增加值为872.5亿元，占GDP比重为23.9%，三大产业中，第二产业占GDP比重最高，为47.9%；2010年我国服务业增加值为171005亿元，占GDP比重为43%，第二产业仍然占GDP比重最高，为46.8%，但是从中可以看出，服务业比重逐渐与第二产业比重接近，服务业呈现较快的增长速度。

4.3.1.2 低碳服务业分类

4.3.1.2.1 根据服务的性质、功能特征分类

(1)联合国标准产业分类法(ISIC)。联合国于1958年制定了第一种国际标准产业分类，1968年进行了第一次修正，基本框架没变。其中一级分类有4类，二级分类有14种。第三次修正发表于1990年，修正后的分类结构发生了很大变化，其中服务业大类有11类，小类19类。2006年，联合国标准产业分类法进行了第四次修改，沿用至今的ISIC/Rev.4一共21个门类、88个大类、238个中类和420个小类。涉及服务业的分类增加了信息和通信业、行政管理及相关支持服务、科学研究和技术服务、艺术和娱乐、其他服务业5个门类，反映了服务业发展及其在经济活动中重要性增强的国际背景。

(2)布朗宁—辛格曼服务业分类。经济学家布朗宁(Browning)和辛格曼(Singelman）于1975年根据联合国标准产业分类（ISIC）的规则，将商业产业和服务产业加以分类，这一产业分类标准是根据商品与服务的产品性质、功能。尽管这种的分类不是那么完善，但为后来西方学者所普遍接受的服务业四分法的提出奠定了基础。

（3）辛格曼服务业四分法。经济学家辛格曼在1975年分类的基础上，根据服务的性质、功能特征对服务业重新进行分类，将服务业分为流通服务、生产者服务、社会服务和个人服务4类，这种分类方法反映了经济发展过程中服务业内部结构的变化。

（4）之后，西方学者将布朗宁和辛格曼的分类法进行综合，提出了生产者服务业、分配性服务业、消费性服务业和社会性服务业四分法，其内容大体上与辛格曼的分类法相同，比较而言，后者的二级分类更为简化。然而，这种分类法由于无法与联合国际标准产业分类接轨，因而影响与国际的比较研究。

按照上述4种根据服务性质、功能特征的分类方法，低碳服务业主要划归为生产者服务业，有一部分服务内容属于消费性服务业。此外，低碳服务业还包括社会性服务业与ISIC新增的服务类别相交叉的部分，如低碳行政管理及相关支持服务、低碳科学研究和技术服务、其他低碳服务业等。

4.3.1.2.2　按照服务业在不同经济发展阶段的特点分类

1970年，M. A. Katouzian依据罗斯托经济发展阶段理论将服务业分为三类：新兴服务业、补充性服务业和传统服务业。新兴服务业一般出现在工业化的后期，是指工业产品的大规模消费阶段以后出现加速增长的服务业，如教育、医疗、娱乐、文化和公共服务等。补充性服务业是相对于制造业而言的，是中间投入服务业，它们的发展动力来自于工业生产的中间需求，主要为工业生产和工业文明“服务”，这类服务业主要包括金融、交通、通讯和商业，此外还有法律服务、行政性服务等。传统服务业有两层含义：其一是传统的需求，其二是传统的发展模式。这类服务通常是由最终需求带动的，主要包括传统的家庭与个人服务、商业等消费性服务。

根据这一分类及定义中低碳服务业内容，低碳服务业分属于新兴服务业、补充性服务业和传统服务业各部分，以补充性服务业为主。但很明显，这种分类法主要依据罗斯托经济发展阶段理论而提出的，其实用性和科学性颇受争议。

4.3.1.2.3　从生产（供给）角度按生产技术分类

北美产业分类体系（NAICS）是由美国、加拿大、墨西哥于1967年制定的一种新的产业分类法，这种分类方法主要从服务的生产或供给角度，依据生产技术进行的分类，反映了20世纪80年代以来服务经济理论发展的最新研究成果，其结构变化主要表现在：第一，计算机和电子产品制造部门作为信息产业的硬件部门被列入制造业，原来的出版业则列入了新设置的信息业；服务业中的柔性生产被列入制造业；第二，独立建立了“信息业”；第三，原来的服务业细分为11 个一级部门。

由于北美产业分类体系（NAICS）没有对服务业进行大的分类，而是成倍扩充了服务门类/部门的数量，因此低碳服务业按照这一分类会比较笼统、松散，故不做详细讨论。

4.3.1.2.4 根据我国国民经济行业分类标准分类

我国之前没有专门的服务业分类。从1985 年起的很长一段时间里，第三产业一直是服务业的同义语，直到2003 年国家统计局根据GB/T 4574—2002 颁布了新的三次产业划分，明确规定把农、林、牧、渔、服务业列入第一产业。至此，服务业与第三产业不再等同，因此建立专门的低碳服务业分类标准，对社会经济发展、低碳产业政策制定具有重要的意义。

4.3.2 发展低碳服务业的意义

第一，低碳经济推动服务业的发展。低碳经济的核心问题是高能源效率和清洁能源结构问题，能源利用效率的提高，必然会引起产业结构的优化升级。随着经济、科技的发展以及专业分工越来越细，产业结构从第一产业依次向第二产业、第三产业转移，产业结构的重心逐渐由劳动密集型占主导向知识密集型、技术密集型占主导转变。我国目前是第二产业占主导地位，低碳经济的发展，产业结构的优化升级将促使第三产业比重越来越高，呈现由工业经济向服务经济、工业社会向服务型社会转变。

第二，服务业发展为低碳经济发展提供保障。服务业具有投资少、能耗低、效益高、污染少和拉动就业作用大等特点，而低碳经济体现了人与自然的良好和谐关系。首先，服务业所依赖的资源由自然资源转为信息资源、知识资源和人力资源，这种资源转化缓解了自然资源的压力，减少了对气候环境的破坏。其次，服务业以资源整合，提高能源利用效率为主要生产手段，且服务产品具有很高的科技含量，在实现低碳经济的目标过程中发挥巨大的推动作用。最后，服务业的发展容易产生聚集效应，从而为生产发展带来规模效应，降低了经济发展过程中的铺张浪费现象。服务业的发展使得资源、经济、社会和谐发展成为可能，符合低碳经济发展的目标，为低碳经济发展带来保障。

4.3.3 低碳服务业发展模式及其影响

4.3.3.1 低碳服务业的发展模式

2007 年3 月27 日，国务院下发《关于加快发展服务业的若干意见》，表明国家对发展服务业的重视。但是，我国服务业存在的总体供给能力不足、内部结构不合理、竞争能力不强、消耗资源高以及处于产业链的低端等特征，与经济全球化、与我国产业结构优化升级、与低碳经济的发展要求不相适应。要改变我国服务业的发展现状，就要顺应时代的发展，在低碳经济的背景下，促使服务业向产业链高端延伸，改变传统服务业的主导地位，具体可以从以下几个方面着手。

第一，依据低碳经济原则促进传统服务业升级转型。低碳经济既是环境资源问题，也是经济社会问题。低碳经济以低消耗、低污染、低排放和高效能、高效率、高效益为特点，其原则在于在不影响经济发展的前提下，通过技术创新，降低资源消耗，尽可能最大限度地减少碳排放量，减缓气候变化。我国传统服务业服务方式单一、水平低、质量差，技术手段落后，高消耗、低附加值、处于产业链低端问题突出。

一是向现代服务业转变，促使服务业向产业链高端延伸。我国的产业结构正面临转型，促使传统服务业向低消耗、高附加值的现代服务业转变是我国经济发展的趋势。

建立在专业化分工基础上的现代服务业处于“微笑曲线”的上下两端，处于整个产业链的高端。提升传统服务业就是促使低端服务业优化升级，向高端化服务业延伸和渗透，利用现有服务资源，用现代科学技术、先进的经营管理方式包装传统服务业，打破行业垄断，改变传统服务业高消耗、技术落后的现状，提高传统服务业的服务水平，增加服务产品的附加值，逐步形成新的服务业态。

二是在传统服务业领域不断创新高端服务产品。目前我国服务业服务产品非常基础，附加值低，比如，目前国内金融服务领域开办的中间业务已达二三百种，虽然发展很快，但主要集中在结算和代理等传统服务方面，高附加值的并不多。相反，外资银行在高附加值、高技术含量的高端市场，却具有相当大的优势，未来的高端市场将是中外资银行竞争的焦点。为此，可考虑创新一些高端领域的金融服务产品，如产业风险投资基金、住房信托基金、汽车金融和证券融资公司等等。

第二，基于柔性能力促进服务业竞争力提升。柔性能力是指企业在运营过程中，快速而有效地回应、处理组织系统内外部环境或由环境引起的不确定性和不稳定性以满足顾客需求的能力。服务业在生产服务过程中，会面临各种需求、环境的不确定性和不稳定性，柔性能力是有效应对不确定性的重要手段，服务企业需要具备适当的柔性能力，从而打造快速的反应能力、回应能力，促进服务业竞争力提升。从服务业经营管理过程上看，服务企业的柔性能力包括三个方面，即战略层面的柔性能力、组织层面的柔性能力和市场营销层面的柔性能力。

一是确立柔性战略，提升服务业竞争力。柔性战略是企业为更有效地实现目标，在动态复杂的环境下，主动适应变化、应用变化与制造变化，以提高自身竞争能力而制定的一组可选择的行动规则及相应行动方案。服务型企业在制定柔性战略时要从企业的市场竞争能力、企业文化等方面着手，正确分析市场上的动态性，制定柔性竞争战略。同时，创建具有高度柔性的企业文化价值观、管理氛围，以与柔性竞争战略相匹配。

二是建立柔性组织，提高服务业管理效率。柔性组织是具有学习能力、创新能力，采取权力的适度分散，使组织能快速回应、适应环境和自我调整，并实现可持续发展。扁平化、网络化的组织结构。柔性组织是提高工作效率和企业整体的反应灵敏性，形成具有快速回应能力的组织基础。目前我国许多企业提倡建设学习型组织，从而使组织具有持续学的能力，创新发展的能力，就是建立柔性组织的有效路径。

三是实施柔性营销，促进服务业服务水平提高。许多营销思想和方法都是以顾客的个性化需求为导向的，如关系营销，强调一对一的协同互动关系，从而更好地为顾客服务。我国服务业的服务水平低下，质量差，提高服务业服务水平是提升服务业整体竞争力的主要手段，随着竞争的日益激烈，服务业的竞争日益体现在服务质量和速度上，服务企业可以通过在产品、价格、渠道、促销方面的柔性化营销策略，给顾客提供更快速、更高水平的个性化、创新的服务来获得竞争优势。

第三，通过基地建设促进服务业获取聚集经济效益。服务业聚集是指在一个特定的区域内，以服务业为核心，吸引大量彼此联系密切的企业群和相关服务机构在空间上聚集，从而形成可持续的竞争优势的现象。产业聚集可以共享生产要素和信息，产生共生效应。聚集区内的企业既有竞争又有合作，从而获得规模经济和外部经济效益。聚集发展是当今服务业发展的新趋势，我国服务业还处于初级发展阶段，加强现代服务业的聚集程度，获取服务业聚集经济效益是服务业发展的必然选择。

一是根据城市发展布局，合理规划服务业基地布局与建设。建设现代服务业聚集区，首先需要深入研究现有城市空间布局，根据当地产业发展的特点生产服务环境、服务产业特点、相关区域规划政策等因素合理选址。其次，依据不同服务业类型和方向，合理规划布局不同类型的服务基地。如致力于发展物流服务业的城市区域，应改善基地交通设施，加强服务网络建设，引进高科技，促进产业融合，全力打造物流服务中心。

二是建立相互依存的现代服务业产业体系。现代服务业聚集应以集群内企业的产业关联为依据，建立相互依存的现代服务业产业体系。一方面，对于集群内已有的服务企业，要引导建立企业之间的配合、分工与合作的网络体系；另一方面，创建、衍生出一批新企业来促进服务业集群内部达成紧密分工和协作关系，建立相互依存的产业联系，这样可以增强企业的竞争力，更好地发挥企业之间协同效应。

三是提升服务业聚集区的软实力，增强服务业聚集区综合竞争力。经济、产业、配套设施等“硬实力”的目标与定位不是服务业聚集区建设与发展的决定性因素，文化、品牌等“软实力”的提升对服务业聚集区的发展也至关重要。服务业聚集区在发展现代服务业的同时，也要注意将区域文化特色和企业品牌建设结合起来，大力发展文化品牌，必须以产业化、市场化为方向，培养企业文化品牌，有效整合聚集区文化资源，以文化提高服务业的科技含量和文化内涵，提升服务业综合竞争力。

4.3.3.2 低碳服务业发展模式的影响

第一，低碳技术服务对社会经济的影响。技术进步理论和大量的实证研究显示，技术是由经济行为相互作用而内生的变量。Andreas Loschel 综述了许多经济模型研究证实中长期气候变化减缓成本和效益预估对技术成本的假设是敏感的。因此，这种技术进步外生假定显然不能较好地反映经济现实，而将技术变化内生化是研究气候变化减缓影响所必需的。技术进步内生化增强了环境－经济模型的分析能力，IPCC 在《2007 气候变化报告》中指出，可更加合理地评价政府政策的成本、机会成本、创新的延期、政策的敏感性以及国际间的技术外溢等。与此同时，技术创新内生化也对传统模型的计算产生了挑战。蒋金荷、吴滨(2010)对低碳经济模型研究现状进行了概述，认为发展低碳经济并不意味着经济增长的低速发展，可以做到与可持续发展有机结合起来，其关键在于技术创新与制度创新。根据产业内的循环体系，低碳技术服务不仅包括低碳新产品设备的生产、制造技术研发，如新能源、新材料技术，减排设备专利技术等，还包括生产、生活过程中节能改造技术、设备更新技术、能效提高技术、能源转换与替代技术，以及末端处理的碳捕捉、碳封存技术的研发、应用与监测。由此，低碳技术服务创新是发展低碳经济的一种十分重要手段。

2007 年，麦肯锡公司通过研究各行业温室气体减排的成本收益情况预测，为实现 2030 年减排目标，全球每年大约有 70 亿 t 的减排量其减排成本为负。其中低碳技术的应用不但能减少每年多达 70 亿 t 的温室气体排放，而且通过节省能源消耗以及提高生产效率还能取得正的经济收益，因此经济利润的存在将使生产者有动力对这部分低碳技术服务进行投资从而实现自愿减排。此外，低碳技术服务不仅能够带来经济效益，它还对经济具有正外部性，同时具有保护环境和发展经济的双重功效。《京都议定书》的签订对低碳技术服务的国际交流起到重要作用，其规定发达国家有义务和责任向发展中国家转移低碳技术服务，降低发展中国家减碳成本，从而实现共赢，这将大大增加低碳技术服务跨国界流动所带来的溢出效应。

第二，低碳金融服务对社会经济的影响。金融是经济发展的血液，金融企业应当充分利用金融这个杠杆，在金融资源的优化配置上起导向性作用，全社会则以金融政策推动低碳经济的发展。所谓的“低碳金融”是指与低碳经济相关的投融资活动，即服务于限制温室气体排放等技术和项目的直接投融资、碳权交易和银行贷款等金融活动。国际范围内与低碳经济相关的绿色金融主要包括四方面：一是“碳交易”市场机制，包括基于碳交易配额的交易和基于项目的交易；二是商业银行的碳金融创新，如碳资产管理服务；三是机构投资者和风险投资介入的碳金融活动；四是碳减排期货、期权市场。

低碳金融服务对社会经济发展的影响，主要体现在金融对低碳经济发展的支持并服务于限制温室气体排放。其中的碳金融是现代金融根据环境金融与绿色金融延伸出来的最新提法与发展方向，也是环境金融在低碳经济领域的应用。碳金融研究在国内外都属于前沿性的研究。国外主要是从环境金融中应对气候变化方面延伸出碳金融概念，并考虑从制度建设与国际贸易融资角度对碳金融进行研究。在环境金融领域建树颇多的学者索尼亚·拉巴特和罗德尼·怀特在其合著的《碳金融》一书中对碳金融内涵给出了更为广泛的定义，涵盖了解决气候变化的金融方法。国内学者对金融支持低碳经济的相关研究也逐渐开始，主要集中在两个方面：①利用金融市场支持节能减排。周小川(2007)指出金融系统应始终高度重视节能减排的金融服务工作，重点从四个方面鼓励和引导产业结构优化升级和经济增长方式的转变。王宇、李季(2008)认为碳金融是应对气候变化的金融创新机制，他们分析了各金融机构主体的作用和责任。任卫峰(2008)着重对面向低碳经济的环境金融创新方面进行分析，探讨了环境金融创新的各种途径，并结合中国实际，认为我国应加快环境金融产品创新，在制度层面上构建发展环境金融的激励机制，以实现低碳经济和金融创新的双赢。②碳金融理论及发展策略研究。张茉楠(2009)认为中国必须积极发展碳金融，构建碳金融体系，在后经济危机时代全球金融新博弈中争取主动权。吴玉宇(2009)分析了碳金融在应对气候变化上的主要功能及我国碳金融发展中存在的障碍，认为碳金融已经成为全球金融机构竞争的新领域，必须加强我国碳金融市场机制的创新并提出了相应的策略。王留之、宋阳(2009)在研究碳金融模式创新和风险防范基础上，认为通过金融创新，引入新的金融产品和模式，可以改变我国碳交易的被动局面，并促进我国的节能减排工作和产业结构的调整，同时在实际操作中要注意识别、防范与控制碳金融及其创新存在的风险。

晏露蓉等(2009)指出碳金融是在《京都议定书》框架下的减排约束和交易机制基础上发展起来的，它是利用金融市场支持低碳经济发展的绿色金融创新。李威(2009)从当前国际规范角度出发，认为碳金融的发展是应用经济金融手段应对气候变化的必然选择，随着碳信用交易市场的建立发展，国际法框架内外形成的碳交易都需要碳金融的支持和保障，但同时碳金融自身也需要在国际法框架约束下不断发展。上述研究表明，碳金融的崛起将对危机后的全球经济与金融秩序产生广泛而深远的影响。

第三，低碳综合管理对社会经济的影响。低碳综合管理是目前一个新的综合性名词，其研究主要集中在城市碳管理与合同能源管理这两个领域。首先，全球碳计划（GCP）于2005年发起了城市与区域碳管理（urban and regional carbon management，URCM）研究计划，其首要目标是支持区域碳管理，并实现城市可持续发展，该计划对城市碳过程的研究起到了重要的推动作用。但总体来说，城市碳管理研究还处于起步阶段，而国内该领域的研究还几乎是空白。Canan P 等认为，城市化过程对区域碳收支的影响体现两个方面：①直接驱动力，一方面是城市化带来的土地利用变化带来了碳排放，另一方面是城市建筑、交通运输、工业等领域的能源使用带来了碳排放；②潜在驱动力，包括人口、组织、生态环境、技术、制度及文化等6个方面。其中潜在驱动力是认识“碳－气候－人类”系统循环区域差异的关键要素。因此，城市碳管理的关键是从社会和人文的角度入手，制定相应的低碳法律制度、财税政策与评价体系。Lebel 等的研究认为，要实现去碳化的城市发展目标，可采取如下措施：①采用低碳强度的交通系统，同时尽量采用清洁能源和新能源，在新的城市化区域降低对化石燃料的依存度；②积极推进行业的技术革新，以提高能源使用效率和减少碳排放；③调节城市规划、土地和交通基础设施，城市化及其规划是将碳管理与城市发展相整合的关键过程，未来几十年城市设计和管理方法将对未来碳循环产生巨大影响；④部分改变人们的饮食习惯，基于科学合理的营养搭配和农业规划措施来生产并提供人们所需的食物，这不仅有利于人体健康，还可以减少碳排放和增加土壤碳固定；⑤通过对过度消费的调控来降低碳排放，同时向消耗大量资源及并排放大量碳的群体征税。从而，提高人类居住地的舒适性及旅居地的宜游性。因此，基于城市角度的低碳管理服务更多是低碳城市管理的制度、政策研究，远远超出了低碳服务业作为一类产业所要研究的狭义范围。虽然还未有其产生的社会经济影响的研究文献，但从城市碳管理的措施中可以看出，低碳管理服务对整个城市环境、人口素质、经济发展等都会起到积极作用，对实现去碳化发展目标和城市可持续发展具有重要的意义。

其次，基于合同能源管理机制的低碳管理服务，它是将低碳商务咨询服务、低碳评价与培训服务、低碳工程技术服务与低碳金融服务有机整合在一起，发挥1+1>2整体功能的低碳管理服务内容。合同能源管理（energy management contracting，EMC），也可称为能源服务契约，其相关术语较多。①广义上理解以英国能源行业交易协会（energy systems trade association，ESTA）的定义为代表，“依约管理客户能源使用的某些方面，把一些风险从客户转移到承包商（通常基于提供认可的服务级别）”，关键特征是与设备性能相关的技术风险从客户转移到承包商。狭义上理解以世界能效组织（world energy efficiency association，WEEA，1999）的定义为代表，“以一定费用为客户提供‘能源节省’，费用大小取决于能源节省量。”。“能源节省”指的是能源效率的改善。能效契约是其核心，包括：①全方位服务，包括可行性分析、设计、工程、结构管理、安装、运行、保养和金融；②基于测量结果的补偿；③转移主要的技术风险、金融风险和运行风险至承包商。我国以 WEEA 的定义为准，即“一种以减少的能源费用来支付节能项目全部成本的节能投资方式”，具体而言有两个关键要素：①超过50%的节省来自能效的改善；②客户不会发生负现金流。目前，国外研究的对象也以狭义合同能源管理为主，并进行了大量的实证性研究。然而，在这些实证研究中，以合同能源管理实施的影响因素研究为多，研究合同能源管理对社会经济影响的文献由于可获得的时间序列数据较短、数据的使用标准不统一很少有详细的论述。但根据近几年来的统计数据，在国外，合同能源管理被视为全世界提高能效的一项重要措施，尤其在目前竞争日益、电力公共事业发展私有化的国家则更是如此。在过去的十年里，美国合同能源管理产业的收入年均增长率为24%。美国、加拿大等国家由于政府的重视、资金来源比较充足、能源服务公司的信用体系建立较为完善，其成长较发展中国家早，而且节能领域涉及多个方面。在国内，合同能源是由世界银行、全球环境基金赠款来铺开局面，成立了专门的节能服务中心，加大宣传等工作。从中国节能协会节能服务产业委员会（EMCA）发布的最新调查统计结果显示，我国“十一五”期间，合同能源管理项目投资从13.1亿元递增到287.51亿元，增长了22倍，实现二氧化碳减排量从215.45万t递增到2662.13万t，增长11倍，节能服务产业拉动社会资本投资累计超过1800亿元。

综上所述，不论从增加社会财富，促进国民经济的发展，吸纳劳动力并提供劳动者的素质，优化产业结构方面来上来看，低碳服务业对一个国家社会经济的积极影响是极其巨大的。

4.3.4 我国发展低碳服务业存在的问题

第一，服务业增加值扩大，但未达低碳经济发展要求。我国服务业增加值从1978年到2010年，增加了196倍，占GDP比重有较大幅度的提高，第三产业的贡献率由17.3%增长到42.9%。部分地区服务业比重达到发达国家平均水平，如北京2009年服务业增加值为9179.19亿元，占地区生产总值的75.5%。我国服务业虽然有了明显增长，但是在我国国民经济中，第二产业仍居于主导地位，且我国服务业总体水平占国民经济的比重与发达国家相比相距甚远。第二产业的主导地位使得我国目前的经济增长仍以高能耗、高污染为主要增长方式，在全球产业链中，我国产业发展仍处于产业链低端，不符合低碳经济的发展要求。

第二，以传统服务业为主，现代服务业比重低，不符合低碳经济目标。我国服务业发展总体水平偏低，服务业结构性问题突出，服务业仍以传统服务业为主，劳动密集型的服务业企业占据主导地位，知识型、科技型服务业等现代服务业所占服务业比重偏低。我国2008年服务业增加值中，交通运输业、批发零售业以及住宿餐饮业等传统服务业占服务业增加值的37.4%，几乎占了服务业比重的1/3；而金融业、信息服务业、软件服务业、租赁和商务服务业等现代服务业占服务业增加值为28.4%，而发达国家各种新兴的现代服务业20世纪已占50%以上。传统服务业缺乏高新技术和自主产权，高消耗、低附加值且处于产业链低端，其发展依赖资源和环境，不符合低碳经济发展目标。

第三，区域性发展不平衡，市场化程度较低，不利于低碳化。首先，从各地服务业发展比较来看，我国各地区服务业发展很不平衡，特别是东西部之间和城乡之间差距很大。东部地区2009年服务业增加值为86749.21亿元，占全国服务业增加值的59%，西部地区增加值为25992.29亿元，仅占全国服务业增加值的18%。其次，我国大多数农村地区服务供给有限，很多社会群体享受不到应有的基础服务，不能为人民生活水平的提高提供保障。第三，我国很多服务行业处于垄断经营状态，市场准入问题严重，比如邮政通信业、交通运输业、金融业等行业，市场化程度较低，服务成本较高，竞争力相对较弱。事实上，我国服务业发展不充分、层次低的重要原因就在于受行业垄断、服务业区域性发展不平衡等问题的制约，这些问题的存在不利于中国经济整体走低碳化道路。

第5章　低碳经济的消费模式

低碳经济是目前全球经济发展的最佳模式之一，低碳消费方式是其重要环节。低碳消费方式是人类社会发展过程中的根本要求，是低碳经济发展的必然选择。如何引导消费者树立低碳消费方式、培养低碳消费行为是实现低碳经济转型的关键所在。

降低碳排放不是政府或者生产者自己的事情，没有需求就不会有供给。资源能源的稀缺也服从马克思所阐述的价值论：存在稀缺即存在支付，存在支付就意味着商品，存在商品就必须导致流通，存在流通就自然产生市场，存在市场就会自动建立资本和供需关系，并不断增殖。

中国本身是个巨大的消费市场，而另外作为世界工厂，必然承接了发达国家大量碳密集性产品和高能耗的产业转移作为经济起飞的踏板。英国 Tyndall 中心气候变化研究部门从“碳出口”的角度研究中国贸易出口与温室气体排放的关系后发现：2004年，中国出口的货物产生大约占中国当年 CO_2 排放总量的23%，其中有7%～14%的 CO_2 排放量是为美国消费者提供产品而产生的。一方面，他们不停地责备中国排放了巨大的 CO_2，可另一方面，他们又离不开中国的廉价商品。发达国家对中国廉价产品的需求带动了中国产品的出口，他们也必须为中国的 CO_2 负一定责任。有研究表明，在美国和澳大利亚，每人每年要排放20t以上的温室气体（主要为 CO_2，但也有些 CH_4 和 N_2O），其中1/4来自交通工具，1/4来自住宅，大约1/2产生于办公场所或企业；我国也有研究表明，在1999～2002年我国每年能源消费总量的大约26%、CO_2 排放量的30%是由于居民生活行为以及满足这些行为需求的经济活动造成的。正是消费者“贪婪无止境”的欲望促使了生产者不断扩大生产规模，提高产量，满足更多的消费者。在市场经济条件下，消费是发展的原动力，消费模式决定了产业结构主导着增长方式。因此，我们必须大力宣传低碳消费的新观念，通过稳定政策等限制高物质性的“一次性”、“类一次性”、挥霍性、浮华性、铺张性、阔气性的消费行为。建立国民素质与健康消费体系，普及全体国民素质、健康、终生消费，努力提高国内消费市场对经济推动的比例。从人类社会大视野审视温室气体的超量排放问题，认为仅考虑生产过程的“低碳”是被动的，是不足以遏制全球温室气体的超量排放的，甚至可能成为加剧人类贫富差异的把戏，指出“高碳”的社会文化与人类生活方式是地球人类不断变花样生产许多非必需品的根本源动力，因此，应同时倡导发展基于生态文明观的人类文化、生活方式和产业结构，人类的低碳年代才会到来。

5.1 低碳消费文献综述

目前，学术界紧扣低碳消费主题的相关研究不多，而围绕生态消费、可持续消费、绿色消费、循环消费等方面的研究成果十分丰富。本书适当扩大文献范围，对低碳消费做简要介绍。

5.1.1 低碳消费的内涵

5.1.1.1 低碳消费的广义定义

陈晓春等(2009)提出了广义的低碳消费方式，包括五个层次：一是“恒温消费”，即消费过程中温室气体排放量最低；二是“经济消费”，即对资源和能源的消耗量最小、最经济；三是“安全消费”，即消费结果对消费主体和人类生存环境的健康危害最小；四是“可持续消费”，即对人类的可持续发展危害最小；五是“新领域消费”，即转向消费新能源，鼓励开发低碳技术、研发低碳产品，拓展新的消费领域。

孙延红(2010)指出，低碳消费是低碳生活方式的具体体现之一，是一种低成本、低代价的生活方式。它不局限于消费者的自我满足，更强调通过低碳消费，获得更高的消费体验及更大的经济、社会、环境效益，追求他人与社会环境的共同满足与和谐发展。

刘妙桃等(2011)认为，低碳消费是可持续发展在消费领域最本质的表现。要求人们基于资源和环境约束，把有限资源用来满足人的基本需求，限制奢侈浪费，节约资源能源，从而使人们的消费心理和消费行为向热爱自然、追求健康、降低消耗、杜绝浪费的方式转变。

辛玲(2011)指出，后工业社会下的低碳消费是低碳经济发展的必然选择，是先进社会生产力发展水平和生产关系下消费者消费理念与消费资料供给、利用的结合方式，也是当代消费者在消费过程中根据低碳的理念，以可持续发展的态度，积极实行文明、科学、健康的生态化消费方式。

赵敏(2011)的研究表明，低碳消费方式是在全球环境恶化和能源危机下产生的新型消费方式，是从保护消费者身体健康、保护生态环境、承担社会责任角度出发，在生活消费过程中减少资源浪费和防止污染而采用的一种理性消费方式。

孙耀武(2011)认为，低碳消费是一种以“低碳”为价值取向的文明、科学、健康的生态化消费方式。低碳消费方式，首先是一种以“消费结构低碳化”为价值取向的生活方式，其次是一种资源节约型的生活方式，然后是一种可持续的消费方式。

以上学者的定义主要存在两大问题：一是没有把低碳消费的目标指向二氧化碳等温室气体的减排；二是把低碳消费的内涵扩大化，使低碳消费等同于绿色消费、可持续消费和生态消费等。

5.1.1.2 低碳消费的狭义定义

刘敏(2009)认为，低碳消费生活方式是消费结构低碳化，低碳消费品在消费结构中的比重不断提高，实现低碳消费数量与质量相结合。低碳生活方式关注的是，如何在保证实现气候目标的同时，维护个人基本需要获得满足的基本权利。她还指出：低碳消费是在生活消费领域中，人们购买和消费符合低碳标准的产品或服务，以最大限度地降低能耗、降低污染、减少浪费的一种节约型消费模式。低碳消费是以低能耗、低污染、低浪费、低排放为特征，以降低碳排放、推行绿色消费为手段，以满足消费的经济需求、社会需求、生态需求与文化需求为目的的经济活动。

李国强(2010)认为，低碳消费要求消费者减少浪费、节约能源，建立健康文明的消费模式。一方面，消费的重点应由高能耗、高污染的产品向环保型产品转移；另一方面，消费者的偏好也应转向节能低碳产品。

潘安敏等(2010)提出，城市低碳消费方式，是指城市消费者选择二氧化碳排放较低的消费资料或消费方式以满足自身的需要。这一模式将改变消费者传统的消费理念和习惯，引导消费者拥有低碳消费资料，选择低碳消费手段，以此来满足自身生存及发展需要。其实质是以“低碳”为导向，是当代消费者对社会和后代负责任的一种共生型消费方式。

饶田田等(2010)认为，低碳消费是一种节约能源，减少浪费，尤其是避免“面子消费”“奢侈消费”等一些不合理消费行为，从而减少碳排放的消费方式。

于小强(2010)认为，低碳消费方式是尽可能避免消费那些会导致二氧化碳排放的商品和服务，最终实现降低温室气体产生的消费方式。潘安敏等人把低碳消费行为的内涵从消费对象上升到消费对象与消费过程(消费方式)。相对于只消费低碳产品才是低碳消费的概念，此界定更为全面，但低碳消费不应局限于这 2 方面，它还应包括对温室气体吸收源的保护行为。

5.1.2 低碳消费的影响因素

5.1.2.1 人口统计变量

(1)收入对低碳消费的影响。收入是影响公众消费行为的有效变量，但收入是否影响居民的低碳消费行为，学术界对此观点不一。一部分学者认为收入与环境友好型消费行为之间无关系；另一部分学者则认为存在一定关系。二者间的关系又分为正相关和负相关两种截然不同的观点。马瑞婧(2006)、黎建新(2007)、王凤(2008)等研究指出，收入和绿色消费行为之间没有显著相关关系；然而朱洪革等(2009)、胡宗义等(2006)则认为，居民收入水平对低碳消费有一定影响。邹玲等(2009)基于VAR模型的脉冲响应函数和方差分解技术，对我国居民人均消费的影响因素进行实证分析，发现我国居民人均收入增长对人均消费增长的贡献率最大。Arbuthnot 等(1975)、Oskamp 等(1991)都认为，收入高的居民资源回收的频率较高。也有一些学者指出，收入与低碳消费相关行为之间存在显著负相关关系。Singh(2009)、王建明(2010)的研究表明，低收入者更倾向于社会责任消费行为与践行循环消费行为，收入与低碳消费相关行为之间的复杂关系是众多原因导致的，比如社会文化等；低收入者倾向于进行低碳消费，可能是因为经济约束使其只有进行低碳消费才可以维持生计；低碳消费行为与收入之间可能呈现一种倒“U”形曲线关系。

(2)性别对低碳消费的影响。性别对环境友好型消费行为的影响也无统一的结论。朱洪革(2010)通过二分量的 Logistic 模型，对城镇居民生态消费消费行为的影响因素进行分析后发现，性别对于消费者购买那种仅有利于环境，而对消费者自身安全和健康无影响的生态环保型商品的影响显著。Eagly 等(1987；1999)、Van Liere 等(1980)、Stern(2000)等的相关研究指出，相对于男性而言，女性会认真考虑自身行为对环境及他人的影响，生态意识更强，更倾向于社会责任消费。然而，McEvoy(1972)、Samdahl 等(1989)等均认为，性别和生态消费之间不存在相关关系。这样二种截然不同的结论表明，性别对环境友好型消费行为的影响可能是虚假的。

(3)教育对低碳消费的影响。教育水平对居民环境友好型消费行为的影响也已被列入学者们的研究范围。一般认为，教育水平越高，其环境友好型消费倾向越强。朱洪革等(2009)、Arbuthnot 等(1975)、Van Liere 等(1980)等均证实教育水平确实与环境友好型消费行为呈显著正相关。但是也有一些研究表明二者之间没有显著相关关系(Kinnear 等，1974)。还有一些学者指出二者之间呈负相关关系(Lingh，2009；Boccaletti 等，2000)。

(4)年龄对低碳消费的影响。年龄对环境友好型消费行为的影响也存在争议。一些学者认为年龄与环境友好型消费行为之间的相关性并不显著。McEvoy(1972)、Kinnear 等(1974)、黎建新(2007)等的研究表明，二者之间不存在特别显著的相关性。还有一些研究结果表明，年龄和绿色消费态度之间存在一定的联系，并且有时是显著正相关，即绿色消费者的平均年龄比较大(马瑞婧，2006；朱洪革，2010)。

5.1.2.2 心理意识变量

(1)从众心理对低碳消费的影响。从众心理是影响低碳消费的重要变量。胡晓等(2008)、刘庆强等(2007)都阐释了从众心理对消费的重要影响。杨敬舒(2010)利用隐私分析法和回归分析法，对中国城市居民消费样本进行实证检验后指出，认同心理，是我国居民攀比性消费心理和行为形成的重要动因，而攀比心理是高碳消费行为的主要原因之一。于伟(2009)指出，消费者绿色消费行为的群体压力，能够增强消费者的环保意识，从而促成绿色消费行为的产生。然而，从众心理、攀比心理并不必然导致高碳消费。

(2)炫耀性消费对低碳消费的影响。炫耀性消费是导致高碳消费的主要原因之一。刘志梅(2009)通过对广东奢侈品消费的研究指出，我国奢侈品消费群相当年轻，这一群体希望通过奢侈品来显示自己的高雅品位，或为了体验一段时间的"高质量"生活，或为了在同事朋友面前不失面子而炫耀一回。袁少锋等(2009)在分析面子消费、地位消费倾向与炫耀性消费行为时，提出了面子意识、地位消费倾向与炫耀性消费行为间的理论关系模型，并通过调查国内消费者对中高档名牌商品的消费观念和态度来检验此模型的有效性。研究发现，面子意识同炫耀性消费行为的四个维度呈显著正相关，地位消费倾向对炫耀性消费行为的影响总体不太明显，只对物质享乐主义和群体归属交流两个维度有较弱的负向影响。若能合理利用居民的炫耀性心理，那么，他们的炫耀性消费也可能是低碳的。

(3)低碳环保认知水平对低碳消费的影响。低碳环保的认知水平对低碳消费产生影响。Arbuthnot 等(1975)、Margueral 等(2004)、Hoch 等(1989)研究指出，环境知识与环境友好型行为之间存在联系。Ben(2006)指出，传统汽车的购买者对清洁能源汽车的了解甚少。高维忠(2003)认为，消费者的生态意识和对旅游消费的认知水平，是影响生态旅游消费发展的重要主观因素。Hines 等(1987)研究发现，环境知识与环境行为之间的平均相关系数为0.30。然而对于二者之间的关系，学术界还存在相反的声音。Maloney 等(1975)、Pickett 等(1993，1995)等都认为二者不存在必然联系。理论上讲，只有具备了一定的低碳消费知识，消费者才可能进行低碳消费。

(4)社会责任对低碳消费的影响。社会责任意识强弱对低碳消费具有直接影响。Webster(1975)的实证研究指出，具有社会责任感的人更可能购买生态包装产品。刘敏

(2008)指出，影响消费方式变革的文化因素包括消费价值观、消费传统与习俗、社会消费道德与消费时尚等。作用于消费方式的文化因素，就是通过消费者的意识形态为个人提供消费行为的选择性激励而完成的。于雪丽(2008)在分析消费文化和文化选择之间的关系时指出，人们在选择某种消费模式时，往往将自己的文化价值观念注入其中，其对消费行为模式的选择很大程度上体现的是文化选择，文化决定其消费行为。

5.1.2.3　制度政策变量

制度政策变量作为行为产生的外生变量，一直以来备受学者们的关注。陈胜男(2010)、张秀利(2005)、储德银等(2007)都认为，消费行为受制度的影响显著。骆华(2010)指出，低碳经济具有外部性和公共物品属性，解决低碳经济的外部性和公共物品属性需要政府的干预。低碳消费具有正的外部性，则政府的补贴措施必不可少。周劼(2009)就税收制度对消费者选择的影响机制进行分析，说明税制主要通过价格间接影响消费者的行为选择。朱雨可(2005)从社会保障制度变迁的角度出发，通过模型分析来探讨制度变迁对居民消费行为的影响，进而提出完善社会保障制度，促进居民消费的政策主张。田晖(2007)指出股价指数、利率和消费信贷则是影响城市居民消费行为的主要因素。此类研究仅指出了低碳消费与政策制度之间存在一定的关系，但关于如何利用政策来促进低碳消费的推行，学者们并没有对其进行深入的研究。

5.2　低碳消费的发展现状

5.2.1　居民消费过程中高能耗高排放的现象突出

据统计，我国城镇居民因为电器关机不拔插头而导致每年全国待机电量浪费高达180 亿度，相当于 3 个大亚湾核电站年发电量；2008 年我国一次性纸杯的消费量高达170 亿只，按 1 只纸杯 20.21g 的碳含量计算，一年的碳排放量就是 34 万 t 多。中国环境与发展国际合作委员会 2009 年年会发布的《城市发展的政策——建筑和交通部门》指出：近 10 年来中国城市消费领域能耗年增长率达到了 7%，比国家总能源消耗量5.9% 的年增长率高出了 1.1 个百分点。中国城市消费领域的能耗将逐渐成为能源消费的主要部分。另外，农村居民的能耗也比想象中的要大。如今，农村煤炭、电力、成品油等商品能源消费在生产用能和生活用能两方面的比例都有所提高，其中，燃煤成为农村二氧化碳排放的主要来源。吉林大学王宪恩教授提出：据测算，1999～2002 年间，城镇居民生活用能已占到每年全国能源消费量的 26%，二氧化碳排放的 30% 是由居民生活行为及满足这些行为的需求造成的。根据国际经合组织的一项调查显示，各国居民因电器待机而消耗的能量占能耗总数的3%~13%，其中，英国8%左右、日本7%左右、美国5%左右、芬兰5%左右。目前我国城市家庭电器的平均待机能耗已经占到了家庭总能耗的10%左右，相当于每个家庭使用一盏15~30W的“长明灯”。这些数据都表明我国居民消费低碳化水平还很低，内需的扩大也伴随着高能耗、高排放的现象。

5.2.2 居民低碳消费意识淡薄

虽然最近一些地区兴起低碳旅游和低碳春节等消费新方式，但低碳消费的意识还没有真正深入人心。《中国青年报》开展了一项主题为“气候变化与青年可持续消费”大型民意调查。接受调查的青年涉及全国31个省、直辖市和自治区，以大中城市为主，涵盖了各地域、各年龄段、各收入水平、多种职业的青年群体。在回答“如果有足够积蓄，你会购买汽车吗”一项时，15%的受访者表示不会、27%受访者表示“肯定会”；而高达49%的人回答“有可能会”。另一个突出的现象是，仅有34%的被调查者在日常生活中注意节约，而53%的被访者不太注意节约，甚至有12%的被访者完全没有节约意识。相比之下，在国外，倡导低碳消费正在成为新的消费趋向。美国、英国等10多个国家已经出台了“碳标签”标示政策，要求今后上市的产品上必须有“碳标签”，即在包装上标明产品在生产、包装和销售过程中产生的二氧化碳排放量，方便居民选购，当地的居民在购物时，把二氧化碳排放量的多少作为是否购买该商品的主要参考因素，其重要程度与价格等同。此外，意大利政府还规定了各部门未来具体的节能减排目标（表5-1）。

表5-1 意大利各部门具体节能目标 （单位：亿kW·h/年）

年 度	居民住宅	第三产业（取暖、空调、照明）	工业（工业机电）	运 输	全 部
2010	169.98	81.30	70.40	34.90	356.58
2016	568.30	247.70	215.37	232.60	1263.27

从表5-1中可以看出意大利具体节能目标中，居民住宅方面的节能首当其冲，占到全部节能目标数的48%，可见意大利对居民消费过程的节能减排极其重视。

5.3 低碳消费模式及特征

5.3.1 传统消费模式及其特征

在一般经济学原理和消费经济学理论中，消费方式是指在一定的社会经济条件下，消费者同消费资料相结合的方法与形式，包括消费者以什么身份、采用什么形式、运用什么方法取得和消费这些消费资料和劳务。我们通常讲的传统消费模式，主要有三种：一是原始生态消费模式。这种消费模式存在于人类社会初期，当时人类的消费状况，是很生态化、也是很原始的，人对自然的影响甚微，因而对环境的破坏很小。二是线性消费模式。这种消费模式是人类进入文明社会后最为普遍的消费模式，其特点是：经济系统致力于把自然资源转化为产品，以满足人们生存、享受和发展的需求，用过的物品则当做废物被抛弃，是一种资源耗竭型消费和环境污染型消费。三是循环消费模式。这种消费模式是对产品使用后的材料进行回收和再利用，其特点是对人类生活消费和生产消费的废弃物进行回收、再生和利用，旨在减少对原始自然资源的使用和环境污染，使消费剩余最小化。循环消费对环境的治理由末端治理发展到生产过程控制和清洁生产，减少生产过程废物的输出，是一种相对进步的消费。

5.3.2 现代消费模式及其特征

在传统消费模式引发各种问题的大背景下，人们一直在寻求新型消费模式。其中，可持续消费和绿色消费是最有代表性的两种新型消费模式。

(1)可持续消费模式。可持续消费的思想形成于20世纪60年代，90年代正式被提出。其基本含义是提供服务以及相关的产品以满足人类基本需求，提高生活质量，同时使自然资源和有毒材料的使用量减少，使服务和产品的生命周期所产生的废物和污染物减少，从而不危及后代的需求。这种消费模式的特点是：一是承认地球资源的有限性和后代人的消费权益；二是与环境友好的消费方式；三是其指标是生活质量而不是资源量的消耗；四是注重对精神文化的追求。

(2)绿色消费模式。绿色消费是一种以“绿色、自然、和谐、健康”为宗旨，有益于人类健康和社会环境保护的新型消费模式，其本质是进一步的可持续发展模式。国际上一些环保专家把绿色消费概括成“5R”，即：节约资源，减少污染(reduce)；绿色生活，环保选购(reevaluate)；重复使用，多次利用(reuse)；分类回收，循环再生(recyle)；保护自然，万物共存(rescue)等五个方面。我们所提出“绿色消费”的概念，其至少三包含3层含义：一是倡导消费者在消费时选择未被污染或有助于公众健康的绿色产品；二是在消费过程中注重对垃圾的处置，不造成环境污染；三是引导消费者转变消费观念，崇尚自然，追求健康，在追求生活舒适的同时，注重环保，节约资源和能源，实现可持续消费。

5.3.3 低碳消费模式及其特征

低碳消费实质上是一种基于文明、科学、健康的生态化消费方式，凸显的就是“低碳”这个价值取向。陈晓春在《论低碳消费方式》一文中认为，低碳消费方式是后工业社会生产力发展水平和生产关系下消费者消费理念与消费资料供给、利用的结合方式，也是当代消费者以对自然、社会和后代负责任的态度在消费过程中积极实现低能耗、低污染和低排放。

由于“低碳程度”不同，涉及的具体内容也各异。在我国现有条件下，广义的低碳消费模式内涵包括五个层次：一是“恒温消费”，消费过程中温室气体排放量最低；二是“经济消费”，即对资源和能源的消耗量最小、最经济；三是“安全消费”，即消费结果对消费主体和人类生存环境的健康危害最小；四是“可持续消费”，对人类的可持续发展危害最小；五是“新领域消费”，转向消费新能源，鼓励开发低碳技术、研发低碳产品，拓展新的消费领域，更重要的是推动经济转型，形成生产力发展新趋势，扩大生产者的就业渠道、提高生产工具的能源效益、增加生产对象的新价值标准。

低碳消费模式主要特征体现在以下几个方面：

(1)低碳消费是一种消费结构低碳化的生活方式。低碳消费应该是低碳消费品在消费结构中的比重不断提高，低碳消费数量与低碳消费质量结合恰当。微观层面上的消费结构低碳化，指的是消费者衣、食、住、用、行、娱乐等各种消费类型中低碳消费品数量不断增加，低碳消费效益明显提高。消费结构低碳化，是促进人的全面发展的根本途径，也是构建新型低碳消费生活方式的具体内容。

(2)低碳消费是一种环境友好型、资源节约型的生活方式。在环境友好型、资源节约型的社会中，人与自然和谐相处，人们崇尚合理的节俭，不浪费有限的自然资源。而这样一种和谐状态首先就要从每一个消费者做起，低碳消费对低碳生产、低碳社会发展有着最为直接的影响。

(3)低碳消费是一种以“低碳”为导向的共生型消费生活方式。低碳消费生活方式着力于解决人类生存环境危机，其实质是以“低碳”为导向的一种共生型消费方式，使人类社会这一系统工程的各单元能够和谐共生、共同发展，实现代际公平与代内公平，均衡物质消费、精神消费和生态消费；使人类消费行为与消费结构更加科学化。这样一种共生型消费生活方式充分体现了对自然生物可持续生存权利的尊重。

(4)低碳消费是一种文明、健康的消费生活方式。低碳消费生活方式特别关注如何在保证实现气候目标的同时，维护个人基本需要获得满足的基本权利。但有限的资源、日益恶化的环境，要求我们承担起保护环境、节约能源资源的社会责任，它要求我们具有高度的生态文明、社会文明与精神文明，是一种道德责任。作为高度文明化的现代人类，当然应该追求健康的消费目标，低碳消费是一种更好地改善生活有益于身心健康的生活方式。从经济学上讲，消费包括生产消费和非生产消费。生产消费是指生产过程中工具、原料和燃料等生产资料和生产劳动的消耗。非生产消费的主要部分是个人消费，是指人们为满足个人生活需要而消费的各种物质资料和精神产品；另一部分是非生产部门如机关、团体、事业单位，在日常工作中对物质资料的消耗。因此，推动“高碳消费方式”向“低碳消费方式”的转变应该是全社会的共同职责，只有这样才有利于实现国家利益、企业利益和公民利益的最大化。

综上所述，生活消费方式反映消费者的消费生活特征、消费价值观、消费偏好与消费习惯。在实际消费生活中，它内在地通过消费偏好影响消费者的消费选择，对不同消费品的选择必然引导消费品的生产，从而不同的消费生活方式必然引导着不同的经济发展模式。因此，低碳经济必须依托于低碳消费生活才能实现真正的节能减排目的。

5.4　低碳消费战略框架体系分析和构建

低碳经济最早是在2003年由英国提出，进而在全球开始热门。毫无疑问，低碳是一种发展方向，但这种方向的发展路程还要依据中国的实际国情来进行。中国的基本国情、发展阶段、发展水平和发展目标，决定了中国创建低碳经济是中国特色的低碳经济。发达国家的工业化和城市化已经完成，而中国是发展中国家，如果不加以选择，将会付出巨大的代价，因此应当在不妨碍自身发展的前提下提倡低碳。有学者认为如下的低碳消费战略框架就是这样一种中国特色的低碳发展道路。

5.4.1　引导建立低碳生活方式

将日常消费划分为衣、食、住、行和情五类进行调查分析，其中“衣”包括纺织品的生产过程、纺织过程中能源消耗、纺织品消耗量以及最终废弃回收；“食”包括食品生产过程所消耗的能源及消耗的食品种类、数量；“住”包括住房面积、家用能源的类型及供应量、家用电器种类及数量、家庭采暖和制冷等；“行”包括出行需求、小汽车拥有量、交通方式结构、交通运输基础设施覆盖密度等；“情”包括政府和国防、餐饮和住宿、教育、医疗卫生等。

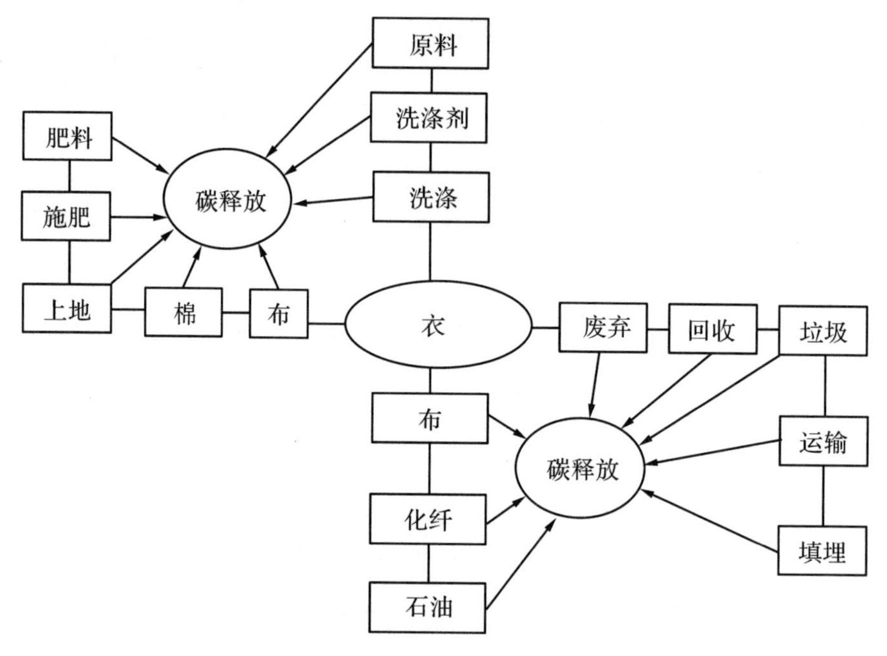

图 5-1 “衣”碳链图

第一，建立衣着新观念。衣着方面的碳链如图 5-1 所示。从衣服原料种植开始，到其制作工艺，再到衣服的洗涤，最后到衣物的废弃回收，每一步都包含着碳的释放。因此我们应当建立新的衣着观念，为温暖而穿，为和谐所着，不为显富而裁，在购置衣物时将低碳这一因素纳入到购买与否的思考当中。在洗涤方面，为卫生而涤，提倡手洗或者费水量较低的机洗，减少不必要的过量洗涤。

第二，建立饮食新理念。饮食方面的碳链如图 5-2 所示。在饮食方面，从粮食的供给、采购、制作，到最后的垃圾处理，每一步也都包含着碳的释放。但中国人由于爱好面子问题，很多时候在宴请客人的时候都大鱼大肉，造成不必要的碳排放。因此，建立新的饮食理念，为健康而食，为长寿而饮，不为豪气而暴饮暴食，在烹调与服务行业搞一场减少排碳的革命。

第三，建立居住新思维。住宿方面的碳排放链如图 5-3 所示。人的一生要更换几套住房，在住的方面究竟要耗费多少碳能源尚未有人去仔细研究。除了住房建造，还包括在日常生活中的家具所耗费的木材建材，以及在建造过程中和居住过程中所消耗

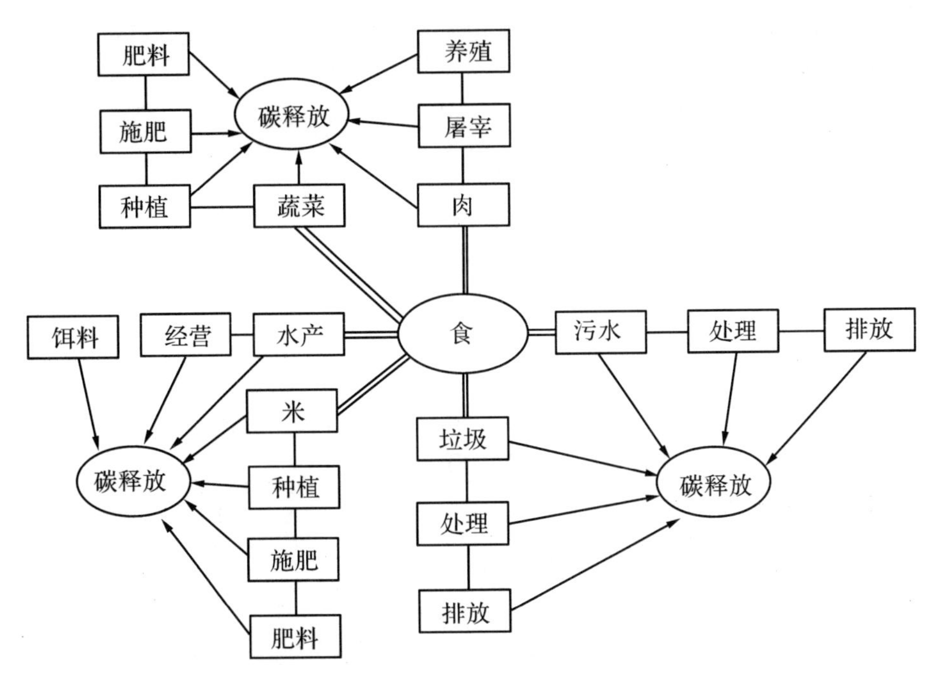

图 5-2 “食”碳链图

的各种能源，如此多隐形的碳排放都是在以往的消费中我们从未考虑过的。因此，我们应当建立新的居住思维，建设以最低碳为标准的智能住宅。

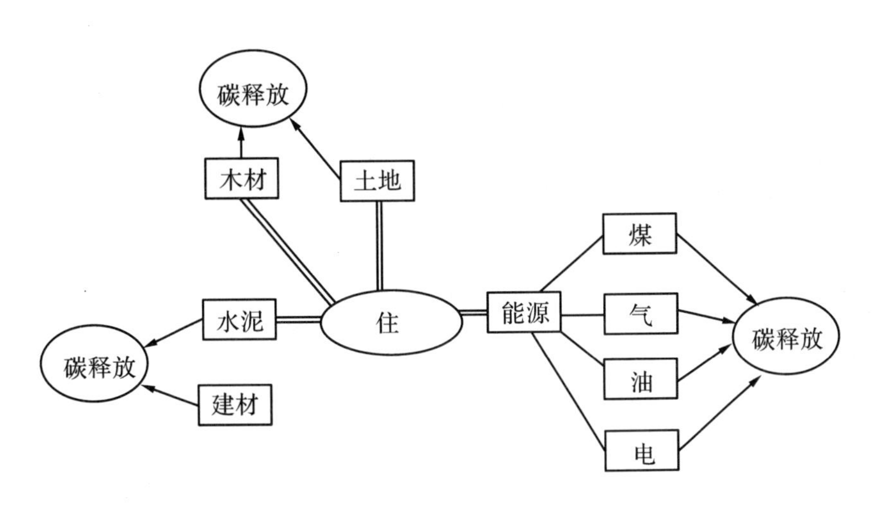

图 5-3 “住”碳链图

第四，建立出行新习惯。在日常出行方面的碳排放是最直接的，能源的消费也是最大的，其碳链如图 5-4 所示，出行所涉及的出行方式及出行工具的制造，道路的铺设和维护等，无不涉及碳排放。因此我们应当在安全、速度与低碳之间再造新型的低碳人类出行体系，尽量降低每人每天的碳排放。

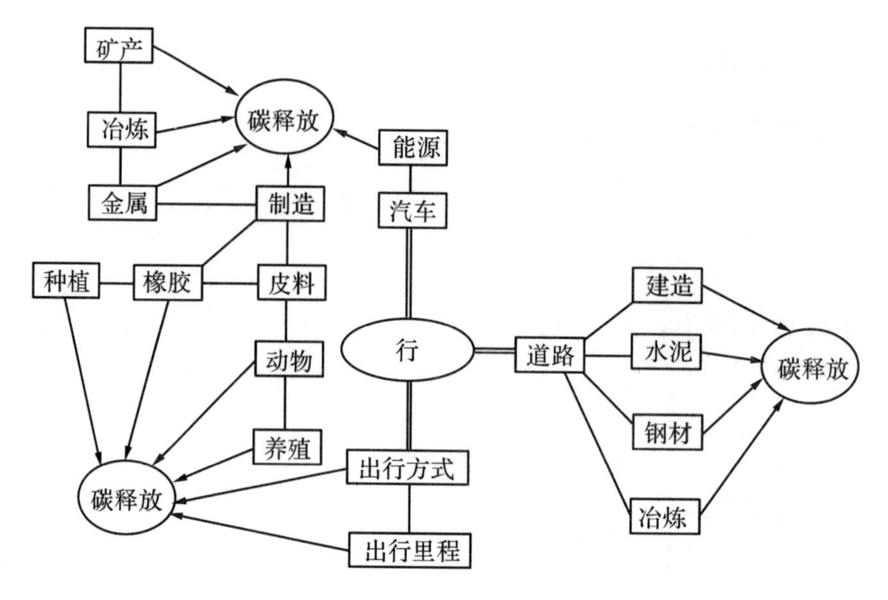

图 5-4 “行”碳链图

第五，建立社会新文明。碳排放其实贯穿于人类生活的每一个角落，教育、科研、医疗、通讯等，因此最重要的是要在社会上倡导建立低碳情操。精神生活使人们成为万物之主，人类由此也应该更多追求的是非物质方面的精神享受(图 5-5)。

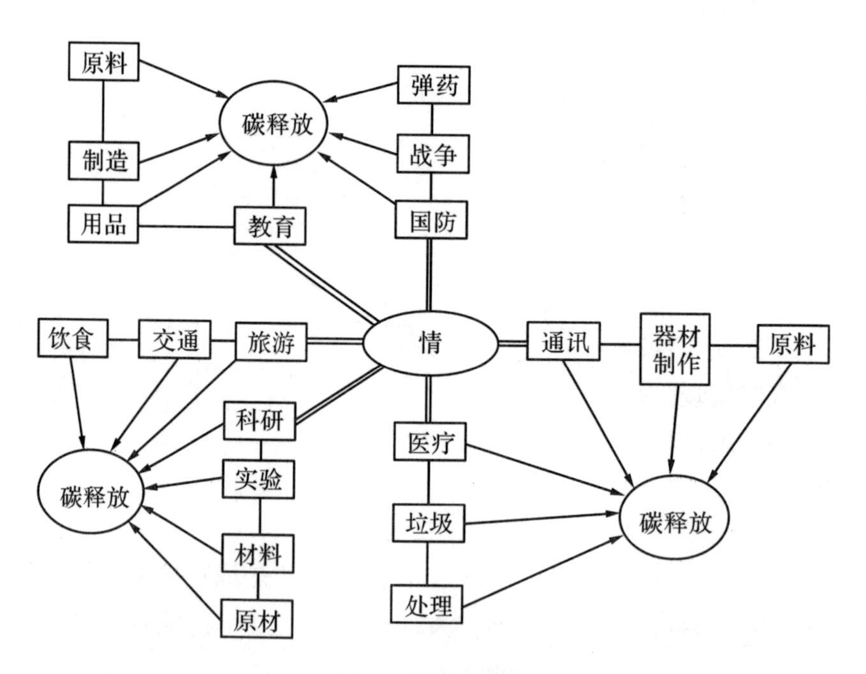

图 5-5 “情”碳链图

5.4.2　个体低碳消费

5.4.2.1　个体低碳消费现状

消费行为是那些具有认知和选择差异消费者选择购买商品的过程。在购买选择的过程中会受到诸多因素的影响。低碳消费的社会意识直接作用于消费者身上，间接影响消费者的购买决策。随着社会上对“低碳”宣传的力度加大，消费者在购买产品时或多或少会接触到低碳产品，但是消费者还是会有意识或无意识地遵守自身的消费惯性，放弃选择低碳产品。此外，消费者的个体特征影响因素也很重要。

从消费者个体统计学变量研究角度来看，消费者个体特征(如消费者的性别、年龄、职业、收入、教育水平等)是消费者做出“低碳消费”选择的基础条件之一；消费者生存环境会对消费是否能产生低碳消费行为产生间接影响。

消费者个体特征对消费者低碳行为有着直接的影响。比如说收入水平在低碳产品消费方面起制约作用。由于低碳产品的价格相对较高，对于那些具有“价格因素”大于“环保节约因素”的消费者而言，实用意识会占上风。根据研究成果表明：人均月收入一旦达到5000美元，人们就会花钱用于改善环境，而在此水平之下人们没有能力涉及环境保护。在北京的一项调查显示，家庭月收入在8000元以上的人全部购买过绿色产品，绿色消费水平比例最高。又如教育可以改变人的观念和行为方式，受过良好教育的人可以更正确地认知人与自然的关系，更容易理解和接受低碳消费社会意识，认识到低碳消费不仅仅是节约能源、保护环境，更多的是改变生活的质量。国外学者的研究也表明，年轻、受过良好教育、政治上比较自由的人群比其他人群更关心环境。国内有研究也表明，教育水平高的人群较教育水平较低的人群绿色消费意识强。

消费者的生存环境限制着消费者的生存空间，形成了消费者生活的文化背景，通过影响行为信念间接影响行为态度，并最终影响行为意向和行为。在哥本哈根会议上斐济等39个距离海平面最近的小岛国家组成联盟向大会申诉，他们赖以生存的家园正是因为全球气候变暖，而要被大海所淹没。这些国家的人们能更先也更深地感受到环境恶化带来的后果，相比其他拥有大片土地的国家他们对于减少全球碳排量控制气候变化的态度更积极。所以，能够深刻体会环境恶化的人们，更容易接受绿色环保的思想，低碳消费社会意识对他们的生活影响更大，在消费者个体特征相似的情况下，他们做出低碳消费选择的可能性更大。

低碳消费只是一种社会消费意识，还没有成为社会文化的主流。社会舆论的导向还是以“大房子”“大汽车”的享乐消费主义为主。低碳消费的文化强度低于个体价值观强度，“低碳”社会文化对个体消费行为的包裹作用十分有限。有研究表明个体感知到的压力对绿色环保意识形成有显著影响，但是对绿色消费行为没有直接的影响。Hungerford 等(1985)认为：具有环境素养的个体有能力和意愿采取环境友好的行为。

5.4.2.2 个体低碳消费的策略

因此为了达到促进“低碳消费”的目的，首先要使“低碳消费”成为社会文化的主流，扩大社会消费文化的内容；让“低碳消费文化”被大多数消费者所接受，使得低碳消费社会意识转化成为个人消费意识的一种。其次，提高个体环境素养，即提高个体的环境知识，包括对环境问题的认知和这种认知下所表现出的行为。再次，提高“低碳消费”社会文化强度，建立“低碳消费”的氛围。包裹作用的发挥与否，与社会文化强度和个人价值观强度孰高孰低有关。因此要么将社会文化的包裹作用发挥到最大，通过法律法规将个体行为强行包裹；要么改变社会舆论导向，让消费者真正认识了解“低碳”，改变个体价值观念，使得“低碳消费意识”成为个人消费意识的一部分，从而建立新的社会文化——社会低碳消费文化。

5.5 低碳消费路径

5.5.1 低碳消费重要性

我国进入工业文明之后，物质财富前所未有的丰富，人们的消费也出现奢侈、浪费、盲目等弊端。这种超需求和非理性的消费方式与不可持续的高碳生产方式交织在一起，给资源和环境带来了破坏性的后果，并且已经开始危及人们的生存与发展。而在我国低碳经济转型发展模式下，低碳消费是与之相配套和呼应的一种消费模式，低碳消费将会逐步消除不科学消费方式带来的影响，在众多方面起到积极的作用。

5.5.1.1 低碳消费是推动低碳生产的根本力量

马克思曾在其著作《政治经济学批判》导言中说：“消费的需要决定着生产，不同要素之间存在着相互作用，每个有机整体都是这样。”可见消费对生产具有反作用，并在一定程度上引导着生产的发展方向与趋势。企业的目标都是为追求利润最大化，而消费作为生产的最终目的和再生产新的需求起点，是企业实现利润最重要的环节之一，因此只有消费群体接受并实行低碳消费才能从根本上推动低碳生产。缺乏低碳消费就无法给低碳生产找到一个最终的出口，那么整个低碳生产也将是空中楼阁，无从谈起。因此实现低碳消费不仅仅是消费本身的问题，而且是关系到低碳生产能否顺利开展、最终实现的根本性问题。

5.5.1.2　低碳消费是缓解能源和环境压力的现实需要

我国改革开放以来，发展十分迅速，虽然在经济建设领域不断取得重大成果，但由于受长期的粗放型经济增长模式影响，出现了能源供应日趋紧张和环境不断恶化的困境。据国家统计局统计年鉴资料显示，2007年我国平均每天能源消耗量为727.6万t标准煤，比平均每天能源生产量645.1万吨标准煤多出82.5万吨标准煤，能源短缺的问题正在成为制约我国经济发展的一大障碍。另据中国气象局发布的观测结果显示，30年来我国沿海地区温度上升了0.9℃，沿海海平面上升了90mm，并且各种极端气候出现的频率不断增多，给人们的生产和生活带来了严重影响。现在到未来很长一段时间，是我国经济发展的关键时期，为了既不影响经济发展速度又同时能够缓解能源日益紧张与环境不断恶化的问题，低碳经济成为必然抉择，那么作为低碳经济一部分的低碳消费也就顺理成章地成为我国的现实需要。

5.5.1.3　低碳消费是提高生活品质和促进人全面发展的重要手段

低碳消费作为新兴的消费模式，是要将保护气候环境与满足消费所需二者和谐地相结合，要让人们在消费的过程中学会合理消费，减少温室气体排放和对环境的损害，使人们消费行为与消费结构更加科学化，并意识到环境质量是生活质量的重要组成部分，高品质的生活离不开好的环境，而低碳消费则是实现这一目的的重要手段。大家都已认可这样一个观点：低碳消费方式体现人们的一种心境、一种价值和一种行为，代表着人与自然、社会经济与生态环境的和谐共生。选择低碳消费方式不仅是一种生活模式，更是人们一种优良价值观的体现，提升了人们的责任感与使命感，有助于其精神家园的建设，使人达到物质需求与精神需求的和谐统一，最终有利于人的自由与全面发展。

5.5.1.4　低碳消费是一种更好地提高生活质量的消费方式

低碳消费方式特别关注如何在保证实现气候目标的同时，维护个人基本需要获得满足的基本权利。由于满足基本需要的人权特性和有限性，在面临资源与环境约束的情况下，应该把有限的资源用于满足人们的基本需要，限制奢侈浪费。人们应该认识到：生活质量还包括环境的质量，若环境恶化，人们的生活质量也最终会下降。在环境资源日益稀缺的今天，低碳消费方式是一种更好地提高生活质量的消费方式。

低碳消费方式体现人们的一种心境，一种价值和一种行为，其实质是消费者对消费对象的选择、决策和实际购买与消费的活动。消费者在消费品的选择过程中按照自己的心态，根据一定时期、一定地区低碳消费的价值观，在决策过程中把低碳消费的指标作为重要的考量依据和影响因子，在实际购买活动中青睐低碳产品。低碳消费方式代表着人与自然、社会经济与生态环境的和谐共生式发展。低碳消费方式的实现程度与社会经济发展阶段、社会消费文化和习惯等诸多因素有关。因此，推行低碳消费方式是一个不断深化的过程。

由于“低碳程度”不同，涉及的具体内容也各异。在目前我国社会条件下，广义的低碳消费方式涵义包括五个层次：一是“恒温消费”，消费过程中温室气体排放量最低；二是“经济消费”，即对资源和能源的消耗量最小，最经济；三是“安全消费”，即消费结果对消费主体和人类生存环境的健康危害最小；四是“可持续消费”，对人类的可持续发展危害最小；五是“新领域消费”，转向消费新能源，鼓励开发新低碳技术、研发低碳产品，拓展新的消费领域，更重要的是推动经济转型，形成生产力发展新趋势，将扩大生产者的就业渠道、提高生产工具的能源效益、增加生产对象的新价值标准。

从经济学上讲，消费包括生产消费和非生产消费。生产消费是指生产过程中工具、原料和燃料等生产资料和生产劳动的消耗。非生产性消费的主要部分是个人消费，是指人们为满足个人生活需要而消费的各种物质资料和精神产品；另一部分是非生产部门如机关、团体、事业单位，在日常工作中对物质资料的消耗。因此，推动“高碳消费方式”向“低碳消费方式”的转变应该是全社会的共同职责，只有这样才有利于实现国家利益、企业利益和公民利益的最大化。

5.5.2 推进低碳消费面临的问题

低碳消费虽然在理论研究上取得了一定的进展，得到了不少学术界人士的推崇，并被学术界公认为最佳的消费方式之一，但想要取得长足发展，完全取代旧的消费方式，仍然面临着不少问题。

5.5.2.1 低碳经济还处在起步阶段，低碳消费环境不够理想

我国在过去很长一段时间的发展是以牺牲环境为代价的高耗能、高投入的粗放式增长模式，甚至到现在，不少地区仍未有大的改观。造成这种现状的原因：首先，由于目前不少地方政府依旧奉行 GDP 至上的信条，行政首长出于政绩和地方财政的需要，片面强调工业经济的发展，不注重其是否实行了低碳政策、是否符合低碳经济发展的原则；其次，低碳经济目前还处在起步和试验阶段，还没有一整套相对完善的推广与考核制度，现在所依赖最多的还是国家所推行的节能减排和发展新型低碳能源的相关政策；而对于此项政策，许多地方也只是消极被动地参与考核，而不是积极主动地去推进与深化。因此，整个低碳经济的发展还不够充分，作为低碳消费实现所依存的重要经济环境，低碳经济的发展还不够理想。

5.5.2.2 企业对低碳消费前景担忧，阻碍了低碳消费的推广

目前，大多数企业对低碳消费抱着谨慎和保留心态：一方面是因为担心低碳消费的推广难度大而导致低碳产品销售受到制约；另一方面则是因为低碳产品本身存在开发难度大、成本高、风险大等不利因素。因此，不少企业仍旧偏重工艺成熟、开发周期短、投入相对较小、获利快的传统型产品，这是由企业逐利的本质所决定的。我国由于社会主义市场经济建设时间短，市场体系还不完善，许多企业特别是中小型企业的生命周期不长，企业越发注重短期利益，再加上国家金融信贷资金向中小型企业倾斜不够，许多企业用于研发的资金较少，因此大多数中小型企业更加不愿意为了一个前景不明朗的低碳消费市场而大举投入，客观上阻碍了低碳消费的推广。

5.5.2.3 消费者的收入水平不高、消费观念落后，抑制了低碳消费的发展

任何消费都是以收入水平作为其基本支撑，消费者多会根据自身的经济收入来决定消费方式，因此收入水平在很大程度上决定着消费者对低碳产品的关注程度。不少低碳产品因为成本和技术含量较高，售价相比普通产品要贵，如低耗能的空调产品，价格往往比高耗能的要贵上几百元甚至上千元，这个时候消费者往往会根据自己的经济实力来取舍。因此，只有当收入水平达到一定的程度，人们才会开始关注其消费行为对自然和社会如何才会更加有益。这一点，在司林胜的研究中得到了很好的证明，其研究所得，在月收入为800~2000、2001~4000、4001~6000、6000元以上4组收入阶层中，选择商品有无绿色标志的比率分别为14.5%、17.25%、23.3%、41.7%。这进一步说明个人对消费方式中的环保关注度是与其富裕程度呈正比的。然而，目前我国还是一个发展中国家，人们普遍收入水平不高，对于低碳消费这种高层次、高质量的消费，人们还没有足够的经济收入来支撑。同时，消费者的观念也是决定低碳消费实现速度的重要因素。目前，我国很多消费者的生态环保观念不强，一方面，部分消费者对自我消费方式与生态环境的关系认识不正确，对低碳消费等健康消费方式认识不够，认为环保是政府该去负责的事，自己只要花钱了就应该满足自我的消费需求，追求的是个人享受与满足，造成不少过分消耗资源与严重污染环境的消费大行其道。特别在广大农村，大多数的农村消费者几乎还没有低碳消费这一概念，其消费观念最朴素的概念就是以最低的经济成本满足生活所需，对于一些较高经济成本的低碳消费更是无法企及。这样一些消费观念的存在很大程度上使得低碳消费方式的深入实行受到了阻碍。

5.5.3 低碳消费发展不足的原因

5.5.3.1 居民消费结构不合理

据统计，城镇居民生活行为中能耗最大的行为是居住，占到了城镇居民对能源消费的45.1%；另外，直接的生活用能占26.43%，食品占11.66%，教育文化娱乐服务占8.37%，四者共占91.56%。这些行为同时也是最大的碳排放行为，分别占城镇居民生活行为二氧化碳排放的43.82%、24.47%、12.85%、9.74%，共占90.88%。

这说明居民消费的低碳化还得依赖于居民消费结构的调整和增长方式的转变。据新华社的报道，我国各地的私人汽车销售量都在不同程度地增加，北京市的私人汽车拥有量以每年10%的速度增加，广东仅2008年上半年每百户家用汽车拥有量就同比增长了16.6%。如不及时采取措施，10年后，我国机动车污染将会超过煤炭，成为大气污染的主要因素。另外，一些居民还存在攀比心理和从众心理，在住房、汽车等高碳排放的消费过程中，片面追求大户型、大排量的商品消费方式。如果用“碳排放计算器”，简单估算一下可知：100m^2的住房、一辆轿车的三口之家，一年的碳排放近百吨。这些数据表明，我国居民的消费结构还不够合理，要进行相应的消费结构调整和升级。

5.5.3.2 发展低碳消费的相关制度不够完善

居民的低碳消费意识淡薄与相关制度不够完善有很大关系。居民进行低碳消费，消费环境很重要，这就需要国家制定相关的制度对低碳消费的环境进行治理和改善。在德国，政府对销售的冰箱、洗衣机、烘干机和家用照明设备都按节能多少标注上A－G七个能耗等级，便于居民在购买电器时有意识地选择节能电器。瑞典也是一个在低碳制度制定方面的榜样，尤其是率先在世界上将环保概念引入驾驶执照考试中，并为鼓励国民使用环保型汽车出台了一系列政策措施。根据2008年英国政府的统计数字，伦敦市民的平均年薪比英国的平均年薪高了1万英镑，尽管如此，伦敦市民的节水意识通过政府的引导，得到了显著提高。而如今国家出台的一些节能减排制度都仅适用于在工业生产方面，真正与低碳消费相关的激励和惩处制度还很少，有些居民即使进行低碳消费活动，也是出于一种自觉自愿。

5.5.3.3 低碳消费领域缺少资金支持

《2050中国能源和碳排放报告》显示，预计到2020年，我国的能源需要投资18万亿元，用于生产和消费的节能、新能源和环保需要7万亿元，这样算来，每年的节能减排市场规模为3000亿~4000亿元，目前我国每年在这个市场的投资不到1000个亿。到2020年，节能与新能源行业和其他环保行业至少有2万亿左右资金缺口需要填补。

用于发展低碳消费领域的资金不到位，很多制度就难以执行实施，应用于低碳消费的低碳技术也得不到有效的发展。2009年，日本重新启动了太阳能鼓励政策，并将其作为经济转型的核心战略之一。在花费35亿日元用于创新性太阳能发电技术的基础上，再增加总计1.6万亿日元的环保产业支出，其中主要用于太阳能技术的开发与利用。可见，要有足够的资金支持，低碳消费领域的技术才能得到很好的开发，相关制度才能得到较好的执行实施。

5.5.4　低碳消费行为培养途径

5.5.4.1　加大政府低碳消费引领作用

一是培育全民低碳意识，营造低碳消费文化氛围。通过通俗易懂、丰富多彩的宣传，影响公众行为，促使他们接受新技术，从而既能满足未来的能源需求，又能确保温室气体的减排。二是完善政府激励低碳消费的政策法规。一方面政府要出台政策和法规鼓励企业、公民和社会组织实行低碳消费，如制定奖励措施，对于开发低碳产品、综合利用自然能源、投资低碳生产流程的企业，给予支持和鼓励，并在贷款、税收等方面给予优惠政策；另一方面抑制消费主体的高碳消费方式。三是政府机构应从自身入手，带头节能减排。政府部门和单位通过早期采用、购买最新先进技术与产品等措施，为其他部门树立榜样。如率先使用节能减排型设备和办公用品，尽可能将办公大楼建设或改造成节能型建筑，制定和实施政府机构能耗使用定额标准和用能支出标准，实施政府内部日常管理的节能细则，制定政府节能采购产品目录，推行政府节能采购。加大公共服务低碳化。公共服务要求充分考虑自然环境的保护和人类的身心健康，从服务流程的服务设计、服务耗材、服务产品、服务营销、服务消费等各个环节着手节约资源和能源，防污、降排和减污，以达到公共服务效能和环保效益的有机统一。大力推进智能信息化进程。通过服务智能信息化，降低服务过程中对有形资源的依赖，将部分有形服务产品，用智能信息化手段代替，进一步减少服务对生态环境的影响。

5.5.4.2　强化社会低碳消费支撑系统

政府要尽快制定各行业在资源回收利用方面的政策和法规，建立和完善绿色经济指标考核体系，再生资源回收利用体系，循环经济技术开发、创新和标准体系，监督管理机制以及生产者责任延伸制度，加速推进“节约型”资源利用方式。首先，积极构建环境友好型的经济体制与运行机制。制定生态自然资源保护办法及消费价格和消费税收等政策，严格界定可纳入与不可纳入消费对象的范围和条件；建立约束与激励机制相结合的可持续的消费奖惩制度体系，对消费者的消费行为进行科学有效引导；建立消费废弃物回收、再利用及消费污染控制与处理的制度，从终端控制消费带来的负效益。其次，大力倡导“节约型”资源利用方式。提倡健康消费、安全消费、绿色消费、环保消费、科学消费、节约型消费。大力推进节能、节水、节地、节材，加强资源综合利用，完善再生资源回收利用体系，全面推行清洁生产，形成低投入、低消耗、低排放和高效率的节约型增长方式；积极支持科研院所与生产企业合作，大力开发和推广节约资源、替代有害物和循环经济技术，加快企业节能降耗的技术改造，实行有利于资源节约的价格和财税政策。

5.5.4.3 引导群众低碳消费，强化自主意识

对高收入消费群体，可以通过创新消费内容，拓宽消费渠道，扩大服务性消费、生态消费等新型物质消费少，环境污染少，生态知识含量高的消费项目，引导其消费的合理性与科学性；对中等收入阶层，可以通过稳定就业、引导其工资收入的稳步增长合理安排等举措来提高其消费行为的可持续性；对于低收入阶层，则要努力改善他们的消费行为，关键是提高他们的收入水平或是在财政政策上予以倾斜。除开展各种形式的可持续发展宣传、教育和培训，塑造可持续消费的文化价值观念外，还要运用相关环境和资源保护的法律、法规以及必要的行政手段（特别是加强环境法、消费法、消费制度建设，加快资源使用、环境资源保护等相关政策制定与执行），对消费对象、消费行为等方面实施有效激励与监督，协调消费者在环境治理方面的利益矛盾。如，简化包装、绿色包装，控制一次性消费品的滥用，推行废旧物品的回收再利用等，通过环境友好的消费选择带动环境友好产品和服务的生产。

5.5.4.4 建立可持续的低碳消费政策评估改进体系

在进行产品资源环境消耗的实物量监控时，将实物量的物流流量控制在环境系统承载能力范围之内，强化环境的空间约束，以确保战略性资源的安全供给和环境系统的稳定。在进行价值核算时，可选用环境成本收益中的间接评估法（如剂量反应损失法）和直接评估法（如支付意愿法）等评估方法进行价值评估，分别度量环境的使用价值和工具价值。当资金投入小于评估值，就需要对某些行业产品的消费和废弃环节实施经济、法律，甚至是行政的调整，以降低排放强度，提高资源利用效率。

另外，当资源环境价格低于其价值，政府需要组织开展生态环境的生产与消费补偿，并采取激励机制，积极稳妥地推行各种形式的生态环保产品的消费。特别是对水、能源等生产力与成本的科学计算，通过公众讨论协商与监督，制定用水、用能标准和价格体系，使之更加科学合理。加快开发推广节能、节水、节材的新产品和新工艺，进一步提高资源利用效率。对新型节水、节能产品的生产商和消费者实行政策倾斜、财政补贴，减少资源损耗，提高资源利用效率。

5.5.4.5　建立良好的协作机制

政府引领低碳消费方式。一是培育全民低碳意识，营造低碳消费文化氛围。通过通俗易懂、丰富多彩的宣传，影响公众行为，促使他们接受新技术，从而既能满足未来的能源需求，又能确保温室气体的减排。二是完善政府激励低碳消费的法规政策。一方面政府要出台政策和法规鼓励企业、公民和社会组织实行低碳消费，如制定奖励措施，对于开发低碳产品，综合利用自然能源，投资低碳生产流程的企业，给予支持和鼓励，并在贷款、税收等方面给予优惠政策；另一方面抑制消费主体的高碳消费方式。三是政府机构应从自身入手，带头节能减排。政府部门和单位通过早期采用、购买最新先进技术与产品等措施，为其他部门树立榜样。如率先使用节能减排型设备和办公用品，尽可能将办公大楼建设或改造成节能型建筑，制定和实施政府机构能耗使用定额标准和用能支出标准，实施政府内部日常管理的节能细则，制定政府节能采购产品目录，推行政府节能采购。

企业主导低碳消费方式。企业既是全社会推行低碳消费方式的“瓶颈”，也是“桥梁”。“瓶颈”是指企业是能源消费和碳排放大户，由于社会低碳消费意识的增长，低碳消费方式作为价值考量标准，促使企业不得不进行技术革新，降低能耗、提高资源的利用率，实行环境友好的排放方式。实现企业生产性消费的低碳化是一项长期、艰巨的任务，需要企业具有减排的社会责任意识并投入资金和人力资源，通过技术创新降低企业单位能源消费量的碳排放量，最终实现企业生产消费过程中能源结构趋向多元化和产业结构升级。“桥梁”是指企业也是低碳消费产品的提供主体，是联系低碳生产性消费和低碳非生产性消费的桥梁。低碳消费方式作为一种新的经济生活方式，给经济发展和企业经营带来新的机遇。只有企业提供了低碳节能的消费品，使公众在超市或其他商场购买产品时根据低碳化程度有所选择，才能有更广泛、深入地推行全民低碳消费方式的物质基础。

社会组织积极推进低碳消费方式。社会组织是现代多元治理结构中的重要主体，对促进低碳消费方式的全民化具有不可替代的作用。其分布广且深入社会各阶层，以其自身的布局优势比政府能更广泛、深入地开展节能减排、低碳经济的宣传教育活动；同时，比如说环保组织本身就是一类很重要的社会组织，这说明社会组织会更易于接受低碳消费的理念，并且积极实践、热忱推广。

公民广泛参与低碳消费方式。公民参与低碳消费方式需要关注“5A”：一是Awareness（认知性），即对低碳消费方式的了解和认知；二是 Availability（可行性），即低碳消费方式的现实实用性和对减少温室气体排放的有效性；三是 Accessibility（可操作性），即低碳消费方式的可操作性；四是 Affordability（可承受性），即人们实行低碳消费方式的经济成本可以承受；五是 Acceptance(可接受性)，就是在道德价值和安全可靠等方面的社会接受程度。毋庸置疑，公民的消费方式会在点滴之处积少成多，成为新时代社会价值取向的“风向标”。

第6章　低碳经济的城市发展模式

6.1　低碳城市

6.1.1　低碳城市概述

6.1.1.1　低碳城市

所谓低碳城市模式，就是指在城市空间地域范围内和城市化快速发展背景下，通过大力发展低碳经济，推进低碳技术创新和制度创新，建立低碳生活理念和生活方式，最大限度地提高资源、能源利用效率和减少温室气体的排放，逐步形成资源集约、环境友好、社会和谐的社会经济运行模式和健康、节约、低碳的生活方式和消费模式，最终实现城市的高效发展、低碳发展和可持续发展。

在了解了低碳城市后，应从以下各方面来说明在我国现阶段如何发展低碳城市。

(1)改变低碳化的城市能源供给方式。该方式是指从源头上改变城市能源供给，加速从“碳基能源”向“低碳能源”和“氢基能源”转变，彻底实现城市的低碳和零碳发展。其实现路径是大力发展水能、风能、太阳能、潮汐能等清洁、可再生能源发电，逐步提高新能源在城市能源结构中的比例。

(2)我国目前产业结构。控制高碳产业的发展速度为了降低城市经济的能耗强度和碳排放强度，必须加快城市产业结构的优化升级，严格控制高能耗、高碳排放产业的发展，逐步从结构上实现经济的高效、低碳发展。

(3)大力提高资源、能源利用效率，改善环境现状。根据国家现代化进程的发展需求，将国家能源消费结构的变化与城市燃料供应的改善紧密结合起来，扩大石油和天然气消费，最大限度地提高各类城市的气化水平和高质量燃料供应。注重新一代纤维素乙醇和氢燃料等车用燃料生产技术，清洁煤、核能、太阳能和风能等先进发电技术，先进节能技术，碳捕获和封存，可再生能源等的研究与开发。将大力改善城市环境和经济发展现状。

(4)尽快转变城市居民的消费方式。引导城市居民尽快转变消费方式，实现城市低碳发展。具体措施有：①加强宣传，正确引导居民消费行为，在国内形成一种节约能源、提高能源效率、减少 CO_2 排放的良好氛围；②对节能产品采取政策和税收方面的优惠，鼓励消费者购买，从而降低单位产品的生产和使用能耗；③制定人均住房面积标准，引导城市居民购买适度面积的房子，减少对取暖、采冷、照明等热能和电能的需求，进而减少 CO_2 的排放量；④提倡选乘公交车、骑自行车和步行等出行方式，节约能源，保护环境；对汽车购买提出限制政策；⑤鼓励城市居民对初级食品的消费，引导居民形成直接消费天然绿色食品的行为模式，同时提高居民膳食质量和营养构成，降低食品行业的能源消耗和碳排放量。

(5)城市绿化的加强。城市绿化对经济发展、城市环境保护，防止污染的作用是多方面的。首先可以净化空气，吸附灰尘，减轻大气污染。其次，城市绿化还有助于降低城市噪声。这将进一步推进我们全面建设低碳城市的脚步。

6.1.1.2 生态文明与低碳城市

工业文明以来，人类创造了空前的物质繁荣，但文明发展中日益凸显的生态危机、社会危机和人类精神危机直接威胁到人类的生存和人生的幸福。在今天，建设生态文明不仅成为学术探讨的热点问题，而且日益成为一种社会性的公共讨论话语，成为人类克服工业文明危机的理性选择与社会行动。当代人类正进入一个文明形态转型期——走向生态文明。

从广义角度来看，生态文明是人类社会继原始文明、农业文明、工业文明后的新型文明形态。它以人与自然协调发展为基本准则，建立新型的生态、技术、经济、社会、法制和文化制度机制，实现经济、社会、自然环境的可持续发展，强调从技术、经济、社会、法制和文化各个方面对传统工业文明和整个社会进行调整和变革。生态文明是工业文明的救赎之道。与工业文明相比，生态文明的核心价值在理念层面是“人与自然和谐共生”；在制度层面是生态优先的制度体系；在物质层面是可持续的经济发展(表6-1)。

20 世纪 60 年代初，美国女科学家蕾切尔·卡逊以《寂静的春天》揭示了伤害自然必然危及人类自身生存的事实，提出了人与自然共存共荣的问题。20 世纪 80 年代，人们开始对工业文明进行初步反思，各国政府开始把生态文明保护作为一项重要的施政内容。1981 年，美国经济学家莱斯·R·布朗出版了《建立一个可持续发展的社会》一书，首次提出了可持续发展问题。1983 年联合国成立世界环境与发展委员会，在该委员会 1987 年发布的研究报告《我们共同的未来》中，对可持续发展做了理论表述，

表6-1　工业文明与生态文明

	工业文明	生态文明
理念层面	工业文明崇尚“人统治自然”的价值观，认为只有人是主体，其他生命和自然界是人的对象；只有人有价值，其他生命和自然界没有价值；因此只能对人讲道德，无需对其他生命和自然界讲道德。它强调人对自然的征服，以“利润最大化”为发展动力，推崇物质享乐主义，最终导致对自然资源的肆意开发	生态文明的核心理念基于一个科学常识之上，即：人类生存于自然生态系统之内，人类社会经济系统是自然生态的子系统。生态系统的破坏将会导致人类的毁灭。它认为不仅人有价值，自然也有价值。因此，人类要尊重生命和自然界，同其他生命共享一个地球，在发展的过程中注重人性与生态性的全面统一，强调人与自然协调发展，强调“天人合一”，强调人类发展要服从生态规律，最终实现人与自然的和谐共生
制度层面	工业文明未将生态理念纳入制度考虑，漠视生态环境与自然资源的承载能力，将经济的快速增长、物质财富的积累作为衡量社会进步以及个人发展的准则；把无限扩张的市场和计划建立在自然资源是取之不尽、用之不竭的虚幻泡沫基础之上	生态文明充分考虑生态系统的要求，发展中始终贯彻“生态优先”的原则，通过完善制度和政策体系，规范人类的社会活动，实现传统市场体制和政府管理体制的转型，核心是通过强化生态文化教育制度、落实生态环境保护法治，建立生态经济激励制度等，为人与自然的和谐共生提供制度和政策保障
物质层面	工业文明以不计环境代价的方法掠夺式地发展经济，高投入、高能耗、高消费、高污染，将生态环境变成了“资源库”和“垃圾场”，导致自然生态的急剧恶化。其生产方式，从原料到产品到废弃物，是一个不可持续的线型过程。生活方式以物质主义为原则，以高消费为特征，认为更多地消费资源就是对经济发展做贡献	生态文明倡导有节制地积累物质财富，选择一种既满足人类自身需要，又不损毁自然环境的健全发展，使经济保持可持续增长。在生产方式上，转变传统工业化生产方式，提倡清洁生产；在生活方式上，适度消费，追求基本生活需要的满足，崇尚精神和文化的享受

形成人类建设生态文明的纲领性文件。1992年里约热内卢环境与发展大会上《21世纪议程》中正式提出可持续发展理念，标志着人类文明一个新时代——生态文明时代的来临。正是在这样的理论和实践背景下，人类对可持续发展的探索才进入以生态文明为指向的新时代，低碳城市开始进入人们的视野。

学术界、国际组织和各级政府对“低碳城市”的探索最初源于低碳经济。英国在其2003年《能源白皮书》中首次正式提出“低碳经济”的概念。“低碳经济”在理论上的最大贡献在于，它引入了“碳源”和“碳汇”的概念，第一次将自然生态系统与人类活动放在了平等的地位，以“碳”为桥梁在人与自然之间搭建了一个可度量的平台，为人类活动与自然生态系统之间画出了一条不可逾越的边界——碳排放与碳汇的动态平衡——越过这条界限就等于走向灭亡。低碳经济实践着生态文明时代人与自然“两个中心”协调、“两种价值”并重的理念，但人们在实践中逐步发现，低碳经济只解决生产领域减少碳排放的问题，其他领域的主体也应该有所作为，而作为人类活动的中心——城市，应该是减少碳排放的核心载体。于是，低碳经济、低碳社会、低碳交通、低碳社区、低碳家庭等一系列概念最终聚焦到低碳城市。从这个意义上讲，低碳城市实质上就是城市尺度的生态文明形态，是具有生态文明时代特征的城市发展模式。

6.1.1.3 基于城市价值的低碳城市概念

价值是客体对主体的效用。传统价值观认为，自然只是相对于人类的利益来说具有工具价值。生态文明价值观认为，自然不仅具有工具价值，而且具有主体性的内在价值，是工具价值和内在价值的统一体。生态文明的最大特点是两个中心、两种价值，即由工业文明时代只有人类一个中心、一个主体变为人类与自然并存的两个中心、两个主体，作为自然生态系统的一个环节——尽管处于生态链的最高端——人类的任何活动都必须同时对人和自然两个主体具有价值，否则就是不可持续的行为。作为人类活动最重要的平台，城市的价值也应该从人和自然两个方面来认识。

(1)生态文明时代城市对人的价值。城市是承载人类美好生活理想的地理空间。尽管学界对城市的概念至今没有一个普遍认可的定义，但所有学科和学者对城市研究的最终指向都是人和人的生活。城市的本质是人，没有人的集聚就没有城市。而城市之所以是城市，是因为它能够给人类提供与农村等其他居住、生活方式不同的价值，以实现人类美好生活的理想。

需要说明的是：

第一，尽管人类在不同文明时代、不同发展阶段对城市的价值追求的重点和具体内涵有所不同，但城市所能提供的最基本的价值是不变的。我们认为，能够为人们提供安全、方便、文明、富裕和有机会、有尊严的生活，是城市与人类的其他居住方式最本质的区别，是城市的基本价值。这些价值最终的指向是不断提高生活质量。

第二，城市在为个人提供基本价值的同时，由于在集聚人口的同时也集聚了需求，集聚了各种生产要素，积聚了市场，为在高度分工基础上高效率地组织社会生产和服务提供了条件，因此为包括企业在内的各种经济社会组织的生存和发展提供了价值。这些价值的最终指向是不断提高企业和组织竞争力的同时提升城市竞争力。

第三，作为迄今为止最高级的文明形态，生态文明是对人类全部文明成果的集成。高一级文明形态的价值诉求是以低一级文明形态所能提供的价值为基础，但并不意味着工业文明没有充分发育之前就不能以生态文明的价值观来组织城市建设和发展；恰恰相反，因为生态文明的价值观代表着城市发展的正确方向，是确保城市发展少走或不走弯路的行动指南。

(2)生态文明时代城市对自然的价值。在生态文明之前，作为人类社会经济活动最集中的平台，城市同时也是人类征服和改造自然的最重要平台，自然只是作为人类征服、改造并为人类服务的对象而存在，其本身并没有价值。生态文明要求人类自觉地把自身的生存与发展纳入自然生态系统中去思考，在尊重自然价值的前提下提高人民生活质量和城市发展水平，城市的建设与发展必须有益于包括人类在内的自然生态系统的健康。生态文明城市对维护自然生态平衡、促进人与自然和谐方面的价值主要体现在以下几个方面：

第一，以集聚效应提高资源利用效率。利用城市经济的集聚效应，通过技术和人才的集成来创新和推广应用非化石能源和低碳能源技术，比如碳封存、碳捕捉及太阳能等技术的应用，提高能源利用效率；通过产业集聚和专业化分工，形成上下游产业链，发展循环经济，提高资源利用效率；通过人口的适度集聚，以完善的城市基础设施和公共服务科学组织城市生产与生活，实现自然资源的节约利用。

第二，以扩散效应提升生态文明领导力。利用城市扩散效应，在国家城市体系中，形成由高一级城市向低一级城市、中心城市向腹地、城市向郊区在生态文明的价值观、生活方式、发展模式、发展机制及政策规制上的逐级传递，实现生态文明价值链、产业链和生态链在城市、地区、国家尺度甚至全球尺度上的闭合与循环，最终实现人与自然的和谐统一。

第三，以系统效应提高生态文明创造力。利用城市的系统效应，通过改变城市空间结构，创造低碳型的城市拓展模式；通过低碳型的体制、机制和政策来创新低碳发展模式，比如生态城、绿色园区、低碳社区、低碳建筑、低碳交通及城市综合体等；通过生态文明理念的普及和强化政策调控，倡导和创新低碳生活方式。

当然，城市的集聚、扩散和系统效应是一把双刃剑，当我们以人类单中心、单价值的工业文明思维来无节制地“挥舞”时，它必然迅速地把自然资源耗尽，从而斩断人类的未来；而当我们以人与自然双中心、双价值的生态文明思维来应用时，它就会最大限度地实现人与自然的协调，并进而创造出一种新的城市形态——低碳城市。

(3)基于城市价值的低碳城市新内涵。从我们对生态文明时代城市价值的分析可知，低碳城市本质上是这样一种城市，即能够在保障人与自然和谐统一的基础上最大限度地提高人民生活质量的城市形态，是城市对人和对自然生态系统价值最大化的协调统一。

这个概念包含以下几层含义：

第一，人与自然和谐统一是低碳城市的建设目标。和谐意味着人与自然共生、共赢、共荣，而不是征服、改造、索取；统一意味着人与自然相互联系、相互依存、相互渗透，意味着尊重自然、爱护自然、保护自然，是马克思所谓“人的自然主义与自然的人道主义的统一”。要实现这种和谐统一，除了在理念层面树立人与自然“两个中心、两种价值”的生态文明观以外，还需要在实践层面为人类活动划出一条终极的、不可逾越的界限，那就是碳源与碳汇的动态平衡。通过减少碳源、增加碳汇，始终保持城市人工环境与自然环境之间物质能量循环的动态平衡，是实现人与自然和谐统一的根本要求。

第二，生活质量的不断提高是低碳城市的核心价值。生活质量是老百姓的生活状态和生活预期，低碳城市作为生态文明时代的城市形态，除了应该享受工业文明给人们带来的安全、方便、文明、富裕、发展机会及有尊严的生活之外，对生活质量的诉求进一步融入了人与自然和谐统一的内涵。低碳城市不是降低人们的生活质量，而是要求以生态文明的理念规划城市、建设城市和管理城市，让发展的成果惠及全体人民，最大限度地提高人民的生活质量。这是生态文明时代中国城市发展最重要的价值导向，同时也是低碳城市的核心价值所在。

第三，城市竞争力的不断提升是低碳城市实现价值最大化的标志。城市对人和对自然生态系统的价值最大化的协调统一，最终要体现在城市竞争力的提升上，没有竞争力就没有价值。低碳城市的竞争力来源于更高的生活质量、更高的资源利用效率、更强的生态文明领导力、更高的价值倍增效应，其理念、模式、规制、战略以及由此形成的城市品牌，在吸引和集聚资源要素、引领时代发展潮流和整合城市价值等方面具有得天独厚的优势，是最富竞争力的城市形态。大力发展在生态文明理念指导下的低碳城市，是将人类带出危机并步入可持续的健康幸福之路的唯一途径。

6.1.2 国外低碳城市的不同实践模式

与低碳城市概念的讨论还处在初期阶段相比，世界各国为了应对气候变化，实现低碳发展，积极完善法案、政策保障，出台了低碳发展的国家行动计划，大力推动低碳城市的实践。

英国关于气候变化、低碳城市与城市规划的研究与实践无疑走在了世界前列，尤其在国家规划政策指引中，关于可持续发展规划、应对气候变化的规划政策，从规划的编制、实施、公众参与、实施反馈等多方面入手，系统而全面，并在 2008 年正式通过《气候变化法案》，这使英国成为世界上第一个为减少温室气体排放、适应气候变化而建立具有法律约束性长期框架的国家。日本 2004 年发起了《面向 2050 年的日本低碳社会情境》的研究计划，2007 年提出可行性研究，2008 年发布《面向低碳社会的 12 大行动》。美国于 2007 年发布《抓住能源机遇，创建低碳经济》报告，主张通过技术途径解决气候变化问题。印度于2008年发布《气候变化国家行动计划》，确定了8个核心国家计划。2007年欧盟领导人强调了减少人类活动产生的温室气体的重要性，并一致通过减排的约束性目标，即到2020年至少将温室气体排放量在1990年的水平上削减20%。联合国于2007年出台“巴厘岛路线图”，提出减碳目标，即2020年温室气体的排放量相对于1990年减少25%~40%。国家行动计划侧重于从四个方面开展：领域方面着重于工业、汽车、能源等；方式上体现在颁布法案、政府政策、国际公约等；目标是实现温室气体的减排指标；政策上鼓励研发推广高性能技术、减少排碳能源的使用、开发利用可再生能源等。

NASA戈达德太空研究所(Goddard Institute for Space Studies , NASA) 主任James Hansen在“Sciences”的一篇论文“Earth in cnSlS”认为：到2030年逐步淘汰所有以煤为燃料的工厂，在这些工厂关闭前征收排放税，禁止新工厂建设，除非配备了捕获和分离工厂CO_2排放的装置。英国政府认为，针对低碳城市的建设，不同的城市空间类型需有相应的规划应对和侧重点。这些“应对和侧重点”包括以下七个方面：①城镇中心。在公共和商业建筑上发展大尺度联合热电系统和大尺度太阳能、广电系统。②边缘区。大学和医院的供热密度以及新兴的居住区和混合利用的开发可以支持区域供热体系，并有潜力发展其他可再生技术，如太阳能收集器等。③内城区。主要是住房的更新改造以及在混合功能住房方面的投资，籍此可以提供一系列的机会来发展社区尺度的单独建筑能源系统。④工业区。是大型能源生产项目的理想地点。⑤郊区县市。郊区县市的低密度是微观能源生产技术的理想布局地。但是，由于现有的住房区在英国很大程度上游离在规划系统外，因此需要创造性的市场机制来加以促进。⑥大型的新城市伸展区和聚落区。如在千年社区计划、增长区计划以及生态城镇计划中的相关场地，为英国低碳、分散化的能源生产的原则的实现提供了最好的空间可能性。⑦农村地区。城市的能源供应应在其农村腹地系统中加以审视，如有可能发展中大型的风力发电系统、生物燃料供应链，以及在未来发展海洋能源生产等。表6-2是国外低碳城市国家实践在生产、生活消费和交通与城市建设方面的实施细则。

国家行动计划的制定，法规和政策的不断完善，为建设低碳城市指明了方向、提供了保障。而另一方面，气候变化也反过来影响到全球的政府治理结构的变化。西方经验表明，政府在低碳城市发展中扮演着重要的角色。在气候变化与政府治理的关系方面，一般可以将政府作用概括为三个方面：第一，政府作为监管者(regulator)，通过立法和政策制度创新为低碳城市发展提出目标和可能的措施；第二，政府作为提供者(provider)，通过财政预算和有效手段为低碳城市发展提供条件和支持；第三，政府作为促进者(facilitator)，通过促进社会其他部门，包括各级地方政府、社会机构、

表 6-2 国外低碳城市国家实践方面的实施细则

	生产	生活消费	交通与城市建设
日本	绿色能源项目，削减温室效应地区联合项目，兴建风力发电站	城市垃圾分类细分	零排放交通项目，住宅节能性能评价制度，促进节能住宅的普及
韩国	低碳发展，发展新能源及其相关产业	提倡“变废为宝”活动	建设“能源环境城”，发展绿色公交和绿色铁路
德国	可持续发展价值评估	“碳中和生态村”，节能型住宅区建设	
英国	发展清洁能源技术市场，鼓励可再生能源发电	节能建筑建设，固体垃圾处理	氢动力交通计划，城市规划的修订必须融入可持续发展和气候变化的内容
法国	无	森林生态城市	城市自行车租借系统
阿联酋	无	人均每日耗水 80L，碳排放为零	城市里面没有汽车，大量使用清洁能源

企业、市民等方面，来推动低碳城市的发展。所以，低碳城市就是政府、公民、市场共同协作的发展模式。气候组织的报告认为，城市低碳领导力主要有 4 个要素，即政策制度、技术创新、融资机制与多方合作。政府无论是监管者、提供者还是促进者，政府的政策制度创新是低碳城市发展的关键，政府通过政策导向和制度设计，引导、推动、促进、示范传统的城市向低碳城市转型。因此，政府的一系列政策制度安排是发展低碳城市最重要的因素。

在目前，各国政府作为发展低碳城市的推动者，立足于自己的特点和优势，进行了积极探索，逐步形成了各自特色鲜明的低碳城市发展模式。下面以四个城市(或地区)为例，来具体说明西方城市如果基于自身特点来制定适合的低碳城市治理方略。

6.1.2.1 苏格兰：立法式治理

苏格兰政府力图在降低温室气体排放上走在世界前面。2007 年，苏格兰制定了《气候变化框架》(Climate Change Framework)，设立了 2007～2015 年的减碳目标，并将减排纳入完整的战略框架体系中。这一框架涵盖了碳减排领域所涉及的一系列活动，包括能效、可持续建筑、空气质量、废物处理及交通等。2009 年 7 月，苏格兰议会通过了《气候变化法(苏格兰)》。迄今为止，苏格兰已将碳问题作为一项中心议题，从立法层面制定了一整套控制碳排放，应对气候变化的行动方案。

第一，目标体系。苏格兰政府温室气体减排的目标体系包括 2050 年目标、过渡期目标以及年度目标。长期目标规定苏格兰在2050年实现减排80%。为实现这一目标，苏格兰设定了过渡期目标，即到2020年减少42%温室气体排放，这是目前发达国家所设立的最高的目标。而自2010~2050年，苏格兰政府还将制定年度目标。以上目标都是在综合考虑技术发展、经济社会发展以及环境政策等各方面因素的基础上制定的。此外，苏格兰政府还设立了一个“境内减排目标”(domestic effort target)，即每年的减排目标中，必须保证有80%的温室气体来源于苏格兰境内。

第二，行动主体。苏格兰气候变化委员会(SCCC)是关于气候变化的顾问机构，由苏格兰政府各有关大臣指派人员构成，负责向其提供有关气候变化的相关政策建议，并向议会报告各项减排目标的实施情况。自2011~2050年，政府大臣每年要根据SCCC的建议向议会提交报告，说明上一年度目标的实施情况，详细报告各类温室气体的排放量及测量方法，以及各部门在能效、发电、土地使用及交通4方面的政策实施情况及效果。同时，在苏格兰，与气候变化问题有关的公众组织(public body)也承担了一定的义务，它们依据相关大臣对其的指导原则，在制定和实施气候政策及减排目标时予以配合。此外，大臣们还可以任命个人或机构来监督公众组织履行应尽的义务。

第三，适应项目(adaption program)。苏格兰相关部门大臣要向议会提交一份关于气候变化项目实施的适应方案，其中包括应对气候变化准备采取的政策措施，对政府工作人员、工会组织等利益相关人的组织安排，公众参与该项目的机制，以及风险应对机制等。为了推动苏格兰政府对气候变化及基础设施的投资，苏格兰政府还拟设立“苏格兰未来信托”(Scottish Futures Trust，简称为SFT)来加大政府对能源环境及基础设施的投资。“苏格兰未来信托”初期作为一个非营利机构设立，其主要功能是为政府的公共服务提一个金融平台，专注于基础设施的建设与投资。“苏格兰未来信托”第二期将设立“苏格兰未来信托公司”，吸收私营部门参与，以此为平台组建不同的基础设施的项目融资公司。苏格兰政府每年有10%左右的政府预算作为“资本支出”投资在基础设施上。比如，从2009~2011年这3年的财政年度，苏格兰政府分别预算32.6亿、35.8亿、36.6亿英镑用于基础设施投资；同期，苏格兰政府预算中还有12亿英镑用于地方政府的投资。用好政府预算投资，提高基础设施的投资效率，这是设立“苏格兰未来信托”机构的出发点。

在立法的推动下，苏格兰首府爱丁堡以及苏格兰的大城市格拉斯哥、阿伯丁等市政府纷纷采取措施应对气候变化。

6.1.2.2 哥本哈根：指导政策 + 制度创新式治理

作为2009年12月联合国气候变化会议的主办城市，哥本哈根在全球首次提出要在 2025 年之前成为碳中和城市。哥本哈根长期致力于解决气候问题，目前已拥有高效节能的区域供热系统、世界领先的公共交通体系和自行车道路体系。尽管如此，哥本哈根市政府的目标是到 2015 年碳排放量比 2005 年减少 20%，成为世界气候之都。为此，哥本哈根陆续出台(或准备出台)50 项政策措施，旨在通过政策制度创新来实现以上目标。这些措施有的已经开始实施，有的还处于准备阶段。其中有 6 项特别措施旨在提升哥本哈根气候变化的新高度，被称为“灯塔计划”(lighthouse projects)。同时，为确保政策的实施效果，市政府还通过碳核算(carbon accounting)以及 2012 年中期评估等方式加以跟进。

具体来说，哥本哈根市政府计划在以下 6 个领域来实施这 50 项政策：

第一，能源供给。目前，哥本哈根最大的碳排放源来自于电力和供热系统，而电力中有 73% 来源于煤炭、天然气和石油。为此，政府颁布了 7 条政策来转变现有能源结构，包括将燃煤发电转化为生物燃料或木屑发电，建立新能源发电和供热站，增加风力发电站，增加地热供热基础设施建设，引进烟道气压缩冷凝机改进垃圾焚烧场的热能效率，完善区域供热体系等。

第二，绿色交通。尽管交通并不是温室气体的最大制造者，但是市政府出台了 15 项政策来建设一个更加有利于市民健康的交通体系。这些政策包括改善交通指示灯系统及停车位预报系统以减少交通拥堵；使用 LED 节能路灯。其中，重点计划将风能作为电动汽车和氢气动力汽车的充电来源，并为这类车提供免费停车优惠。目标是在 2011 年 1 月 1 日前，所有政府用车全部换为电动或氢动力汽车。到 2015 年，全市有 85% 的机动车为电动或氢气动力汽车。另外，作为国际自行车联盟(international cycling union)命名的世界首个“自行车之城”，哥本哈根极力推行“自行车代步”。市内所有交通灯变化的频率都是按照自行车的平均速度设置的，反映出对自行车的重视程度。城市还拥有完善的自行车代步服务，全市设有 100 多个免费自行车停放点，以 20 丹麦克朗的价格就能自行租借，把车还回至任何一个停放点时，就可以将押金拿回；但如果没有把自行车停放在规定的区域，罚款则高达 1000 欧元。

第三，节能建筑。通过通风、温度控制、照明、噪音控制 4 个维度进行节能管理。有 10 项政策用于这一管理：规定市内所有新建筑都必须符合节能标准，政府建立能源基金用于资助现有建筑进行升级或改造，对房屋出租者、建筑工人等利益相关者进行减排知识的培训，政府网站提供温室气体排放源的路线图，发展太阳能建筑等。

第四，公众意识。市政府通过提供信息、咨询和培训来提高公众的低碳意识，改变人们的思维方式。其中，培养新一代的“气候公民”被列为灯塔计划的重要内容。儿童和青年是家庭中最大的能源消耗者，他们影响着家庭的生活习惯和对气候的认识，也是未来气候问题的解决者，对新一代“气候公民”的培养因而被视为整个气候政策中最具决定性的环节。为此，政府专门建立了气候科学中心，以儿童和青年为对象开展以气候为主题的活动，并培训教师发展新的教育理念。0～18岁的公民每年都有一次机会参加气候科学中心主办的活动。此外，哥本哈根市每年培训至少1500名环保使者，以帮助他们向朋友和家庭宣传节能知识；至少有1万名儿童可以在政府开辟的“气候森林”中植1棵树。

第五，城市规划。政府为建设碳中和城市，要求所有市政工程的建设都必须严格遵守可持续发展原则，并计划对隔热、建材、外墙、电力、通风等各个环节设立明确标准。建筑规划要尽可能减少对交通工具的依赖，使人们通过步行或自行车就能方便到达目的地。通过建立低碳试验区，不断探索新的发展路径。

第六，天气适应。据哥本哈根市政府的统计数据，在未来的100年里，哥本哈根的降水量将会增长30%～40%，海平面升高33～61cm。制定天气适应计划无疑是一项着眼于未来的投资。市政府计划制定一套综合的气候应对战略，开发多种应对暴雨天气的排水方案，应用于整个城市；通过增加绿地面积、袖珍公园(pocket park)，植物屋顶与外墙延缓雨水，避免洪灾；通过天棚、通风等方式调节室内温度。其中，修建袖珍公园被列为灯塔项目。袖珍公园是城市中的小型绿地，既能给城市降温，又能在洪涝天气中涵养水分，同时还能为市民提供休闲和运动的场所。市政府计划每年至少新建两座袖珍公园。

6.1.2.3　德国弗莱堡：示范式治理

弗莱堡位于德国南部，被誉为德国的环保“硅谷”和“欧洲太阳能之都”，是世界绿色运动的发源地，也是世界环境科学和太阳能研究的中心之一。早在1986年，弗莱堡政府就计划放弃核能，将太阳能作为城市的主要能源，并成立了德国第一个环境保护办公室。1992年，弗莱堡因其在环境科学方面的杰出成就，被评为“德国环境之都”。

早在环境问题还没有进入全球视野时，弗莱堡政府就已经将保护环境当做是政府的一项重要工作。其气候政策有三大支柱：节约能源、提高能效及运用可再生能源取代化石燃料。政府在制定和实施环境政策时，注重通过重点项目，甚至是建设示范区的方式，不断探索新的发展领域，稳步推进计划的实施。

弗莱堡在利用太阳能方面拥有丰富的实践经验。政府推出了大量重要项目，促进各类太阳能的应用，如太阳能光电板、太阳能热力(用于热水)、日光浴室或“冬景花园”、被动式太阳能设计、太阳能制冷、太阳能透明隔热(将多余太阳能的热量转化为有用的热能)。其中，比较典型的项目有1998~2003年开展的“十万太阳能光伏屋顶计划”，该项目得到了德国政府的补贴性贷款。截至2008年年底，弗莱堡太阳能光伏容量已经达到了9500kW(9.5MW)。

在发展示范区方面，弗莱堡的弗班区(Vauban)被誉为德国可持续发展小区的标杆。该区是距弗莱堡市中心3km的一个南部小区，面积约60万m^2。原为法军军事基地，后经过政府改造，成为低碳节能的可持续发展小区。弗班区以住房合作社(co-housing project)制度闻名。弗班区所居住的2000户共5000位居民都是社区的拥有者和设计者。他们自行构成小组，向政府申请购买建筑用地，并严格遵循政府提出的高效节能理念设计和建造房屋，这样的房屋至少可以节能30%。社区还拥有自己的热电厂(以80%木屑及20%天然气为能源)，良好的隔热及有效的供暖减少了约60%的碳排放。为打造低碳交通体系，弗班区提倡“生活不须有车”(减少35%车辆)的交通理念，提供各种替代的运输方式(如有轨电车)。为减少交通工具的使用率，弗班区还开辟了机动车禁驶区，区域中心建有基本的社会及商业设施，如市场和邻里中心，使居民能够在短距离内满足生活所需。而颇具特色的“弗班论坛”(Forum Vauban)则广泛发动民众积极参与各类气候项目，了解气候变化知识。同时，市政府通过弗班论坛推动弗班区可持续发展模式计划，在节能减碳、减少机动车的使用、社会整合及创造永续邻里等方面都相当成功。在政府的决策过程中，弗班区发展出一种“学习式规划”的模式，认为决策是一个逐步发展的过程。通过引导居民参与，不断调整和改进政策实施的方案，在全民参与的背景下实现政策的最优化。

6.1.2.4 瑞典维克舒尔：支持行动 + 立法政策式治理

瑞典小城维克舒尔(Vxj)是欧洲人均排碳量最低的城市，2007年，被欧盟委员会授予“欧洲可持续能源奖”(sustainable energy europe award)。

早在1969年，维克舒尔政府就全票通过了实施有关环境政策的决定。20世纪80年代，生物能源进入城市供热系统。2005年，可再生能源在供热系统中占88%。目前，维克舒尔的环境政策主要由该市所成立的瑞典首家气候委员会负责，其气候政策框架主要包括3个领域的内容：日常生活、自然环境、“维克舒尔零化石燃料计划”(fossil fuel free Vxj)。

其中，“维克舒尔零化石燃料计划”是该市于1996年颁布的一项世界领先的项目，在供热、能源、交通商业和家庭中停止使用化石燃料，降低碳排放，使能源消费对气候变化不造成任何影响。该计划的目标是在2010年实现碳排放比1993年减少50%，到2025年减少70%，并有望在2015年成为世界上首个零化石燃料的城市。为此，政府展开了一系列行动：①在政治领域达成全国共识，影响公众意见的形成；②逐步取消电力直接供热(direct electrical heating)；③在采购或租赁环节采用环保型机动车；④环保型机动车可免费停放于市区停车场；⑤刺激对能源经济的需求；⑥向市民提供能源建议；⑦交通设计及道路指挥体系要有利于步行、自行车及公共交通系统的使用。“零化石燃料计划”包含一系列设计缜密的行动计划，在以下几个领域设有完整的时间表：①生物燃料支持区域供热/制冷系统；②能源效率；③机动车；④交通拥堵及公共交通；⑤生物燃料；⑥自行车。

为跟进环境政策的实施，确保能源目标的实现，维克舒尔政府发展出一套城市环境管理的生态预算模式。该模式遵循“计划－行动－评估－政策”的循环，具体分为3个阶段：①建立环境预算；②实施计划方案；③年度环境核算。政府每年制定生态预算，用于完成环境政策中的各项计划指标。每隔半年，政府会对预算及环境政策的实施效果进行评估与考核。具体指标分为3类：①预算指标；②环境资产指标；③能效指标。通过政府可持续的行动计划，目前维克舒尔能够超前完成大部分环境目标，已经有51%的能源来自于生物能、水能、地热和太阳能。1993～2006年的10余年间，维克舒尔的碳排量减少了30%，人均排量仅为3.232t，远低于欧洲(8t/年)和世界(4t/年)的平均水平，成为欧洲乃至世界上人均排碳量最低的城市。

可以看出，这些国家的低碳城市建设和治理，既有较明显的地域特色，又有可以借鉴的通用经验；而且从它们的低碳城市治理效果上看，也呈现了良好的作用。这些城市在低碳发展某些领域起到了领跑的作用，但是，到目前为止，实际上尚无真正的低碳城市，也没有提出实现低碳城市的主要指标体系，更多的是对各类专项进行低碳研究；而且，从世界低碳发展的历程看，国家层面的宏观计划多于微观层面的实施原则，而针对某个地区的具体行动计划多于可以推广的制度理念。

因此，需要将众多西方低碳城市的治理经验和策略进行模式总结，并进行分析和评估。实际上，在本章所选取的几个西方城市的具体事例，与接下来两章所进行的西方低碳城市治理模式的总结和比较研究是直接相关的。

6.1.3　低碳城市的评价指标

6.1.3.1　三种模式

诸大建(2008)在研究自然资本稀缺条件下的中国发展时用情景分析法指出，在2000年基础上人均GDP再翻两番的经济目标的情况下，中国到2020年的发展情景可以有三种模式。

(1)A模式。A模式是沿袭传统发展模式，但是没有担当足够责任的情况。即中国的CO_2排放从2005年的人均4t开始，随着粗放型的经济增长大幅上升，持续增长到超过发达国家的平均水平(人均10t)甚至超过美国的高峰水平(人均20t)，到2050年左右才非常被动地并且以比现在远要大得多的治理代价急剧降下来。这样的发展方式会严重影响中国人的生活质量，同时也被认为是中国发展没有承担大国责任的情景。前段时间有人在媒体上说，中国到2050年才能够达到峰值，这样的说法容易使我们的发展处于非常不利的地位。实际上，在对外的学术交流中，我们已经多次碰到由此引起的难堪处境。因为按照这样的趋势，到2050年中国的CO_2排放规模会高达150亿~300亿t，与世界届时控制排放在200亿t以内的目标产生严重抵触。应该说，过度依赖传统高碳经济增长的趋势在当前的认识和实践中是存在的。中国提倡发展低碳经济，首要任务就是改变这样的思维模式和发展路径。

(2)B模式。B模式是要求中国承担过度责任而影响正当发展的模式。即要求中国CO_2排放规模到2020年就达到峰值，要求这个峰值不超过世界人均CO_2排放的平均水平，然后一直到2050年回落到人均2t左右，即按照中国15亿人计算的排放规模是30亿t。这个模式的提法主要来自发达国家的研究者、政府有关部门甚至社会上的直感性要求，这样的要求没有给予中国必要的发展空间，没有考虑中国当前的生存性排放与发达国家的奢侈性排放的本质差异。如果认为这是21世纪中国所需要的绿色跨越，那么这样的跨越应该是不属于前面所说的低碳经济概念的，因为它满足了“低碳”的要求，但是没有满足“发展”的要求。中国推进低碳经济，也需要提防这种跨越发展阶段的向“左”走的各种思想干扰。

(3)C模式。C模式是既考虑发展权益又承担大国责任的发展路径，这个模式比较符合《联合国气候变化框架公约》倡导的“共同而有区别的责任”的精神。按照这个模式，中国的CO_2排放量从2005年开始随着经济高速增长而进入大幅增长阶段，到2020~2030年间将达到峰值(以人均GDP和人类发展指数分别达到满足基本需要的10000美元和0.85以上为前提条件)，峰值虽然一定程度上将超过世界的平均值，但是任何时候都要努力控制在低于发达国家的平均值之内。例如，将人均CO_2排放的高峰值控制在6~8t之间。这样的发展路线，应该是中国低碳经济情景研究的重点内容。它要求中国在未来40年的发展中，不仅需要在能源结构和能源效率等技术方面，而且需要在人口规模和消费方式等社会方面，做出系统的思考和安排。对历史上人均CO_2排放与经济社会发展水平的实证研究已经证明，随着技术的提高和制度的变革，后发国家的现代化是可以在低能源消耗和低CO_2排放的基础上实现的。事实上，欧盟、日本与美国等国家的经济增长水平和人类发展水平相同，但是前者比后者有更少的能源消耗和CO_2排放，已经证明了实现绿色跨越的可能性。因此，中国采取C模式的发展路径不仅是必要的，而且是可行的。关键问题在于，中国未来的发展需要致力于将潜在的优势转化为实际的优势，即将善于学习的社会文化转化为具体的低碳经济发展战略与目标，将政府强大的政治动员能力转化为保障低碳经济的制度化体系，将跨越式建设物质资本的机会转化为建设绿色固定资产的现实行动。

6.1.3.2　低碳城市评价指标选择

评价城市发展是否低碳，必须制定简便可行的评价体系，根据近几年能源效率增长状况，采用年人均 GDP 增长率的能耗及 CO_2 排放增长率比例系数，即弹性系数来评价中国发展低碳经济的效果，分为三种情景：①A 模式下当前惯性情景；②C 模式下的相对脱钩情景；③B 模式下的绝对脱钩情景(图6-1)(陈飞等，2009)。

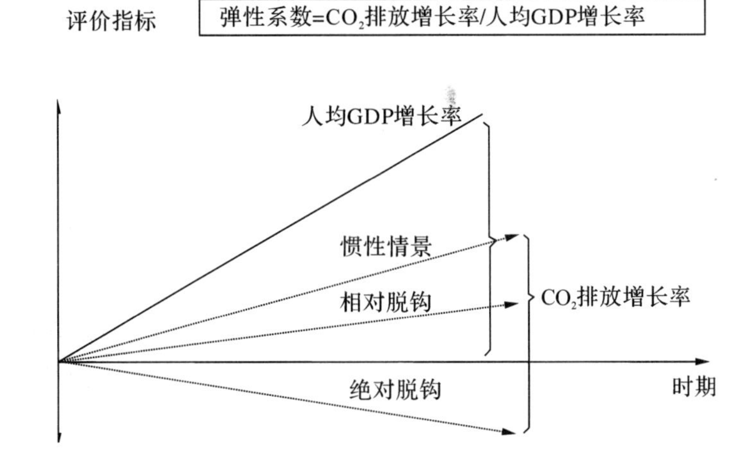

图6-1　弹性系数评价中国发展低碳经济的效果

运用弹性系数作为低碳城市的评价方法是基于脱钩理论基础上的现实应用，评价指标的确立建立在三种模式运用的基础上。当碳排放增长率与经济发展年增长率保持目前对应性关系时，即为惯性发展情景；当碳排放增长率大大低于经济发展年增长率时，即在当前保持经济增长的环境代价为经济增长速度的一半作为碳排放增长率，经济增长与碳排放实现了相对脱钩发展，相对脱钩时具体的弹性系数应根据不同城市各自的发展特点，采用情景反推；绝对脱钩发展情景，即经济增长率保持不变，而碳排放增长率为零及其以下，实现了城市发展与碳排放增长的绝对脱钩发展。

6.1.4　低碳城市治理的政策逻辑

在低碳城市治理政策的构建中，正是要摈弃政府主导的单中心运行模式，构建依托于政府、市场和公民社会三方互动的低碳城市治理基础。多中心治理强调的是公民社会和公众参与低碳城市的建设，追求的是政府、市场和公民社会协同进行低碳城市构建的合作博弈格局，强调的是主体的多元化，是多元主体通过合作、协商、伙伴关系确立共同目标的方式来致力于低碳城市的建设。

这是因为，治理结构本质上指的是在城市管理过程中各利益相关者间的一种关系。对于低碳城市治理，由于信息不对称、垄断、外部性、公共物品等一系列经济因素的存在，市场机制在限制垄断、提供公共物品、约束个人的极端行为、克服生产的无政府状态、避免负外部效应、保护社会弱势群体等方面存在着一定的缺陷，单纯的市场手段不可能实现社会资源的最佳配置，这就是所谓的“市场失灵”。市场失灵的存在是政府必须干预的原因，但随着低碳城市和社会的不断发展，政府过多干预及其自身缺陷又会引起配置效率低下、综合效益下降、官僚主义和腐败盛行等问题日渐突出，出现了“政府失灵”；同时，由于政府官员同样具有“经济人”特征，其行为受特殊利益集团的影响及自身利益的驱动，他们的不规范作为必然导致政府在城市管理中的政策偏差和低效率，导致政府计划实施的高成本和对资源的非有效配置。另外，权力的过分集中、政府工作竞争机制的缺乏、监督机制的不完善也会降低城市管理的效率。通过引进私营部门、第三部门等新的组织要素，建立由政府、企业、社会组成的多元化主体的低碳城市治理结构，可以有效地弥补市场失灵和政府失灵现象。在这样的多元主体低碳城市治理模式中，政府依然是低碳城市治理不可替代的组织者和指挥者，政府的行为决定和影响着其他城市治理主体的活动方式和活动效果；营利性企业和非政府组织则是配合政府为低碳城市治理提供服务和物品的组织，它们的介入可以克服政府包揽管理事务的传统弊端而提高城市治理的效率与效益；社会公众则是低碳城市治理主体中的基础细胞，他们的参与使城市管理的机制从被动外推转化为内生参与，是现代化城市管理的重要动力。

6.1.4.1 低碳城市治理政策的一般原则

事实上，著名社会学家、政治学家吉登斯在《气候变化的政治》一书中对于低碳经济的政策提议已经得到了领域内多数专家和学者的认可，他认为低碳经济的政策制定需要考虑以下四点：

(1)全力提高政治和经济敛合度，并用一种积极的方式去做到这一切；

(2)首先注意让气候变化的关切深入民众的日常生活当中，同时认识到这样做所面临的巨大难题；

(3)避免让政治资本流出全球变暖领域；

(4)建立详细的、鞭及长远的风险评估程序，因为气候变化政策的影响面是复杂的。

吉登斯的建议主要是国家层面，而对于国际层面，在讨论气候变化时，需要考虑全球政治的典型特征即张力、利益和分歧等问题。这里不对此进行论述，因为在此关注的重点是地方政府对低碳城市的政策抉择而带来的治理机制问题。比如实施层面上，如何使得低碳增长的动力从外部环境变成内在自发的机制，对推行过程中的阻力和壁垒如何认识和消除，如何界定政府、企业和公民在此过程中的角色和地位，特别是政府在低碳经济发展中应承担统筹兼顾的“领导”角色，还是只是激励作用的市场推动者的角色，这些都需要从政治经济学层面，结合世界各国政治经济社会现状进行考察和分析。特别的，当前一部分学者担忧和关心的一个问题是：由于低碳经济发展模式需要政府、企业和公民互相协调配合从整体共同演化和推进，来改变整个经济增长的类型和方向，这会不会带来计划经济和极权主义的复辟？我们的市场经济模式会不会遭遇再一次的挑战甚至颠覆？如果真要如此，低碳经济对世界经济发展会不会反过来形成制约、改变甚至摧毁？一些新自由主义学者认为，低碳经济发展正在越来越由市场主导。在低碳推行过程中并不需要计划经济的幽灵回光返照。基于完全的市场理论，商业和金融业依然可以成为低碳经济构建和治理的核心。当然，有别于过去的自由主义经济，新自由主义学者认为一些改变也是需要的，即把政府力量的重点放在指导、调控和评价、激励上，这与金融危机后盛行的新凯恩斯主义不谋而合。

然而，事实已经证明这是新自由主义者的一厢情愿。从政策的实施和可延续性上来看，如果政府仅仅把推行低碳经济看做是气候环境改变带来的不得已而为之的策略，仅仅是出于道义和责任感，无疑在推行过程中会遇到地方政府、企业和公民的一系列阻力，效率、公平和讨价还价等问题将会严重影响整体的发展和推进进度。所以政策性的治理体制的探索和实施就显得尤为必要。治理体制应从哪些方面来着手考虑？在政府、企业和公民的相互作用过程中，激励机制能否形成一个良好稳定的平衡和效果？而且，不通过强制性的政策命令，单纯通过由市场评价并经市场反馈的治理体制，能否完全达到我们所需要的推进经济发展模式改变的内在动力的效果？这些都是我们亟待面对的问题。

从这个角度出发，我们需要明确对低碳城市发展的治理机制和政策制定时所遵循的基本原则。这个基本原则实际上是多中心治理理论的一个中心议题，其中包含三个参与主体：政府、商业市场和公民主体。政府治理的最新发展摒弃了政府作为解决公共问题的单一主体的认识，转而强调政府、市场和公民之间形成的三角形的关系，即政府需要依靠市场机制以及公民社会的合作来共同解决公共问题。这样的治理架构可以动员更多的资源，争取更多的支持。新的三方合作治理架构适用于低碳城市的治理机制，三方共同为低碳城市目标而努力，这种努力既来自于各方主体本身的功能调整，也来自于各个主体之间相互作用的调整。下面对这个基本原则做具体解析：

低碳城市的合理治理机制必须考虑政府、公民、市场的共同协作。首先，政府在低碳城市的建设中起到领导、指导、引导的作用。在考虑城市现状的基础上，政府需要制定低碳发展的目标，从而展开相应的城市规划，并同本地的企业和公众合作，同上级政府、其他城市合作，甚至同国外相关机构和政府部门建立多方合作，顺利执行并监管低碳城市的建设。其次，低碳城市的发展离不开市场的形成和良好运行。低碳产业和与其相关的环保产业形成了低碳城市新的经济增长点。如何将现有的市场体系引导到低碳方向，完成产业节能技术的升级、减排能力的提升，形成低碳技术开发的大环境，并积极开发低碳产品，积极引导低碳的消费，在市场的运作机制中嵌入低碳因素，是建立低碳城市不可或缺的方面。第三，低碳城市的核心和可持续的动力是拥有低碳理念的城市居民。进行低碳消费引导、低碳理念教育和低碳生活宣传是提升公民低碳意识的基本手段，也是未来建立低碳决策的全民参与以及设立低碳的全民监测体系的基础。

三方之间的互动也是低碳城市建设治理机制中的重要组成部分。作为政府，有责任与义务规划低碳相关的产业结构，不仅为提倡发展的企业提供技术支持，还要为企业创造相关的低碳融资环境；对于公民而言，政府的教育和宣传是他们了解低碳概念的主要渠道，宣传力度和内容直接影响到当代和后一代的公民在低碳城市建设上的兴趣与动力。而在企业和公民之间，建立良好的低碳市场需求与产品导向，是低碳城市治理机制依托市场机制发挥作用的重要场所。所以说，低碳城市既不同于自由市场经济机制，也不同于政府高度掌控的环境治理机制，而是一种政府同市场，同公众三方共同参与、相互作用、相互影响的发展机制。

必须以低碳治理的机制和政策设计作为低碳城市发展的核心。同新自由主义思潮与后现代主义不同，低碳城市的发展理念注重政府的综合主导力量。这是因为低碳城市是城市化过程中的必经阶段，是新的规划、实施和监管制度的确立过程。而政府的主导力量应主要体现在低碳治理的机制和政策设计方面。以清洁发展机制（CDM）为例可以看出良好的制度设计的重要性。为了解决发展中国家和发达国家之间的减排义务与责任的纠纷，《京都议定书》设定了 CDM 这个灵活的协议履行机制。CDM 允许发达国家与发展中国家合作进行二氧化碳减排项目，并取得双赢的效果：发达国家可以将项目的减排计算到他们承诺的减排数量中，而发展中国家则可以从发达国家获得部分项目资金和先进技术。CDM“资金 + 技术”换取“温室气体排放权”的机制试图解决科学研究的市场失灵问题和全球减排的公平与效率的问题，是低碳发展中的良好制度创新。截至 2008 年 10 月 24 日，全球共有近 4200 个 CDM 项目处于项目开发和实施的不同阶段。这些项目如能顺利注册、实施成功，则预计到 2012 年将累计产生 29 亿

t的核证减排量(CERs)，将有超过200亿美元的资金流入发展中国家，用于支持发展中国家的可持续发展。在已签发的CERs中，中国的签发量为0.75亿t二氧化碳当量，可为国家直接带来超过5亿美元的可持续发展资金。

低碳城市的发展要与本国以及当地的经济、环境发展状况相匹配。对于国内外不同城市，由于城市特点各不相同，文化传承和历史积淀也有所区别；而城市发展机制和治理制度的设计必须结合本地区的制度、经济、文化、历史、价值现状，这就要求地方政府在进行低碳城市制度设计时必须考虑本地的区位特点和当地产业结构特点。高速工业化过程中的中国在低碳城市发展过程中具有独特的政策考量。比如具体到我国情况，就要将我国低碳城市发展的规划实践需要结合我国城市规划发展的现状和快速城市化和工业化的步伐，探讨新的制度保障理论框架。而英国、日本等国家的实践表明，他们将交通问题以及住宅能耗问题作为低碳城市需要解决的主要问题，而产业结构升级、产业能耗降低等应当是中国低碳城市发展的重要组成部分。

6.1.4.2 低碳城市治理政策的两方面内容：减缓与适应

低碳城市在推行低碳经济中担任的角色不仅是先头兵，更是主力军。而低碳城市的最重要议题是城市减排。在西方国家，早期对气候变化的科学研究和公共讨论主要集中在减缓，即减少城市温室气体排放。对于城市碳排放减缓，在地方层面，目前的政策研究和实施策略，主要包括以下几方面：

第一，减排目标。不同城市的减排目标差距很大。有些城市设立了较高的目标，比如瑞典的韦克舍计划在2010年前减排二氧化碳50%，并且最终实现“零化石燃料”。有些国家的国家政府没有签署《京都议定书》(如美国)，有些国家整体上无法达到《京都议定书》的承诺(如意大利)，但是它们的一些城市决定采用《京都议定书》的减排目标。

第二，碳审计。许多城市采用了“温室气体排放目录”来分析它们减排的潜力和评估减排的效果。这项举措是从跨国城市联盟开始的，比如ICLEI的碳排放公开计划。2008年8月美国的30多个城市同意用这种方法来检测和公开他们的碳排放数据。

第三，应对气候变化的战略和对特定行业的规划(如能源、交通)。

第四，设立地方气候保护机构。可以有两种方法：一种是在每一个与气候相关的部门里成立一个负责制定气候政策的单位；另一种是成立一个总的气候政策管理小组或者气候保护协调办公室。因为人员有限，所以在实践中，第二种做法更常见一些。

很多西方城市都推行了这一系列综合措施。例如，瑞士的苏黎世政府成立了一个行政小组来制定有关气候变化的公共政策，并在部门间起到协调作用。这个行政小组负责评估每一项市政工程建设项目对气候的影响，而执行这些工程项目的部门要对评估结果负责。要使这一模式顺利运作，必须要坚持两个原则：第一，部门的目标政策手段要服从于整体的战略计划（比如说，苏黎世的一个电力项目要服从于总的气候战略）；第二，项目导向，避免各个部门各行其是。

然而，还有很多设立了温室气体减排目标的城市没有采取这样一个系统化结构化的方案，而是采用了逐个案例实施的方法。大约2/3德国城市的数据表明，气候变化政策的影响力取决于环境机构的能力。如果地方环境机构不能够与国家政府的环境部门保持一致，贯彻一个整体的理念，就会有一系列的协调和整合困难。虽然气候变化政策牵涉到一大批的地方政府机关，如金融监管部门、城市规划部门、采购部门、教育部门等，但气候问题的专家往往都集中在环境部门。换句话说，非环境部门在做决定的时候，往往都不会将环境相关的因素考虑在内，这可以说是低碳城市治理的一个主要的障碍。

最近，西方国家关于气候变化的讨论开始由“减缓”向“适应”转移，即适应气候变化带来的风险和威胁。从国际层面的到国家层面到地方层面的讨论都体现出这种变化，比如欧洲委员会在2007年6月发布的文章《欧洲适应气候变化——欧盟行动选项》（CEC2007）。气候变化已经越来越明显，“适应”的目标是降低气候变化带来的风险和破坏水平。但是，适应问题的复杂性在于，各地受气候变化的影响是各不相同的，具体取决于它们的地理环境、社会经济水平、居民的适应能力、医疗卫生水平、疾病监控机制等。因此，“适应”最好以地方或地区为单位；但是地方和地区层面的适应计划最近才刚刚起步，这方面的政策研究也非常有限，因此本书的研究还是以“减缓”为主要议题。

6.1.4.3 低碳城市治理政策的国家特殊性

奥斯特罗姆等在论证多中心治理在发展中国家的可行性时指出“本土制度建设原则构成一种重要的社会资本，它能被开发出来用于新制度的设计，但依赖本土制度而设计的规则蓝图可能不可移植”。由于各国的社会经济背景不同，向低碳转型的起点和条件不同，追求的目标也有所差异。发达国家因为率先承诺量化减排，其发展低碳经济的目标首先是减少碳排放；而发展中国家处于经济的成长期，其目标首先是发展，而且还要提高人均能源的消费水平，在当前阶段难以将气候变化政策主流化，只能通过降低能源强度和提高碳生产率（单位CO_2排放的GDP产出）来实现经济增长与碳减排的逐步脱钩。同时需要注意，发展低碳经济和低碳城市仍然存在不确定性，尤其对于发展中国家来讲，还有很多必须克服的困难和障碍。

对一些发达国家来说，他们建设低碳城市更具备现实的可操控性，不需要做大规模的政策重建和设施重建工作，而且他们所建设低碳城市的目标和路径也相对明晰。

比如，英国作为最早提出“低碳城市”概念的国家，希望采取低碳模式来解决城市气候变暖问题有其深刻的历史和现实原因，其主要目的在于保障能源安全，减轻气候变化影响，利用其自身能源基础设施更新的机遇和低碳技术领域的优势，提高经济效益和活力，占领未来的低碳技术和产品市场，赢得国际政治主动权并增强其国际影响力。尽管减少碳排放是发展低碳经济、建设低碳城市的基本目标，但毫无疑问，提高经济竞争力和获取政治优势是其主要驱动因素。

欧盟其他国家以及日本等世界主要发达经济体，也基于各自在能源、环境、产业、政治等方面的优势及其全球战略，不断在“低碳经济”的各个领域取得进展，通过多种模式引领全球低碳发展的潮流。而美国应对气候变化的重点是转变能源战略和能源利用方式。美国在奥巴马总统上台后的动向值得特别关注，在奥巴马刚刚宣布的经济刺激计划中，能源相关产业占据核心地位，同时在他公布的能源政策中，提出了节能和提高能效、发展可再生能源和清洁替代能源、投资新能源和清洁能源技术研发、改变过度依赖石油进口状况、减少温室气体排放等一揽子综合能源改革和转型措施，这不仅沿袭了美国过去关注清洁能源技术的一贯做法，更重要的是把能源发展、应对气候变化与经济振兴结合起来，这可能意味着美国应对气候变化新机制的产生。

而对于发展中国家来说，发展低碳城市的困难和障碍也是明显的，具体体现在发展阶段、国际贸易结构、经济成本、不完全市场、技术推广体系、制度安排、配套政策和管理体制等方面。从工业化国家经济发展与碳排放关系的历史演化规律看，这些国家一般都需要先后经历碳排放强度、人均碳排放量和碳排放总量的三个倒 U 形曲线，而不同的国家或地区碳排放高峰所对应的经济发展水平存在很大差异，说明了经济发展与碳排放之间不存在单一的、精确的演变规律。从那些跨越了碳排放高峰的发达国家或地区来看，碳排放强度高峰和人均碳排放量高峰之间所经历的时间在 24 ~ 91 年之间，平均为 55 年左右。这说明在没有强制减排措施和外部支持的条件下，发展中国家可能需要较长的时间才能达到碳排放的拐点。所以，发展中国家的低碳城市发展道路应该是立足于基本国情并且符合世界发展趋势的渐进式路径，应该有一幅具备清晰的阶段目标和优先行动的发展路线图。

6.1.5 发展低碳经济城市的意义

(1)发展低碳经济，有利于实现我国经济发展方式的转变。长期以来，我国始终未摆脱资源、能源密集型的经济增长方式，经济增长的粗放程度未得到根本性转变，甚至主要是依赖高耗能、高排放的重化工业拉动的。而发展低碳经济，从高碳经济模式向低碳经济模式转变，则是实现我国经济发展方式从粗放型向集约型转变的有效路径。

(2)发展低碳经济，有助于推进我国能源消费结构的合理调整。低碳经济的本质是能源技术创新和能源结构调整问题，发展低碳经济将意味着推进各类能源技术的研发和采用以及可再生能源的开发和利用，这对于合理调整我国的能源消费结构、实现经济与环境的协调发展具有重要的现实意义。

(3)发展低碳经济，有利于促进我国节约型社会的顺利建设。我国节约型社会的建设，核心思想是以资源和环境承载力为基础，提高资源和环境的利用效率，以最少的资源消耗和污染排放获取最大的经济社会效益，并最终推动社会经济与自然生态系统的和谐，实现全面、协调、可持续发展。

(4)发展低碳经济，有利于缓解人口压力对环境和资源带来的破坏，以及对人类健康带来的隐患。环境污染损害人类健康的情况在中国最为严重，所以发展低碳成为保护人类健康，促进环境改变的必经之路。

6.2 上海的低碳城市发展

6.2.1 面向低碳城市的脱钩发展

脱钩一：城市生活低碳化。城市生活低碳化的策略首先在于建筑使用及家庭生活中、交通上节能，在生活模式和消费观念上进行积极引导，使用高效空调、节能照明及节能家电，延长建筑及生活用品的生命周期，从对产品的拥有转向以使用为目标；利用太阳能、风能、地冷及地热等可再生清洁能源，满足建筑内资源及能源的封闭循环。其次，在交通方式上改变单纯依靠城市道路的拓宽、节能型汽车的推广等技术措施来解决城市交通问题的思想观念，重点从政策执行、技术改进、观念综合转变等方面加强城市低碳交通体系建设，实现传统性对策向系统性战略的转变，通过系统化的战略手段，构建以公共交通为主的城市发展模式(图6-2)。

脱钩二：城市空间紧凑化。城市紧凑发展促使城市土地使用的集约化，人口的高密度保障城市区域多样性复合功能的塑造，并将大大减少城市交通能耗。城市空间紧凑化按照城市结构尺度及规模体现在不同的空间层面上，分别为都市区域层面、城市空间层面、社区空间层面及组团空间层面四个纬度。在都市区域空间层面，通过合理的城镇空间布局、产业结构组织及基础设施的合理安排，引导城市各类要素向城镇空间集聚，形成区域性空间等级与层次的空间格局，形成不同等级城市间横向联系的网

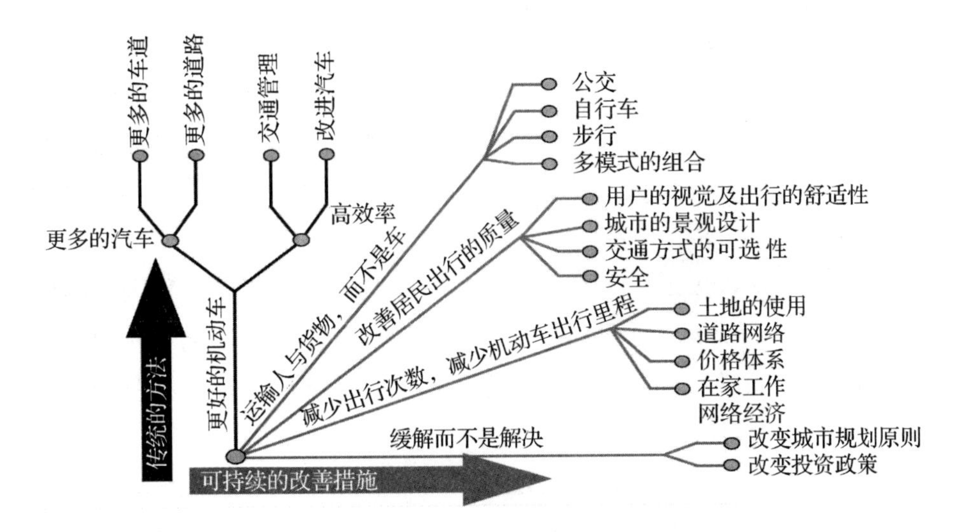

图 6-2　低碳模式下可持续发展交通策略

状格局；在城市空间层面，积极引导城市各项功能的合理分区，完善基础设施布局，避免城市规模过度扩张和功能的单一化，在竖向上形成中心城—新城—新市镇—中心村功能互补的都市区空间格局(图 6-3)。未来上海将形成以 1 个中心城、9 个新城和 60 个左右新市镇组成的城镇群。

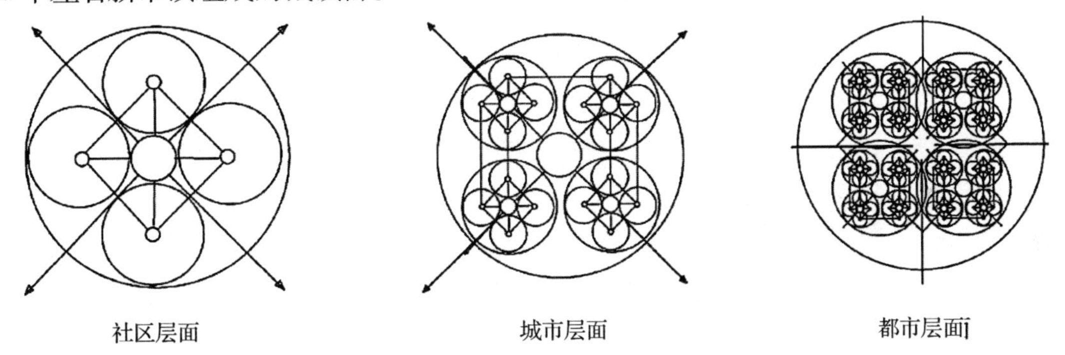

图 6-3　区域及都市空间层面紧凑化

在社区空间层面，强调混合使用和适度高密度社区开发的策略，打破传统方式上的功能分区，不同的社区组团作为城市最小功能体，依靠公共交通或轨道交通联系，减少小汽车使用，发挥城市区域的地缘优势(瑟夫洛，2007)。合理控制建设用地的规模、建筑密度及城市建设各项指标，提高土地等资源的利用效率，根据城市化进程，引导社区建设从外延式向内涵式发展模式转变，保持高密度紧凑化发展与混合功能的新型社区建设(图 6-4)。

脱钩三：物质生产循环化。转变企业高消耗、低效率、高排放为特征的传统工业经济生产方式，以提高资源生产率为目标，以减量化、再利用、资源化为原则，以低

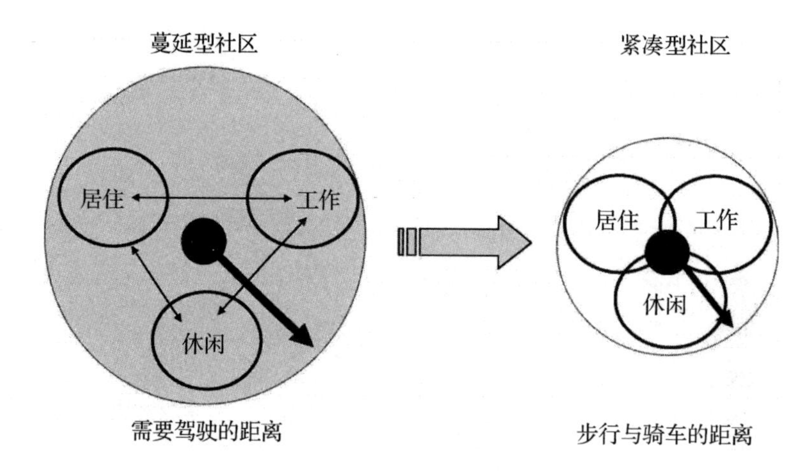

图 6-4 社区组团空间层面紧凑化

消耗、高效率、低排放为基本特征，从“自然资源—产品和用品—废物排放”流程组成的开放式线性经济模式向“自然资源—产品和用品—再生资源”的封闭式流程为特征的循环经济模式转变(图 6-5)。

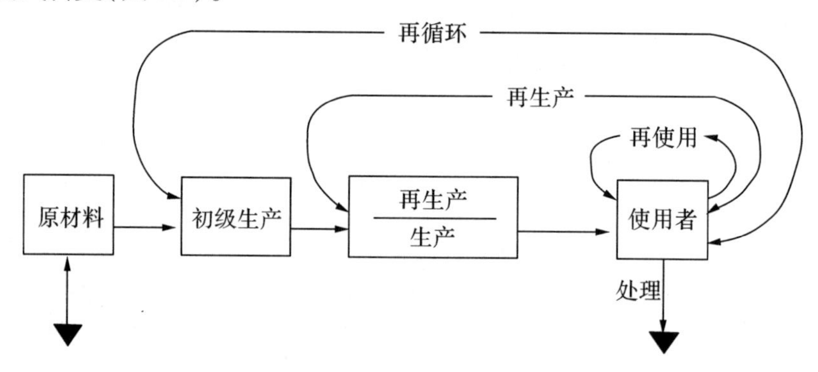

图 6-5 物质生产循环化

6.2.2 向低碳城市转型的关键措施

(1)建立全市 CO_2 排放账户。要实现低碳城市的发展目标，就需要建立 CO_2 排放的账户，对全市 CO_2 排放情况进行规划、分配与监测。用能源消耗和 CO_2 排放作为约束全市粗放型经济增长的龙头，促进上海的经济结构、城市结构和消费结构向低碳城市转型。

(2)按照 CO_2 排放目标进行分解。实现低碳城市的主要行动领域有输入口的可再生能源，转化端的工业、交通、建筑领域能源效率的提高，以及输出端的城市碳汇空间建设的加强。因此，需要将全市的 CO_2 控制目标分解到这样三个领域之中，特别是分解到对未来 10 年实行低碳具有主要作用的工业、交通、建筑等领域中去。

(3)逐步建立碳交易市场。利用上海已有能源环境交易所的平台，建立碳交易市场，以便促进碳生产率的提高，以及政府、企业、社会参与低碳城市的建设。效率的提高要重于能源结构的调整。上海的能源结构短期内不可能有大的改变，化石能源仍将是今后一段时间内主要的能源。与发达国家相比，上海提升能源效率的空间还很大。因此，上海发展低碳城市需要实行提高能源效率与发展可再生能源并重的战略。

(4)将单位 GDP 的碳强度或者碳生产率(前者的倒数)指标纳入"十二五"规划。单位 GDP 的能源强度主要体现经济过程的能源消耗情况，单位 GDP 的碳强度体现经济增长过程的 CO_2 情况，两者一前一后可以携手成为提升经济发展质量的压力与动力。上海发展低碳城市需要将这两项指标作为经济社会发展的约束型指标，实质性地推动上海低碳城市发展。

6.2.3　低碳城市发展的治理创新与政策保障

发展低碳城市应发挥政府、企业、社会公众三类主体的作用，政府要承担统筹低碳经济发展的领导与管理功能，企业应该成为低碳产业和低碳产品的开发主体，社会应该成为低碳消费和低碳生活的主体。基于三类主体、五个低碳城市领域中的治理行为见表6-3。

表6-3　基于三类主体、五个低碳城市领域中的治理行为

	工业生产	交通运输	建筑使用	新能源开发利用	碳汇碳捕捉
政府	基于政府管理的循环经济及产业政策	基于政府管理的低碳型紧凑城市	基于政府管理的建筑低碳化政策	基于政府管理的新能源激励政策	基于政府管理的绿地建设及碳捕捉
企业	基于企业创新的低碳生产模式	基于企业生产的低碳型汽车制造	基于企业管理的建筑使用低碳化	基于企业创新的新能源开发利用	基于企业技术开发的碳捕捉技术
社会	基于市民行为的低碳消费模式	基于市民行为的低碳型出行模式	基于市民行为的低碳型居住模式	基于市民行为的新能源消费模式	基于市民行为的碳汇政策

6.2.3.1　以政府为主体的低碳行动

政府可以采用的政策有规制性、市场性、参与性政策，在低碳城市中要针对低碳城市的主要行动进行相应的政策创新(图6-6)。在启动阶段要做的工作主要有如下几个方面:

第一，建立完善政府层面的低碳城市治理组织架构，成立各级政府领导负责、参与的办事机构，相互分工，建立有效的协调和决策机制。

第二，将 CO_2 排放总量和碳生产率指标纳入各级政府绩效考核的核心指标。

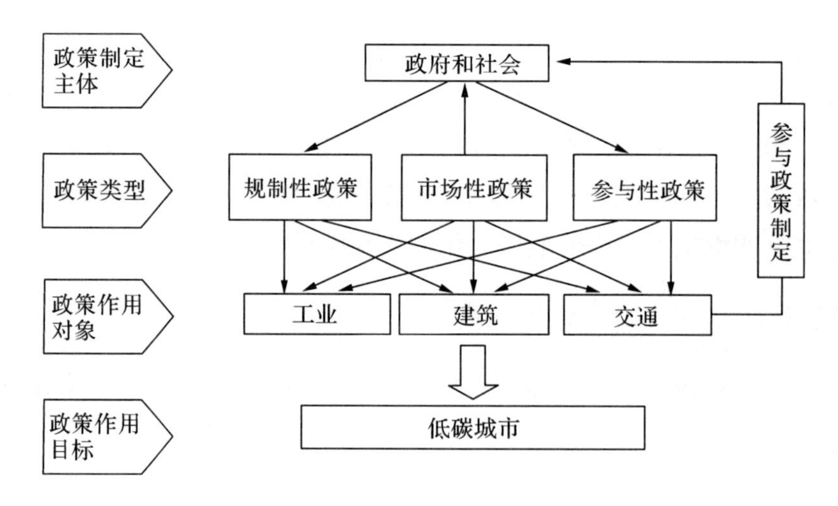

图 6-6 治理创新与政策保障

第三，重视市场性政策在低碳城市中的作用，运用经济手段抑制高碳能源的使用，给具有低碳城市性质的生产与消费提供补贴，政府财政要加大低碳城市领域的投入。

第四，制定针对三个低碳城市领域的具有全过程特点的管理措施，加强低碳城市的规划研究、项目实施和效果评价。

6.2.3.2 以企业为主体的低碳行动

第一，建立基于碳生产率的产业、企业评估考核体系和招商引资政策，设立企业碳生产率的基准值，作为效率标尺，达到标准，给予准入。

第二，注重企业的低碳创新激励机制，市场引导市场投资与消费，使低碳产品开发成为企业新的经济增长点。

6.2.3.3 以社会为主体的低碳行动

第一，设立人均 CO_2 指标，引导市民对自身进行碳预算管理。

第二，建立市民参与的政策平台，使得低碳消费更容易成为全社会的自觉行动。

第三，利用信息公开及宣传，引导市民向低碳消费模式转变。

6.3 低碳城市构建

从基于城市价值的低碳城市概念出发，对于中国而言，低碳城市建设本质上是在解决生态文明时代转变发展方式、不断提高工业化和城市化质量的问题，是在正视和尊重发展的资源环境约束前提下完成工业化和城市化进程、最大限度地提高人民生活质量和城市竞争力的过程，是在城市发展模式上由工业文明向生态文明转变的过程，是人与自然在城市尺度上寻求和谐统一的过程，是在生态文明框架下实现城市价值最大化的过程。建设低碳城市要把降低碳排放与提高市民生活质量和城市竞争力结合起来，坚持低碳战略、低碳规划、低碳产业、低碳文化和低碳管理"五位一体"、系统推进，探索生态文明框架下城市价值最大化的实现模式。

6.3.1　以低碳战略明确城市发展方向

按照诺瑟姆曲线揭示的世界城市化发展规律，一个国家的城市化率在30%～70%之间发展最快。我国目前正处于这样一个城市化快速发展的区间：一方面，中国不可能停滞城市化的发展进程，不可能超越历史规律直接进入以第三产业推动城市化进程的后工业时代；另一方面，中国也不能无视全球性资源短缺和气候恶化的现实，继续延续西方发达国家的城市化和工业化道路。

制定低碳城市发展战略，在国家战略层面，要从生态环境基底条件和容量出发，确定主体功能区，分类制定区域和城市的基本发展原则，进一步明确主体功能区规划下的城市发展导向；在社区和个体层面，应大力倡导生产和消费的可持续转型，逐步开展低碳发展项目的试点与推广。以城市密集地区和大中城市为核心，系统推进基于低碳生态理念的城市规划、产业发展、交通系统、建筑节能等核心领域的技术经济政策制定与落实。

6.3.2　以低碳规划引导城市可持续发展

城市规划是政府和其他有关组织对城市发展与城市建设进行管制的政策工具，是一项预设目标并制约过程的公共管理行为。编制低碳城市发展规划重点要在以下几个方面体现低碳理念：

第一，坚持精明增长。精明增长是一种在提高土地利用效率的基础上控制城市扩张、保护生态环境、服务于经济发展、促进城乡协调发展和人们生活质量提高的发展模式。其要点：一是合理配置空间资源，采用紧凑的城市空间结构，在土地利用上实现适当的功能混合，减少交通距离和交通量；二是用足城市存量空间，加强对现有社区的重建，重新开发废弃、污染工业用地，减少盲目扩张，以节约基础设施和公共服务成本；三是城市建设相对集中，密集组团，生活和就业单元尽量拉近距离，减少基础设施、房屋建设和使用成本。

第二，构建公交优先的综合交通体系。一是合理布局各种交通设施，发挥多种运输方式整体优势，提高交通运输系统组合效率，形成布局合理、衔接顺畅、转换高效、运行安全、环保舒适的综合交通体系，促进城乡交通一体化、区域交通综合化、交通系统信息化；二是坚持公交优先，优先发展以轨道交通为骨干、道路交通为主体的公共交通系统，并提供完备的自行车交通系统以及人性化的步行空间，以减少交通过程中对能源的消耗；三是优化路网空间布局和等级结构，全面提升路网通行能力和服务水平；四是提高交通系统信息化水平，依托现代化的信息管理和控制系统，推动基于互联网的交通地理信息系统及数字交通系统的发展，加快现代交通技术和装备的规模化应用，逐步实现交通系统信息化。

第三，加强生态基础设施建设。如同城市的市政基础设施保障居民获得的社会经济服务一样，城市的生态基础设施保障城市居民能持续获得生态服务。要运用“反规划”途径，首先进行不建设区域的规划，以保障大地生命系统的安全和健康；应用景观安全格局理论和方法，建立生态基础设施，满足生态防洪、生物保护、乡土文化遗产保护和游憩等综合功能需要；结合城市开敞空间系统的布局、规划大量绿色空间和水面等，在调节城市小气候的同时增强城市自身的碳汇能力。

第四，倡导绿色建筑。绿色建筑是指在建筑的全寿命周期内，最大限度地节约资源(节能、节地、节水、节材)，保护环境和减少污染，为人们提供健康、适用和高效的使用空间，与自然和谐共生的建筑。城市规划贯彻绿色建筑的设计建造理念要点有：①节能能源，通过对建筑物的材料、隔热保温性能、能源自给自足等方面的关注，采用适应当地气候条件的平面形式及总体布局，减少采暖和空调的使用，达到节能减排的目的。②节约资源，在建筑设计、建造和建筑材料的选择中，均考虑资源的合理使用和处置，减少资源的使用，力求使资源可再生利用。③回归自然，绿色建筑外部要强调与周边环境相融合，和谐一致、动静互补，做到保护自然生态环境。

第五，着力提高能源使用效率。城市总体规划要从决策源头上保证低碳经济发展的原则，城市详细规划和小区规划设计要从具体操作层面上切实降低能源消耗。在产业发展规划方面，加快经济结构调整，加大污染工艺、设备和企业的退出力度，提高各类企业的能源使用效率和排放标准，提高钢铁、有色、建材、化工和电力等行业的规划准入条件。在能源基础设施规划中，要把眼光重点瞄准绿色能源和清洁技术，积极采用太阳能、风能、潮汐能、生物能、地热、垃圾焚烧以及核能等替代能源作为城市能源供给的来源，注重在能源的生产及其消费过程中，选用对生态环境低污染或无污染的能源，如天然气、清洁煤(将煤通过化学反应转变成煤气或“煤”油，通过高新技术严密控制的燃烧转变成电力)和核能等，采用地区供暖、供冷等技术手段，在鼓励企业采用低碳的先进技术方面提供有力的规划保障，优化能源结构，提高能源效率。

第六，完善低碳市政基础设施。生态文明理念下的低碳型市政基础设施规划建设是建设低碳城市的重要支撑条件。低碳型基础设施体系规划的重点是能源、水和固体废弃物处理三大系统。能源系统规划建设要贯彻“开发与节约并举，把节约放在首位”的方针，积极探索可再生能源的开发利用，形成常规能源利用和新型可再生能源利用、集中式能源利用和分布式能源利用相互衔接、相互补充的能源利用模式，促进能源与环境协调发展。给排水系统规划坚持开源与节流并重的原则，优化水资源配置，通过大力开发包括再生水、海水和雨水的非传统水源，减少城市新鲜水的取用量；通过建筑内安装节水器具和节水装置实现水资源节约；实施梯级水价，以调动居民的节水积极性；通过推广节水概念和方法，加强居民的节水意识；通过提高城市供水的管理及监测水平，供水管网采用优质管材，减少供水管网漏失水量。高标准推进固体废弃物“减量化、资源化、无害化”处置，积极推行分类收集、净菜进城、绿色消费和绿色包装等减量化措施，并采取一定的政策、经济措施，鼓励源头减量。建立完善的垃圾资源回收利用和资源化处理系统，全面推动垃圾分类收集、分类运输、分类处理工作，建立“源头削减、分类收集、分类运输、综合处理”的现代化固体废弃物处理系统。

6.3.3 以低碳产业筑牢城市低碳发展基底

尽管总体上第三产业的碳排放水平比第二产业低得多，优化产业结构是实现经济低碳化的有效途径，但处于不同发展阶段城市的产业结构是不同的，笼统地倡导产业结构升级并不利于实现“发展”与“低碳”的双赢。建设低碳城市，关键是走低碳导向的新型工业化之路，通过构建低碳产业平台、培育低碳市场和发展低碳技术，以符合“两型社会”和生态文明要求的经济发展模式，引导和带动区域的低碳发展，实现城市的低碳领导力。

第一，构筑低碳产业体系。低碳产业是以低能耗、低污染为基础的产业。低碳产业体系的构建涉及各行业上下游节能减排技术的推进、传统能源的清洁化高效化利用、替代能源在交通建筑领域的应用、提升输送能源环节的效率、促进资源回收与再利用效率提高的循环经济等。除相对低碳排放的第三产业以外，发展低碳产业既包括新兴的以高技术支撑的低能耗、低污染、高效率产业，如国家战略性新兴产业规划及中央和地方的配套支持政策确定的节能环保、新兴信息产业、生物产业、新能源、新能源汽车、高端装备制造业和新材料等七大产业，也包括能源、钢铁、汽车、交通、冶金、化工、建材、机械制造等传统高碳产业的低碳化创新。对于我国的绝大部分城市而言，将发展战略性新兴产业与传统高碳产业的低碳化创新结合起来，打造低碳产业平台是实现低碳发展的现实途径。

第二，打造低碳产业平台。一是按照循环经济的要求，产业链中资源的开采、产品的生产、产品的使用和废弃物的处置等各个环节的企业要在空间上相对集中布局，组建成上下游紧密连接的产业集群，把经济活动组织成一个“资源—产品—再生资源”的反馈式流程，实现全过程的清洁生产，最大限度地提高资源和能源的利用率，最大限度地减少它们的消耗和污染物的产生。二是打造低碳发展的战略合作平台，一个产业的聚集，要求它的信息交流、人才交流成本应该最低。要以政府为主导，以企业为主体，将上下游产业链组织起来，形成一个产业链合作框架的机制安排，构建低碳产业联盟，实现信息、技术和人才的共享，最大限度地降低低碳产业生产成本，并加速企业间知识外溢效应和技术创新步伐。三是打造低碳发展的技术支持平台，包括构建推动低碳技术研发创新和低碳产品推广的研发中心、认证中心和交易中心，培育以低碳技术产业为主体的产业集群。

第三，培育低碳市场。一是培育低碳商品市场。低碳商品市场是低碳技术和低碳产业发展的基础。有关专家认为，只要在生产、消费过程中符合低能耗、低污染、低排放要求的商品，都可归入低碳商品的行列。如节能灯、夜灯、竹筷、LED 彩电、石头环保纸(以石灰石为原料)、手帕、充电电池、环保袋等均属此列，甚至由于包装简洁从而减少豪华包装过程中的碳排放的简装商品，也可算是低碳商品。政府应采取措施便利低碳商品的识别，鼓励低碳商品的消费，促进低碳商品的生产，推动低碳商品市场繁荣。美国、英国等 10 多个国家已出台“碳标签”标示政策，要求今后上市的产品上需要标明产品在生产、包装和销售过程中产生的二氧化碳排放量。美国的沃尔玛、英国的 TESCO、瑞典的宜家等世界知名零售企业均已要求各自的供应商完成碳足迹验证，在产品包装上贴上不同颜色的碳标签。二是培育碳排放交易市场。发展低碳经济离不开金融的支持，低碳金融要通过机构和业务的创新，开发出与碳交易有关的金融服务，并随之发展碳基金、碳证券、碳信托等金融工具。中心城市应积极推进各类企业和金融机构在碳交易、碳金融工具开发应用和碳资产管理等方面进行先期探索和试点，培育碳交易市场体系，逐步承担区域、国家的甚至全球重要的碳资产管理中心、碳交易中心、低碳金融信息中心和低碳金融创新中心等职能，支持低碳经济发展。

第四，发展低碳技术。技术进步能够从不同角度推动低碳化的进程，包括能源效率、低碳技术发展水平(如碳捕获技术等)、管理效率、能源结构等。一般所说的低碳技术主要针对电力、交通、建筑、冶金、化工、石化、汽车等重点能耗部门，既包括对现有技术的应用，近期可商业化的技术，也包括远期可能应用的技术。例如，从现阶段来看，能源部门的低碳技术涉及节能、煤的清洁高效利用、油气资源和煤层气的勘探开发、可再生能源及新能源利用技术、二氧化碳捕获与埋存(CCS)等领域的减排新技术。未来加速技术进步，一方面要加强自主技术创新，加强区域和国际技术研发合作，加快技术引进、消化的速度。虽然由于各地区经济水平参差不齐，实施技术标准指标可能会带来技术或贸易壁垒及贸易保护主义，但是国家强制性技术标准，会促进企业淘汰落后技术，加快低碳技术投资和研发。由于低碳技术市场发展滞后，国外的先进技术难以引进，国内现有的技术也难以充分流动。另一方面要大力培育低碳技术市场，扶持国内低碳交易平台的发展，鼓励与国际低碳技术市场对接，既有利于盘活国内现有的低碳技术以发挥其节能减排的作用，也有利于吸收国外先进技术，同时激励国内企业进行技术创新。

6.3.4 以低碳文化凝聚低碳发展的持续动力

文化既表现在对社会发展的导向作用上，又表现在对社会的规范、调控作用上，还表现在对社会的凝聚作用和对社会经济发展的驱动作用上。将低碳上升到文化的高度，建立低碳文化，是生态文明的内在要求，是从源头上解决 CO_2排放过多的根本方法，对维持碳循环平衡和实行低碳减排有着重要的作用和价值。

低碳文化建设的关键是构建低碳价值体系，价值观是文化的核心，低碳价值观体现的是生态价值观。就人与自然的关系而言，过去奉行的是“人类中心主义”工具主义价值观，人类处于价值链的最高层次，自然是作为人类利用的工具存在的，讲究的是征服自然。在这种价值观指导下，无论向自然界排放多少 CO_2都被认为是合理和无关紧要的；生态主义把世界看成是“人—自然—社会”的复杂生态系统，整个世界万事万物是一个生命整体，相互依赖、相互依存、相互联系，强调系统综合、交互关系与多元平等对话，人的生存与其他生态物种的生存状态休戚与共，人的生存质量是整体世界中的生存质量，人类必须树立生态平衡的基本价值理念，树立符合自然生态原则的价值需求、价值规范和价值目标，在尊重自然、维护生态系统平衡的前提下，规范人在自然界中的行为，维护自然良好的生存状态。

构建低碳价值体系，首先要凝聚社会共识。把低碳文化建设与贯彻科学发展观、发展方式转型、生态文明建设及社会主义核心价值体系建设结合起来，把低碳价值体系建设融入国民教育、精神文明建设全过程，贯穿于城市建设、管理各领域，体现到精神文化产品创作生产传播各方面，坚持把低碳教育作为全民教育、全程教育和终生教育的重要内容，把低碳意识上升为全民意识，倡导生态良心、生态正义、生态义务、生态伦理和低碳行为，提倡低碳善美观，努力增进低碳生活、生产和发展的社会共识，为低碳城市建设提供坚实的思想基础。

其次，重塑低碳道德体系。文化创造的主体是人民，只有人民具有了低碳道德和生态行为，只有全民和全社会的公众参与，建设低碳城市才不会是一句空话。低碳道德强调人对自然的道德义务，强调人的自觉和自律，要坚持用低碳价值体系引领社会思潮，把低碳意识的提高、低碳生活习惯的培养与弘扬中华传统美德，推进公民道德建设工程，加强社会公德、职业道德、家庭美德、个人品德教育等结合起来，将人与自然的平等、协调的关系上升为一种道德原则和社会规范，通过评选表彰低碳模范、学习宣传先进典型等形式，引导人民增强低碳生活的道德判断力和道德荣誉感，自觉履行道德义务和社会责任，让人们能够自动自觉地关心自然，从而使人和社会与自然生态环境的协调性得到真正的提高。

再次，创新低碳教育。一是要注重继承和发展我国传统的生态文化。我国传统的“天人合一”理论构成了一个消除对立、差别与矛盾的系统，包含着人对自然的敬畏和依顺，与生态文明理念相一致，与国人的文化心理相契合，极易为人所理解和接受；二是要注重教育体系建设。将生态教育纳入到国民教育系统，借鉴美国、德国等发达国家的做法，通过设立基金、立法等手段将生态文化教育纳入从幼儿园到大学及再教育的社会教育系统，通过学校教育普及生态哲学、生态科学和生态保护等方面的知识，促进受教育对象从小就具有较高的环境意识和良好的环保习惯，实现对传统价值观念的转型；三是注重载体建设。通过每年的世界水日、世界气象日、世界环境日、世界人口日、地球日等纪念活动日，对公众进行宣传和教育，让公众切实了解到我国环境污染的现状，培养公众的生态文化观念和生态伦理意识，加深公民对环境保护的广泛关心和理解，激发他们积极参与环境保护活动的热情。

6.3.5 以治理体系创新保障城市低碳发展

低碳城市的价值指向是要将经济社会发展纳入生态文明的轨道，寻求城市对人的价值和对自然生态系统价值之间的平衡和双赢。实现这一点，不仅需要低碳技术的研发与应用，也需要城市治理制度创新和公共治理模式创新。只有当城市利益相关者达成低碳城市供给的“集体行动”时，低碳城市才有现实基础和未来愿景。

第一，构建低碳政策管理体系。综合运用行政、法律、经济等规制工具处理城市环境和城市发展问题，是中国低碳城市治理的基本模式。综合国内外低碳城市建设经验，在低碳政策安排上的主要路径有六：一是财税政策体系，如开征碳税，征收生态环境补偿费，实施废物加收押金制度(绿税)，实施环境资源核算、污染责任保障，引入税收减免、碳基金或给予低碳活动以财政支持等；二是金融政策体系，如开展低碳经济委托贷款、贴息补贴，逐步发展低碳期货、证券、保险理赔等金融衍生品；三是产业政策体系，如按照低碳经济要求制定地区产业指导目录，推进清洁发展机制(CDM)项目建设，大力发展清洁能源，制定鼓励发展低碳工业的优惠政策；四是科技政策体系，设科技专项基金，建立集低碳技术、节能技术和减排技术三位一体的技术支撑体系；五是低碳服务体系，加强低碳发展的基础设施支持体系建设，提高燃气普及率、城市绿化率和废弃物处理率，发展公共交通、轻轨交通，提高公交出行比例，完善地铁、主干道公交和自行车间的“零换乘”设施，提高小汽车出行成本等；六是低碳考评体系，对能耗大的企业进行了重点监控，成立专门部门建立严格的节能减排指标体系和监测体系。在国家政策和市场信息的引导下，企业作为市场经济的主体，会对节能环保、调整产业结构、发展低碳经济做出理性科学抉择。

第二，构建低碳社会管理体系。低碳城市治理包括低碳生产、低碳生活、低碳消费和低碳管理等不同层面的治理领域，是一个政府推动、企业实施、社会参与，从生产、生活到消费的合作治理过程，必须有社会各界的广泛参与。一是发展各种环保、绿色、低碳教育、低碳研究等社会组织，支持各种社会公益性的志愿者开展活动，鼓励全民参与节电、节油、节气等低碳实践生活，让更多社会主体都行动起来，提升全社会的低碳自治能力。二是建立低碳发展的社会监督体系，落实公民的知情权、参与权和监督权，创新监督载体，鼓励各种媒体公众参与监督，积极提倡并市民从点滴做起，主动地参与低碳行动，形成政府与企业、企业与企业、企业与公众、公众与公众之间相互监督、相互影响、相互促进的低碳建设氛围，提升全民低碳意识。三是创新低碳生活的社会管理平台，建设低碳社区、低碳学校、低碳医院、低碳机关低碳企业等各种形式的低碳发展载体。

第三，构建低碳行政管理体系。低碳发展要提高政府的管理能力。一是要提高组织协调能力，加大行政管理体制改革力度，理顺管理体制，着力解决行业分割、部门分割、职能交叉、政出多门、行政成本高等弊端，通过机构调整、资源整合，实施管理机构、规划编制、设施建设、运行管理的相对集中，形成决策、执行、管理和监督相协调的运行机制。二是提高规划决策能力，政府要把大力发展低碳经济作为建设资源节约型、环境友好型社会，增强可持续发展能力的重要举措，把发展低碳经济战略纳入国民经济发展总体规划，部署低碳经济的发展思路，为低碳经济的发展提供政策、制度、资金和组织保障。三是提高政策调控能力，要制定和完善有利于低碳经济发展的法律法规，健全节能环保和应对气候变化的法律法规；推广节能减排市场化机制，扩大主要污染物排放权有偿使用和交易试点，逐步推动碳排放交易市场建设，推行污染治理设施建设运行特许经营；加快节能环保标准体系建设，建立“领跑者”标准制度，促进用能产品能效水平快速提升；探索建立低碳产品标识和认证制度；抓紧制定支持发展低碳经济、循环经济、可再生能源的相关法规和国家监测考核管理标准，运用法律手段推进低碳经济的发展。

第7章　发展低碳经济的政策支持体系

低碳经济是一种以低能耗、低排放、低污染为基础的绿色经济，是一种统筹人与自然、经济与社会相协调的可持续发展的增长方式。发展低碳经济需要以低碳能源系统、低碳技术体系和低碳产业结构为基础，并建立相应法律政策体系和市场调节机制，以重构与低碳发展相适应的生产方式、消费模式、观念意识等。国外已采取多种措施发展低碳经济，向低碳经济转型已成为当今世界经济发展趋势，我国也在积极推动经济由资源依赖向创新驱动转型，由高碳型增长向低碳化发展转型，并制定了一系列政策和制度。当前世界各国在积极推进低碳经济时，不断地发展低碳经济的政策支持体系。

7.1　发展低碳经济的财税政策

在促进低碳经济发展的众多政策中，财税政策仍是发达国家最为依赖的手段。20世纪90年代以来，我国围绕着可持续发展这一主线提出并实施的几个重大战略，如可持续发展、循环经济、节能减排等，都为我国转向低碳经济发展模式打下了基础。财政税收手段作为一种被普遍采用的宏观调控手段，用其推动低碳经济发展是推动我国低碳发展战略的关键。

7.1.1　我国低碳经济发展的财税政策现状

7.1.1.1　我国低碳经济发展的财政政策

7.1.1.1.1　财政投入

2007年年初，国家颁布了《政府收支分类科目》改革方案，正式将环保支出科目纳入到了国家预算中，并对此工作的开展提出了基本思路和对策。对于可再生能源，国家也为其发展设立了专项资金，并把这些资金主要用于以下方面：对可再生能源开发利用的标准拟定、科技研究以及示范区规划提供财政资金，对可再生能源建立独立电力系统的海岛和偏远地区提供财政资金，对利用可再生能源生活用能项目的牧区和农村提供财政资金以及对可再生能源相关一些辅助体系的建设提供财政资金。政府对清洁产业也给予了财政资金的大力支持，如对从事清洁产品生产研究以及相关人员的培训和示范点的建立，以及对清洁生产技术的研究改进项目等有关技术进步的安排相应的专项资金给予支持；又如，对于实施清洁生产的中小企业设立发展基金，并根据实际情况的需要给予相应数额的资金，以弥补中小企业使用清洁生产遇到的资金不足。

7.1.1.1.2 政府采购

2004 年，我国正式提出《节能产品政府采购实施意见》，明确规定使用财政性资金采购的各级政府、事业单位以及团体组织在进行采购时，应该优先选择节能产品，逐步淘汰高能耗、低能效的产品。而对于此意见的实施，政府采取了积极稳妥、分布进行的策略，逐步扩大实施范围。

2005 年底，国家发布了第一批“环境标志产品政府采购清单”，并先后进行了 7 次调整，纳入清单中的产品包括电视机、复印机、传真机和打印机以及其多功能一体机、木质地板、家具和汽车等 856 种型号产品；并在国务院制定的采购制度中规定，在属于政府强制性节能产品范围的应当优先选择节能产品采购清单范围内的，而对于被节能和环保清单同时认证的产品，应优先于只在其中一项产品中认证的产品。

2008 年，中国质量认证中心和商业联合会出台了《全国商务领域节能产品目录》，目录产品共涉及 200 家企业 41 类产品，其中包括办公用品、节电设备、照明器具以及卫浴节水设备、新能源和建筑节能等共计 597 个型号。而对于其中列入目录的环保节能相关领域，按规定给予优先采购支持，以促进环保节能产品相关领域的推广和普及。

7.1.1.1.3 财政补贴

近几年，我国对那些有利于节能减排以及资源综合利用等低碳领域给予了大量的财政补贴，为我国发展低碳经济奠定了很好的基础。如对农村用户使用省柴灶、沼气系统以及小型光伏发电系统、小型风电和小水电等的建设提供材料的补贴和直接资金补贴的鼓励政策；对节能减排技术的研发、使用等相关投资人提供贴息或者低息的贷款并给予延长其贷款的还款时限的鼓励政策；对实施废弃资源的回收、处理以及综合使用的相关企业给予利润可以不上缴等间接的补贴的鼓励政策。

7.1.1.2 我国低碳经济发展的税收政策

我国现有的税收制度中涉及了有关环境保护、节能减排和资源回收利用的一些税收政策，其税种类型包括两种：一种是相关税种中明确予以条款规定的，如企业所得税、增值税；一种是其税种并没有明确予以保护环境为目的课征的，但是已经具有了这一性质作用，如资源税、消费税、城建税、耕地占用税、车船使用税和土地使用税。以上税种的设置初衷虽非出于低碳经济发展的考虑，但在促进低碳经济发展过程中起到了一定的作用。

7.1.1.2.1 增值税

增值税作为我国流转税的一大主体税种，在能源产品普遍征税的基础上也给其中一些能源提供了税收优惠政策，对促进节能具有很大的作用。2001 年起，对使用煤泥、煤矸石、油母页岩以及风力作为原动力生产的电力给予增值税减半的优惠政策；对我国部分不具备生产能力的可再生能源发电设备以及其他零部件给予增值税的低税率或者免税的优惠政策。

2004 年起，对使用石煤生产电力的给予增值税减半的优惠政策；对城市生活垃圾产生的电力以及用丢弃物油母岩生产加工的页岩油产生的电力给予增值税即征即退的优惠政策。

2009 年，我国对增值税进行了调整，首次将由废旧轮胎为原料生产的翻新轮胎和胶粉纳入了增值税优惠政策范围内，给予增值税免征的优惠政策。对销售再生资源的企业实现的增值税给予先征后退的优惠政策，这种再生资源是指在社会生产和生活消费过程中形成的，已经先去原有全部或部分使用价值，经过回收、加工处理，能够使其重新获得使用价值的各种废弃物。

7.1.1.2.2 所得税

(1)对《资源综合利用企业所得税优惠目录》中所规定范围内的资源，企业对其资源综合利用生产一定的产品，而对于因此取得的资金收入为依据计算其所得税额时，给予减少税收优惠政策，即按其收入 90% 计算税额。

(2)对新能源与节能技术相关领域的企业给予 15% 的低税率所得税的优惠政策，如核能、可再生清洁能源以及氢能等领域都享有这种优惠；对环境与资源技术相关领域的企业也给予 15% 的低税率所得税的优惠政策，如大气和水等污染方面控制、环境的监管监测以及循环经济与清洁生产、废弃物的回收处理与综合利用开发等方面都享有这种优惠政策。

(3)对购置相关环境保护和节能节水设备的投资者给予投资一定比例的税额抵免的优惠政策。如对《对节能节水专用设备企业所得税优惠政策》和《环保专用设备企业所得税优惠目录》优惠目录中的节能、节水、环保等专用设备的投资者的 10% 投资额可以与当年的应纳所得税额抵免，如果当年的所得税额不够抵免的，可以在其后五个纳税年度内结转抵免。

(4)2009 年出台的《关于中国清洁发展机制基金及清洁发展机制项目实施企业有

关企业所得税政策问题的通知》，对清洁发展机制基金取得的收入给予免征企业所得税的优惠政策，其中取得的收入主要包括清洁发展机制基金的资金存款利息收入、清洁发展机制项目二氧化碳等温室气体减少其排放量转让所得收入上缴到国家的那部分收入以及购买国债利息的收入等。

7.1.1.2.3 消费税

消费税是国家为体现消费政策，对生产、委托加工、零售和进口的应税消费品征收的一税种，具有体现国家对本国消费引导的一种税种，其中对成品油、摩托车、小汽车以及烟、烟火和一次性筷子及木制地板等商品的征税都对促进环保节能发展有很好的作用。2008 年，对消费税进行了调整，将车辆养路费取消了，然后提高了柴油、汽油以及润滑油等成品油的消费税税率，不仅提高了对道路和能源的利用效率，而且也促进了节能减排的发展。2009 年，对烟产品进行了调整，分别对甲类卷烟、乙类以及雪茄烟都提高了其税率，并在卷烟批发环节加征一道从价税。从而促进了节能减排的发展。

7.1.1.2.4 资源税

资源税是以各种应税资源为课税对象、为了调节资源级差收入并体现国有资源有偿使用而征收的一种税种，是在我国资源大量流失以及对其利用效能低下的情况下开征的一种税种，是为了限制对自然资源的开发以及促进对其的合理利用而开征的税种，从而实现对自然资源的保护和生态环境的可持续发展。我国现行资源税是根据不同资源的存量、开采条件、资源优劣等资源级差的不同而实行差别税额，与低碳化领域相关的资源税税目主要包括原油、天然气、煤炭等燃料资源。

7.1.1.2.5 其他税收优惠政策

除以上几种主要税种外，在其他税种中也有一些促进节能减排等有利于低碳经济发展的税收优惠政策。例如，对环境保护相关单位给予免征车船使用税、房产税以及城镇土地使用税等优惠政策；对使用环境监测车、各种洒水车以及本地总线的公汽车的环境保护部门免征车船使用税；2004～2010 年期间，对企业用于国有林区实施天然林资源保护工程的车船、房产以及土地分别给予免征车船使用税、房产税和城镇土地使用税的税收优惠政策。

7.1.2 发达国家低碳经济财税政策体系

目前，欧美等发达国家在大力开发低碳技术、广泛应用新型能源的同时，积极运用税收政策手段促进低碳经济发展，一些西方发达国家已形成了较完善的低碳经济税收体系。

第一，碳税。开征碳税被发达国家认为是富有成效的政策手段。温室气体减排政策手段包括排放税（能源税、碳税）、排放权交易等，其中，征收碳税最具市场效率，受到经济学家和国际组织的推崇。碳税是针对 CO_2 排放所征收的税，一般是对煤、石油、天然气等化石燃料按其含碳量设计定额税率来征收的。建立碳税制度，将燃料成本内部化，并以此来控制温室气体的排放量，可以使企业根据各自的成本选择控制量；但碳税政策会对本国企业的国际竞争力构成不利影响。开征碳税将提高企业的生产成本，尤其是钢铁等能源密集型部门，使其在国际贸易中的竞争力降低甚至丧失。为抵消碳税给企业带来的经济负担，各国通常免除能源密集型部门碳税，或实行税收返还优惠政策。目前，世界上已有丹麦、芬兰、荷兰、挪威和瑞典5个北欧国家实施了碳税政策，法国也将开征碳税。欧盟一些国家征收碳税的实践表明，碳税是一个有效的环境经济政策工具，可以较好地减少污染物排放以及 CO_2 排放，并提高能源利用效率。以瑞典为例，1990～2006年期间，温室气体的总排放量下降了9%，而同期GDP却增长了44%。有研究表明，如果税率保持在1990年的水平，瑞典 CO_2 的排放量将比现在高出20%。

第二，环境税。有些发达国家虽然没有开征独立的碳税，但在其税收体系中设置了环境税。这些国家的环境税存在以下几个特点：一是课征范围极为广泛，涉及大气、水资源、生活环境、城市环境等诸多方面，包括能源相关税、机动车相关税、污染与资源税、直接税收中的环境条款四大类；二是以能源税为主体，对可以产生温室气体的能源课征较高的税收，一些国家汽油税负占到其总价格的50%以上，德国、法国更是达到了70%；三是对损害环境的行为征税，主要针对有害于环境的消费和生产如排放 CO_2 等进行征税。

第三，税收优惠。实施税收优惠是发达国家为促进低碳经济发展而普遍采用的措施。在发展节能环保汽车方面，许多欧盟国家都对消费者购置新型、清洁和高能效汽车给予税收减免，美国对在2006～2010年之间购买柴油轿车和混合动力汽车的消费者给予最高3400美元的税收返还；在发展节能建筑方面，美国对新建节能建筑实施减税政策，凡在IECC标准基础上再节能30%以上和50%以上的新建建筑，每套房可以分别减免税1000美元和2000美元；在发展清洁能源方面，美国政府规定可再生能源相关设备费用的20%～30%可以用来抵税，可再生能源相关企业和个人还可享受10%～40%额度不等的减税额度，欧盟及英国、丹麦等成员国规定对可再生能源不征收任何能源税，对个人投资的风电项目则免征所得税等。

第四，税制“绿色化”改革。总结发达国家20世纪90年代以来的绿色税制改革经验，主要采取了两种模式：一是激进式改革，即为了保护环境的需要，对税制结构进行全面的重组改革，以突出税收的环境保护作用；二是渐进式改革，即对现行税制进行调整，并通过开征新的环境税种予以辅助，以逐步增强税收的环境保护功能。

7.1.3 发达国家低碳经济财税政策特点

发达国家低碳财税政策可分为两大类：一是促进低碳经济发展的财税政策，如旨在鼓励市场主体进行能效投资、节能技术研发、新能源投资的财政补贴、预算拨款、税收减免以及贷款贴息等措施；二是抑制高碳生产、消费行为的财税政策，如旨在提高能源使用成本、鼓励节能降耗、控制温室气体排放的能源税、碳税等。

发达国家的低碳财税政策主要有四大特征：一是在促进经济低碳化的发展过程中，碳税或能源税受到广泛的重视与运用；二是在实施低碳税收政策过程中，大多秉持了税收中性原则，保证了宏观税负的基本稳定；三是注重发挥政府资金投入的杠杆作用；四是注重发挥市场机制的配合作用。

（1）碳税应用范围的扩大化。自从1990年芬兰在全球率先开征碳税以来，丹麦、挪威、瑞典、意大利、瑞士、荷兰、德国以及英国、日本等相继开征了碳税或类似的税种（气候变化税、生态税、环境税或能源税等）。征收碳税的理论基础就是庇古的“污染者付费”说，其目的是借政府“有形”之手解决环境领域的市场失灵问题。

（2）碳税收入运用的定向化。对大多数发达国家而言，征收碳税或能源税的主要目的是为了提高能效，降低能耗，并非是为了扩大税源，增加财政收入。因此，在使用上，相应的碳税收入一般都具有定向性或专款专用的性质。为了鼓励市场主体节能减排、促进低碳经济的发展，政府需要增加相应的财政支出，而这些支出往往都来自碳税收入。在征收碳税时，大多数国家秉持的是税收中性原则，即在开征碳税的同时，相应地降低其他税收收入的比重，从而保证在总体上不增加市场主体的税收负担。

（3）低碳财税政策的杠杆化。在促进经济低碳化的过程中，既需要对传统产业进行低碳化改造，又需要对新能源进行开发投资，而政府的财力却是有限的。所以，发达国家十分注重低碳财税政策的引导与杠杆作用，政府除了对节能减排项目进行直接的财政补贴外，还常利用担保基金、循环基金以及风险基金（如英国的碳基金）等作为杠杆工具，引导社会资本参与各种能效项目、新能源项目的开发。

（4）税制调整的“绿色化”。为了促进经济的低碳化，从20世纪90年代开始，西方发达国家普遍实施了税制的“绿色化”改革，目的是使税制从整体上不仅有利于经济的发展，而且有利于资源、环境的保护。在措施上，一是开征有利于控制气候暖化、保护环境的新税种，如碳税、气候变化税以及生态税等；二是调整原有的税制中不利于环境保护的相关规定。在理念上，从“谁污染、谁付费”转向“谁环保、谁受益”，征收环境税的出发点已不再局限于筹集环境治理资金，而是逐步扩大到促进生产方式、生活方式转向低碳化上来。

(5)行政措施、财税政策、市场机制的协同化。在节能减排的过程中，西方发达国家一般会综合运用行政措施、财税政策以及市场机制等手段，并通过不断提高这些手段之间的协同化程度来更好地促进节能减排目标的实现。其中，行政措施主要包括减排行政指令、节能条例以及强制性的行业准入标准等。虽然这具有很强的目标性，但减排最终效果还取决于微观市场主体的执行意愿与力度。在行政措施的具体实施过程中，政府还需要通过财税优惠政策对其进行激励，减排目标还需要借助市场机制来实现。

7.2 发展低碳经济的产业政策

7.2.1 我国低碳经济产业政策

中国积极推进减缓气候变化的政策和行动，制定和实施了一系列产业政策和专项规划，以积极推进低碳经济发展。2007年国务院发布了《关于加快发展服务业的若干意见》(国发〔2007〕7号)。2008年，国务院办公厅发布了《关于加快发展服务业若干政策措施的实施意见》(国办发〔2008〕11号)。从2009年年初开始，国务院相继召开常务会议，研究并通过了汽车、钢铁、纺织、造船、装备制造、电子、轻工、石化、有色金属、物流十大产业调整振兴规划。这些规划涉及范围广、政策力度大、决策效率高，都把淘汰落后产能、提高技术水平、节能减排作为重点。

2010年，国家发改委发布了《关于开展低碳省区和低碳城市试点工作的通知》(发改委〔2010〕1587号)，决定首先在“五省八市”(广东、辽宁、湖北、陕西、云南五省和天津、重庆、深圳、厦门、杭州、南昌、贵阳、保定八市)开展低碳省区和城市的试点工作。试点省市结合自身的情况，通过编制低碳发展规划、制定支持低碳绿色发展的配套政策、加快建立以低碳排放为特征的产业体系、建立温室气体排放数据统计和管理体系、积极倡导低碳绿色生活方式和消费模式等措施来推动落实我国控制温室气体排放行动目标。

7.2.1.1 “绿化”现有产业，发展环保产业

对工业而言，应该大力发展生态工业，也就是运用工业生态学的观念来改造现行

的工业系统。就微观层次而言，就是按照清洁生产的理念来组织工业生产，促进原料和能源的循环利用；就宏观层次而言，就是要大力发展工业生态链和兴建工业生态园，在产业、地区、国家甚至世界范围内实施低碳经济法则，使微观企业之间形成共生系统，尽量消除废弃物的产生。与工业类似，低碳经济的农业也应该是可持续的，它包括有机农业、生态农业等形式。大力发展环保产业是改善现有环境的重要手段。从广义来讲，资源回收产业也是环保产业的一个组成部分。资源回收、绿色消费和绿色生产相互衔接起来，就会形成一个全社会范围内“自然资源—产品和用品—再生资源”的完整的循环经济环路。

7.2.1.2 构筑以循环经济为主体的产业体系

循环经济理论对于区域的低碳经济发展具有指导意义，根据循环经济的原则，即“3R”原则(减量化、再使用、再循环)，统筹规划区域经济建设，可以在源头上节约资源，提高资源利用率，使区域经济和谐快速发展。所以在区域经济建设和规划过程中，要符合循环经济的原理。

(1)在区域内建立企业的物质循环体系。在资源利用过程中尽可能做到“闭路循环，吃干榨尽”。生态工业园是根据循环经济理论和工业生态学原理来建立的一种与生态环境和谐共存的新兴工业园区。它用工业生态学的理论与方法来研究工业生产，把工业体系当做一个封闭的自然生态系统。对想进入园区的生产企业根据原料、产品、排放物等方面进行考察，把能够构成循环的企业放在同一园区内，使园区内某一企业生产的“废物”或副产品成为另一个企业的原料，实现变废为宝、价值增值、减少最终废物排放、保护环境的目的。

(2)构建区域内生产和消费循环利用体系。产品在设计阶段就要考虑采用、使用便于循环利用的原材料，利用过程中产生污染较少的原材料，从源头堵住对环境的污染。随着我国经济的快速发展和人民生活水平的提高，生产和生活中产生的能够被回收利用的再生资源日益增多，必须进一步扩大再生资源的回收加工体系，及时回收各种再生资源。

7.2.2 国外低碳经济产业政策

世界能源和工业生产重大技术正在向低碳、高效、环保的方向过渡，主要发达国家已经把发展低碳产业、做大低碳经济作为催生新的经济增长点和占领经济制高点的战略首选。

7.2.2.1 美 国

提出到2020年碳排放量减至2006年水平，2030年减至1990年水平。全球金融危机以来，美国选择以开发新能源、发展低碳经济作为应对危机、重新振兴美国经济的战略取向，短期目标是促进就业、推动经济复苏；长期目标是摆脱对外国石油的依赖，促进美国经济的战略转型。美国政府发展低碳经济的政策措施可以分为节能增效、开发新能源、应对气候变化等多个方面，其中，新能源是核心。

2009年1月，奥巴马宣布了《美国复兴和再投资计划》，以发展新能源作为投资重点，计划投入1500亿美元，用3年时间使美国新能源产量增加1倍，到2012年将新能源发电占总能源发电的比例提高到10%，2025年，将这一比例增至25%。2009年2月，美国正式出台了《美国复苏与再投资法案》，投资总额达7870亿美元，主要用于新能源的开发和利用，包括发展高效电池、智能电网、碳储存和碳捕获、可再生能源（风能和太阳能等）等。

2009年6月，美国完成了《美国清洁能源与安全法案》，用立法的方式提出了建立美国温室气体排放权（碳排放权）限额－交易体系的基本设计。可以归纳为六个方面的内容：第一，排放总量的控制。对约占温室气体排放量85%的排放源设置了具有法律约束力且逐年下降的总量限额。第二，配额发放。排放源对其排放的每1t温室气体都要持有相应数量的排放配额，并可以交易、储存和借贷配额。在最初几年，对排放配额中的80%进行免费发放，之后，随着总的配额的减少，免费发放配额也将逐年减少。第三，稳定配额交易价格的措施。该体系在已批准的国家温室气体排放清单的基础上形成，因此解决了可能存在的碳价格波动问题。第四，美国国内和国际抵消量。允许排放抵消量来降低减排成本，设置抵消量从初始每年20亿tCO_2当量逐步减少到8亿t。在20t抵消量中，10亿t来自国内林业和农业项目，另外10亿t来自国外。《美国清洁能源与安全法案》还为国际碳抵消量进入美国碳市场建立了四种连接机制。第五，对发展中国家的援助。2012～2021年，为发展中国家适应气候变化和向其转让清洁技术提供2%的配额，2022～2026年，这一比例将增加到4%，2027年后增加到8%。第六，治理结构。除美联邦环保署和国务院外，《美国清洁能源与安全法案》还授权美国农业部、美国能源管理委员会、商品期货交易委员会分别负责相关监管。

7.2.2.2　欧　盟

欧洲是低碳经济的起源地，也一直是全球低碳经济的领头羊。作为新的经济增长点和就业机会的摇篮，低碳经济已经写入欧盟未来发展战略计划，欧盟委员会已提出一揽子能源计划，把低碳经济确立为未来发展方向，视其为一场“新的工业革命”。

2007年3月，欧盟委员会提出一揽子能源计划，带动欧盟经济向高能效、低排放的方向转型。

2008年12月，欧盟就能源气候一揽子计划达成一致，内容覆盖了排放权交易机制修正案、成员国配套措施和定额分配指令、碳捕获和储存法令、可再生能源指令、汽车 CO_2 排放法规和燃料质量指令 6 个方面。

2009 年 3 月，欧盟宣布，在 2013 年前出资 1050 亿欧元支持“绿色经济”，促进就业和经济增长，保持欧盟在低碳产业领域的世界领先地位。当年 10 月，欧盟委员会又建议欧盟在未来 10 年内增加 500 亿欧元用于发展低碳技术，根据这项立法建议，欧盟发展低碳技术的年资金投入将从目前的 30 亿欧元增加到 80 亿欧元。欧盟委员会还联合企业界和研究人员制定了欧盟发展低碳技术的“路线图”，计划在风能、太阳能、生物能源、CO_2 的捕获和储存等 6 个具有发展潜力的领域，大力发展低碳技术。

7.2.2.3 英 国

目前英国低碳经济及相关产业每年能创造超过 1000 亿英镑的产值，为 88 万人创造就业机会。

其实，“低碳经济”最早见诸政府文件是在 2003 年的《英国能源白皮书——我们能源的未来：创建低碳经济》。也就是说，早在 2003 年，英国就在《能源白皮书》中正式提出了低碳经济概念，提出了将于 2050 年建立低碳社会的目标。2005 年，英国建立了 3500 万英镑小型示范基金。2008 年，英国颁布了《气候变化法案》，在这一法案中，英国政府承诺，到 2020 年，将削减 26%~32% 的温室气体排放；到 2050 年，将实现温室气体的排量降低 60% 的长期目标。

2009 年 4 月，布朗政府宣布将“碳预算”纳入政府预算框架，使之应用于经济社会各方面，并在与低碳经济相关的产业上追加了 104 亿英镑的投资，英国也因此成为世界上第一个公布“碳预算”的国家。

2009 年 7 月 15 日，英国政府公布了发展低碳经济的国家战略蓝图，具体内容包括以下三个方面：一是大力发展新能源。到 2020 年可再生能源在能源供应中要占 15% 的份额，其中 40% 的电力来自低碳领域(30% 来源于风能、波浪能和潮汐能等可再生能源，10% 来自核能)。二是推广新的节能生活方式。在住房方面，英国政府拨款 32 亿英镑用于住房的节能改造，对那些主动在房屋中安装清洁能源设备的家庭进行补偿，预计将有 700 万家庭因此受益。在交通方面，新生产汽车的 CO_2 排放标准在 2007 年基础上平均降低 40% 。三是向全球推广低碳经济的新模式。

7.2.2.4 日 本

日本是一个资源比较匮乏的国家，因而也是新能源开发最抢先的国家，在太阳能发电、海洋能、地热发电、燃料电池等能源范畴都走在世界的前列。日本政府与学者于 2004 年开始对低碳社会模式和途径进行研究，并于 2007 年 2 月颁布了《日本低碳社会模式及其可行性研究》。日本低碳社会遵循三个基本原则，即：在所有部门减少碳排放；通过更简单的生活方式达到高质量的生活；与大自然和谐生存，保持和维护自然环境成为人类社会的本质追求。

2008年，日本政府通过了《低碳社会行动计划》，将低碳社会作为未来的发展方向和政府的长远目标。《低碳社会行动计划》提出，在未来3~5年内将家用太阳能发电系统的成本减少一半，到2030年，风力、太阳能、水力、生物质能和地热等的发电量将占日本总用电量的20%。《低碳社会行动计划》还提出，从2009年起将就碳捕获与埋存技术开始大规模验证试验，争取2020年前使这些技术实用化。为了推动能源和环境技术发展，日本政府还制定了以下两个方面的具体措施：一是限制措施，日本《建筑循环利用法》规定，改建房屋时有义务循环利用所有建筑材料，使得日本由此发明了世界先进的混凝土再利用技术；二是提供补助金，日本政府正在探讨恢复对家庭购买太阳能发电设备提供补助的制度，降低对中小企业购买太阳能发电设备提供补助的门槛。此外，从2009年开始，日本政府向购买清洁柴油车的企业和个人支付补助金，以推动环保车辆的普及。

2009年4月，日本政府公布了《绿色经济与社会变革》的政策草案，提出通过实行削减温室气体排放等措施，大力推动低碳经济发展。

7.2.2.5　巴　西

大力发展可再生能源，巴西是推动生物燃料业发展的先锋，也是当前生物燃料业发展较为成功的范例，近几年来，巴西燃料乙醇工业得到了长足的发展，在价格上已具有竞争性，政府颁布了有关使用生物柴油的法令，还出台了相应的鼓励政策与措施。

巴西燃料乙醇的日产量从2001年的3000万L增加到2005年的4500万L，已能满足国内约40%的汽车能源需求。用甘蔗生产乙醇是目前世界上制造乙醇最便宜的方法，在未来3年中，巴西计划将新建40~50家大型乙醇加工厂，为了保证原料供应，甘蔗的种植面积也将不断扩大。2010年，巴西甘蔗加工能力将达到5亿t。与此同时，巴西正在加快专用管道的建设，以提高乙醇的运输能力。

除了燃料乙醇外，巴西将重点提高生物柴油技术的研发能力以及推广和使用，这些用大豆油、棕榈油、葵花油等为原料加工生产的生物柴油，可以添加在普通柴油中，作为卡车和柴油发电机的动力燃料。

巴西政府还专门成立了一个跨部门的委员会，由总统府牵头、14个政府部门参加，负责研究和制定有关生物柴油生产与推广的政策与措施。2004年颁布了有关使用生物柴油的法令，规定从2008年起，全国市场上销售的柴油必须添加2%的生物柴油；到2013年添加比例应提高到5%。目前在巴西的27个州中，已经有23个州建立了开发生物柴油的技术网络。

为了支持低碳产业的发展，巴西政府还推出了一系列金融支持政策。比如，国家经济社会开发银行推出了各种信贷优惠政策，为生物柴油企业提供融资；巴西中央银行设立了专项信贷资金，鼓励小农庄种植甘蔗、大豆、向日葵、油棕榈等，以满足生物柴油的原料需求。

7.2.2.6 韩 国

韩国制定了《低碳绿色增长的国家战略》，确定了2009~2050年低碳绿色增长的总体目标，提出大力发展低碳技术产业、强化应对气候变化能力、提高能源自给率和能源福利，全面提升绿色竞争力。

韩国低碳绿色增长的主要内容和政策措施包括以下几个方面：一是减少能源依赖。2008年8月，韩国公布《国家能源基本计划》，提出提高资源循环率和能源自主率的要求，2050年实现能源自主率超过50%。同时要降低能源消费中煤炭和石油的比重，从目前83%下降到61%；扩大太阳能、风能、地热等新能源与再生能源的比重，从2006年的2%提高到2030年的11%，2050年达到20%。二是提升绿色技术。2009年初，韩国公布了《新增动力前景及发展战略》，提出了17项新增长动力产业，其中有6项属于绿色技术领域，包括新能源和再生能源、低碳能源、污水处理、发光二极管应用、绿色运输系统、高科技绿色城市。三是通过发展低碳产业扩大就业。根据韩国政府估算，发展再生能源产业比制造业多创造2~3倍的就业；尤其是发展太阳能产业、风力发电业，需要8倍于普通产业的就业人口。作为环保努力的一部分，韩国政府还将投资3万亿韩元用于扩大森林面积，并提供23万个就业岗位。

此外，俄罗斯、南非、东盟国家等经济转型国家和发展中国家也在陆续开展低碳经济政策的研究，期望通过低碳经济模式与低碳生活方式，实现经济社会可持续发展。

7.3 发展低碳经济的科技政策

7.3.1 我国低碳经济科技政策

为了有效落实《国家中长期科技发展规划纲要》确定的重点任务，同时也为《应对气候变化国家方案》的实施提供科技支撑，统筹协调我国气候变化的科学研究与技术开发，全面提高国家应对气候变化的科技能力，科技部于2007年组织编制了《中国应对气候变化科技专项行动》。《专项行动》提出，我国到2020年达到的目标是：气候变化领域的自主创新能力大幅度提高；一批具有自主知识产权的控制温室气体排放和减缓气候变化的关键技术取得突破，并在经济社会发展中得到广泛应用；重点行业和典型脆弱区适应气候变化的能力明显增强；参与气候变化合作和制定重大战略与政策的科技支撑能力显著提高；气候变化的学科建设取得重大进展，科研基础条件明显改善，科技人才队伍的水平显著提高；公众的气候变化科学意识显著增强。2008年10月，国务院首次发布了《中国应对气候变化的政策与行动》(白皮书)，该白皮书主要概述了我国应对气候变化的战略和目标、减缓气候变化的政策与行动、适应气候变化的政策与行动、全社会应对气候变化意识、气候变化领域国际合作、应对气候变化的体制机制建设等方面的情况。从这一年开始，我国政府每年都会发布《中国应对气候变化的政策与行动》的年度报告，对该年度的应对气候变化的成果和问题进行总结。

7.3.1.1 战略式技术

战略性技术是尚处于基础研究期，但未来有巨大应用潜力的或代表世界科学发展趋势的技术，核聚变、海洋能、天然气水合物和CCS等技术属该范畴。此类技术在国际上尚处于探索阶段，中国应紧密跟踪国际前沿并进行战略性自主研发，并大力支持原始创新，争取未来能够引领世界。相关政策包括：①将技术研发提升到国家科技战略层面，建立保障技术战略性研发的制度安排。②为研究提供充裕的资金支持。中国与发达国家在此类技术的研发水平上没有明显差距，只有进一步加大科研投入力度，才能保证未来中国在低碳技术发展中处于有利地位。③建立与国际研究资源对接的机制。一方面，紧密跟踪国际前沿进展，包括研究思路、策略、成果等；另一方面，积极寻找合作研发机会，加强国际合作和联合研发。

7.3.1.2 创新性技术

新性技术指处于应用研发期，并已进行了少量示范的技术，电池电动汽车、氢燃料电池汽车、新型薄膜太阳能电池和海上风电等技术属于此范畴。企业是此类技术创新和扩散的主体，政策应致力于推动企业创新行为和创新能力建设，并为未来技术产业化打好基础。相关政策包括：①对技术的适用性和发展前景进行谨慎判断。对于前景尚不明朗的技术应先做好示范工程，并在此基础上对技术的适用性进行评估。如果某项技术在中国未来的发展中可能面临重大瓶颈，在政策资源有限的情况下，应优先考虑替代性技术。②搭建技术创新平台。主要政策包括推动产学研联合、重视基础技术和共性技术研发等。③推动国际合作。政府应搭建国际合作平台，鼓励、支持企业和科研机构开展与具有国际经验和最佳实践的国外团体、组织、企业进行对接，并充分发挥商业促进组织在企业跨国合作中的作用。④为企业技术研发提供资金激励。政府给企业研发资助的绝对额及占企业科技经费筹集额的比重应当进一步增加，且在资助对象上应适当向民间企业倾斜。⑤为孕育创新型低碳企业创造条件。目前多数企业尚未形成核心技术创新能力，创新的组织机制也不完善，应重视培养企业的创新能力。⑥着手产业技术路线图的编制。同一个领域创新性技术往往会有多种不同的技术和研究方法，制定路线图可以对产业的技术发展进行统筹。⑦为技术在未来获得市场准入创造条件。限制性法规或被垄断性企业支配的市场可能导致创新性技术在未来推广的失败，公平竞争政策对于推动此类技术的发展至关重要。

7.3.1.3 成熟型技术

成熟型技术主要指技术已基本成熟，并开始进行大规模示范推广的技术，主要包括提高车辆燃油效率、改进现有风能和太阳能技术以提高其经济性、改进工艺以提高LED照明的发光率和寿命等。此类技术主要通过市场竞争来占有市场并实现成本下降，对于近期不具备市场竞争力但出于减排考虑而需求迫切的技术，政府需要进行扶持。可能的政策包括：①对于引进的技术，应重视培养企业的消化、吸收和再创新能力，快速促进技术和产品的本土化。“以市场换技术”策略曾推动中国多项低碳技术的创新与发展，但单纯引进技术的模式是不可持续的，引导企业增强对国外技术的消化、吸收和再创新能力更为重要。②对于已掌握核心技术的或中国自主研发的技术，应当采取适当的财政补贴促进技术的推广。一方面可以通过消费端补贴推动技术在国内的推广，另一方面应扩展有竞争力的自主知识产权技术和产品(如太阳能热水器、小水电等)在海外市场的应用。③解决低碳技术与传统技术互补性所造成的推广障碍，途径包括提高自然资本的价格、政府限制互补性高碳技术的发展等。④利用政府采购为技术创造市场，建立长效机制来推动低碳产品的政府采购十分必要。⑤为技术或产品推广提供基础设施条件的支持。⑥完善行业标准体系，以达到规范市场的作用。⑦在最适合推广的区域出台鼓励措施，推动大规模产业基地和产业集群的形成。

7.3.1.4 商业化技术

商业化技术指技术具备经济性并实现商业化，但其大规模应用仍可能面临其他障碍的技术。政府需要坚持以市场为导向，辅以相关政策，方能快速推动此类技术的大规模商业化应用。相关政策包括：①完善第三方标识系统，帮助消费者识别高能效产品；②完善法规和标准，并增强监管力度；③对直接选用技术的利益相关方给予财税政策鼓励；④鼓励适宜的商业模式的发展；⑤技术的推广与能力培训同步；⑥加大舆论宣传和信息传播的力度。

7.3.2 发达国家低碳经济科技政策

在促进低碳技术的研发与推广方面，由于新科技开发与应用需要高成本和高投入，政府要在政策上对投资者给予鼓励，如对投资者进行补贴或优惠贷款政策，对使用低碳技术的生产者、经营者进行补贴。各发达国家的低碳政策大多把重点放在改造传统高碳产业，加强低碳技术创新上，但又各具有侧重点。

7.3.2.1 欧 盟

在低碳技术的研发中，欧盟的目标是追求国际领先地位，开发出廉价、清洁、高效和低排放的世界级能源技术。英、德两国将发展低碳发电站技术作为减少 CO_2 排放量的关键，他们认为，煤在中期和长期内仍将继续发挥作用，因此必须发展效率更高、能应用清洁煤技术的发电站。为此，英、德政府调整产业结构，建设示范低碳发电站，加大资助发展清洁煤技术、收集并存储碳分子技术等研究项目，以找到大幅度减少碳排放的有效方法。德国制定了专门的 CO_2 分离、运输和埋藏的法律框架。英国政府还建立了碳基金，发挥政府在扶持和鼓励开发低碳技术领域的重要作用。

7.3.2.2 日 本

日本作为推动低碳经济的急先锋，每年投入巨资致力于发展低碳技术。根据日本内阁府2008年9月发布的数字，在科学技术相关预算中，仅单独立项的环境能源技术的开发费用就达近100亿日元，其中创新型太阳能发电技术的预算为35亿日元。日本有许多能源和环境技术走在世界前列，如综合利用太阳能和隔热材料、削减住宅耗能的环保住宅技术，利用发电时产生的废热为暖气和热水系统提供热能的热电联产系统技术废水处理技术、塑料循环利用技术等，这些都是日本发展低碳经济的重要优势。此外，日本还持续投资化石能源的减排技术装备，如投资燃煤电厂烟气脱硫技术装备，形成了国际领先的烟气脱硫环保产业。

7.3.2.3 美 国

美国政府不遗余力发展清洁煤技术，在《清洁空气法》《能源政策法》的基础上提出了清洁煤计划。其目标是充分利用技术进步，提高效率，降低成本，减少排放。目前，美国电力生产的50%左右来自煤炭，预计到2030年，这一比例将上升到57%。为了能更加环保、更加高效地利用储量丰富的煤炭资源，自2001年以来，美国政府已投入30多亿美元，用于将先进清洁煤技术从研发阶段向示范阶段和市场化阶段推进。政府通过“煤研究计划”支持能源部国家能源技术实验室进行清洁煤技术研发，如开发创新性污染控制技术、煤气化技术、碳收集封存技术、清洁煤发电技术等。

美国高度关注市场机制下能源有效利用的技术创新，政府制定了低碳技术开发计划，成立了专门的国家级有关低碳经济研究机构，为从事低碳经济的相关机构和企业提供技术指导、研发资金等方面的支持，从国家层面上统一组织协调低碳技术研发和产业化推进工作。美国是世界上低碳经济研发投入最多的国家，2009 年 2 月联邦政府向国会提交了 2010 年(2009 年 10 月 1 日实施)年度预算，该预算仅对清洁煤技术的研究就提供了 150 亿美元的拨款。随着旧电厂逐步退役，美国决定提高新建电厂的低碳标准，推动高效清洁煤炭技术的商业化，加速下一代发电技术的研究、开发及示范，并计划在 2012 年建成世界上第一个零排放发电厂。

7.3.2.4 韩　国

韩国的绿色技术公认已经达到发达国家 50%~70% 的水平。为了进一步提高技术水平，韩国政府制定了“硅太阳能电池的降低成本提高效率技术”等 27 项重点开发技术，并选定六大绿色技术产业作为新的成长动力型产业进行培养。

(1)新可再生能源产业。韩国重在加强太阳能、风能、燃料电池等可再生能源的基础建设，政府及企业对这些产业的投资较多。太阳能产业通过半导体和显示器制造业的进入，增加其建设速度；风能产业中，大型造船企业建设生产厂，并通过并购海外风力企业进入对方市场；燃料电池产业中，家庭用燃料电池的批量生产发电和输送技术的开发非常活跃。

(2)低碳能源产业。低碳能源产业是不排或者最小排放具有代表性的温室气体 CO_2 的能源技术产业。在这个产业中，政府主导 CO_2 等温室气体的回收技术，企业主导可利用的 CO_2 等温室气体资源再生和提高附加值的技术。

(3)高级水处理产业。高级水处理产业是未来最具潜力的产业之一，将成为未来的蓝色黄金(bluegold)产业。韩国正在推进过滤膜系统应用技术以优化上水管理，扩大废水处理，并在研发新的海水利用技术。

(4)LED 应用产业。LED 又称发光二极管，是将电力转化为光能的一种装置。LED 应用产品具有效率高、寿命长、节能等诸多优点，具有广阔的全球市场前景，大企业以及中小型创业企业的市场参与度都很高，股票价格的上升幅度也很大。政府为了进一步增大其市场，积极劝导在公共机关和大型建设项目中使用高效率的 LED 照明设备，并在 LED 的三大领域(外延/芯片/包装、材料/模块、应用)中分别选定了目标，集中研发投资，推进产业的集群发展。

(5)绿色运输系统。绿色运输系统是一种能源低消耗、高效率、CO_2 等温室气体低排放的环保运输系统。绿色汽车、被称为下一代船舶系统的 WISE-Ship、高端铁路车辆和城市磁悬浮列车等均属此列。

(6)高级绿色城市。高级绿色城市是“在传统城市的基础上融合或复合 IT 技术和生态技术的城市”，包括 Ubiquitous 城市、U-city 综合计划、智能交通体系(ITS)空间信息产业等。

7.4　发展低碳经济的能源政策

近年来，国内外能源形势紧张及目前能源利用状况的不可持续性使得各国不得不大力发展可再生能源，力求能源供应多元化，以逐步减少对化石燃料的依赖，增强能源安全性，同时改善日益恶化的环境。发展低碳经济，实现能源产业的转型，成为一个全球性的问题。能源政策是世界各国低碳经济政策体系的核心构成部分，许多低碳经济政策都围绕能源政策展开。

7.4.1　英　国

英国是世界上第一个明确提出“推进低碳经济，开发低碳能源”发展战略的国家，降碳的重要举措是发展风能与生物质能，把可再生能源技术的研究开发与示范放在首位。英国政府2003年在著名的能源白皮书《我们能源的未来：创建低碳经济》中提出了三步走的目标：近期目标的重点是那些有竞争力的、可尽快实现出口的技术领域，包括近海风能、主动和被动式太阳能装置、水电以及垃圾能等；中期目标(到2010年)是确保实现2010年可再生能源发展目标的新技术以及有出口前景的技术，包括生物残留物、近海风能、能源作物、燃料电池以及太阳光电等；远期目标(2010年以后)重点是那些在执行研究和开发计划过程中发现的潜在能源技术，包括燃料电池、与建筑一体化的光电装置、海势以及太阳能热电等。

自2008年年底通过《气候变化法案》之后，英国政府又于2009年7月15日正式公布了能源与气候变化白皮书《英国低碳转换计划》，提出英国力争到2020年实现以下五个具体目标：①创造120万个“绿色”就业机会；②整体改建700万户民宅，并支持150万户家庭生产自己的清洁能源；③全国40%的电力来自可再生能源、核能、清洁煤等低碳能源；④消减一半天然气进口量；⑤小轿车平均碳排放量比2009年降低40%。

7.4.2　德　国

2000年，德国政府通过《可再生能源法》，保证了可再生能源的战略地位。该法确定了以下几个重点领域：①大力发展风能，促进现有风力设备更新换代，开展海上风力园试验项目；②制定《可再生能源发电并网法》，对可再生能源发电的并网与价格提供保护，鼓励沼气能的发展；③制定《可再生能源供暖法》，促进可再生能源用于供暖；④制定《热电联产法》，积极推广热电联产技术，规定了以热电联产技术生产的电能获得补贴，要求到 2020 年将电联产技术供电比例较 2000 年水平翻一番。2004 年，该国又出台了《国家可持续发展战略报告》，提出了“燃料战略——替代燃料和创新驱动方式”，通过优化能源结构，运用低碳燃料，以减少化石能源消耗，实现温室气体减排。

7.4.3 欧 盟

欧盟强调可再生能源比例的提高，为了实现《京都议定书》规定的温室气体减排目标，欧盟于 2001 年 9 月通过了《关于促进可再生能源电力发展法令》，要求到 2010 年，实现可再生能源电力份额占欧盟总电力消费对 2% 的目标。2006 年 3 月欧盟发布了《欧洲能源战略》绿皮书，2006 年 10 月 19 日公布了《能源效率行动计划》。2007 年 3 月，欧洲理事会通过关于能源安全和应对气候变化的欧洲共同战略，也是欧盟的新能源战略，计划到 2020 年各成员国将可再生能源在欧盟消耗中的比例提高到 20% 。

2008 年 1 月 23 日，欧盟公布有关能源和应对气候变化的一揽子目标方案，提出了五个立法建议，其中就有《促进可再生能源利用指令》。欧盟要求到 2020 年，各成员国将可再生能源消费量提升至各类能源总消费量的 20% ；根据各成员各国的具体情况为其设定具有法律约束力的可再生能源发展目标，到 2020 年欧盟的可再生能源比例要达到 20%（2008 年为 8.5% 左右）；鼓励使用可持续性的生物燃料；到 2015 年，将建成并投入运行 10 ~ 20 座碳捕获和封存的示范工厂。

7.4.4 美 国

美国对可再生能源与清洁能源给予高度重视。2009 年，在时任总统奥巴马的领导下，政府相继制定和出台了一些与能源相关的政策规定，从各个方面对美国新能源政策进行了较为具体的阐述。主要包括：发展清洁能源经济，提高能源效率，减少能源消耗，保证本国的能源安全；控制温室气体排放，防止全球变暖；给予消费者补贴，保护民众生活不受能源价格上涨的影响；要求电力公司通过可再生能源发电和提高能源效率满足部分满足电力增长需求，增长部分至少 3/4 来源于可再生能源；至 2025 年，新清洁能源技术和能源效率技术的投资规模将达到 1900 亿美元；颁布执行新的建筑、家用电器和工业节能标准；制定美国主要碳排放源的排放总额限制，相对 2005 年的排放量，到 2012 年消减 3% ，到 2020 年消减 17% ，到 2030 年消减 42% ，到 2050 年消减83%。

7.4.5 澳大利亚

澳大利亚政府建立气候变化政策部，整合相关部门资源，促进政府与产业互动，全方位建设适合低碳经济发展的政策环境。低碳经济着力于支持新能源普及和相关技术发展，采取强制性的可再生能源指标，计划2020年澳大利亚可再生能源比重要达到整个电力的20%，并以不断完善的清洁能源技术做支撑。为促进可再生能源技术的研究、开发和商业化，澳大利亚设立可再生能源专项基金，计划7年投资5亿澳元，重点用于热能技术升级与太阳能开发利用。澳大利亚政府对家庭购买太阳能系统，均给予资金奖励，以实现家庭节能减碳。2008年9月实施“全球碳捕集与储存计划”，使澳大利亚队清洁煤技术的投资处于世界领先地位。这项计划包括建立一个全球碳捕集与储存中心，它将推动碳捕集与储存技术和知识在全球的推广。

7.5 发展低碳经济的法律政策

7.5.1 我国现行发展低碳经济的法律政策

目前，我国与发展低碳经济有关的法律有《环境保护法》《大气污染防治法》《煤炭法》《电力法》《节约能源法》《矿产资源法》《可再生能源法》《清洁生产促进法》《环境影响评价法》《循环经济促进法》等，制定并实施了减缓气候变化的《节能中长期规划》《可再生能源中长期发展规划》《核电中长期发展规划》《中国应对气候变化科技专项行动》《节能减排综合性工作方案》《节能减排全民行动实施方案》《2000 ~2015年新能源与可再生能源产业发展规划要点》《新能源与可再生能源产业发展“十五”规划》《能源发展“十一五”规划》《中国应对气候变化的政策行动》等规划与政策。我国积极制定并实施的一系列有关低碳经济发展的政策和法律法规，显示了党中央、国务院高度重视应对气候变化、保障能源安全、实现低碳发展的决心，也为低碳经济在中国的发展创造了良好的法律与政策环境。

但是由于我国建设低碳经济尚处在起步阶段，在促进低碳经济发展的政策法律体系方面仍处于薄弱的状态。首先，我国的有关立法在体系上并不完善，如石油、天然气、原子能等主要领域的能源单行法律仍然缺位，同时也缺少能源公用事业法，这将导致能源与环境相协调的作用领域不够全面；其次，由于我国法制建设中“易粗不易细”的传统，现有的能源立法规定不够详细，缺乏足够的操作性，这也是导致我国目前环境执法(包括能源领域)效果不佳、环保状况不能得到根本改善的重要原因；另外，法律、规划规定的执行措施上虽然也涉及税收优惠、补贴等奖励手段来激励公众与企业自愿实行有利于低碳经济发展的行为，但是却没有规定细化的奖励手段与程序，导致在现实中不能产生广泛的影响。

7.5.1.1 《能源法》

我国《能源法》制定2005年10月启动以来，一直在紧锣密鼓进行中。自2008年11月收到能源法起草稿后，国务院法制办立即开展了多项工作。如，广泛征求意见，包括国务院部门、地方政府、能源企业、行业协会、专家、研究机构等，共计152个单位；成立了跨部门的审查工作小组，涉及全国人大有关机构、国务院十几个部门；召开专家论证会、部门座谈会和中外研讨会等。2010年以来，经过反复修改，《能源法(草案)》拟进行第二次广泛征求意见并报国务院审议。

目前《能源法》制定进展明显，体例结构更加趋于合理。如，把综合监管并入总则中；把能源开发利用，分为一般规定、化石能源、非化石能源三节，更加突出体现不同能源领域的不同政策取向；对能源财税价格政策，分散到各章节中做出相应规定。

《能源法》制定进一步明晰了一些重大政策取向。比如，《能源法》是否应将可再生能源放在优先地位？专家们认为，煤炭等化石能源占我国能源比重仍在70%以上，这一状况在今后很长时间内不会有根本性改变。可再生能源要实现在我国能源结构中占比较大，还是很遥远的事情。因此，置可再生能源于优先发展地位，明显与我国实际情况不符。一方面要鼓励促进可再生能源形成新的可替代能源，但同时更应该强调煤炭等化石能源的清洁、高效和综合利用，将其摆在更加突出的位置。这是一个比较重大的政策倾向。

还有，《能源法》是否应提出能源普遍服务的概念，原来也争议不小。现在看，即便硬性提出像邮政那样的普遍服务概念，是否做得到也是问题，因为城乡差别太大。

另外，根据新情况，国家能源委员会将明确写入《能源法》；对能源管理体制的表述，也将更加符合现实情况，同时留有余地等。

《能源法》的制定实施，将解决我国能源消费增长与经济增长，能源供应与能源消费，以及能源供给与能源安全等制约能源发展的二大矛盾，对提高能源利用效率，发展低碳经济起到重要作用。国际能源生产大国和消费大国的立法经验也给我们以启示，制定一部综合性的《能源法》，对于保障能源供应、维护能源安全、提高能源效率、保护环境是十分必要的。我国《能源法》的制定也应按照此模式来制定。

7.5.1.2 《节约能源法》

作为能源管理综合性法律的《节约能源法》在2007年10月28日十届全国人大常委会第三十次会议审议通过修订，新法扩大了法律的调整范围，增加了建筑节能、交通运输节能、公共机构节能3项重要内容，健全了节能标准体系和监管制度，加大了政策激励力度，明确了节能管理和监督主体，强化了法律责任。该法对推进全社会节约能源，提高能效和经济效益，保护生态环境，保障国民经济和社会发展，满足人民日益增长的物质文化生活等方面，全面体现了低碳发展的原则。

7.5.2 国外发展低碳经济的法律政策

7.5.2.1 美　国

美国虽然没有在1997年的《京都议定书》上签字，但仍然十分重视发展低碳经济、研究低碳产品、开发新能源和低碳技术，主要包括收集、降低和储存控制温室气体排放量的措施以及清洁煤、碳储存、核分裂和聚变能等一系列技术。目前，美国政府不仅将巨额资金投入到研发生物燃料、太阳能等新能源设备、二氧化碳零排放的发电厂等领域，还在西部地区建立了碳排放贸易制度，并相继颁布了鼓励企业自愿实施节能减排计划等一系列政策和措施。

2005年，美国政府颁布并实施了《能源政策法》，使低碳经济的发展得到了法律保障。这个法案中包括一些重要的措施，如提高家用电器和设施的能效标准，利用税收的激励政策鼓励购买高能效的家电以及燃油效率较高的交通工具等，都积极地促进了减排能源的生产和分配的良性循环。

2006年，美国政府颁布了《气候变化技术项目战略计划》。在这项计划中，政府将大力支持包括节能减排、二氧化碳捕获和封存等低碳技术在内的各种先进科技和应用技术的研究开发。

2007年，美国政府颁布了《低碳经济法案》，对建立低碳技术合作与技术转移体系、关键性技术的突破以及建设低碳经济都起到了重大的推动作用。该法案战略性地明确了温室气体的减排目标：2020年将温室气体的排放量减少到2006年水平，2030年减少到1990年的水平，到2050年再减少80%，并在全国经济范围内利用限额交易体系减少温室气体排放。加入交易体系的部门主要有石油冶炼、天然气处理厂和液化天然气设施、进口的液体燃料和非二氧化碳的温室气体以及大规模消耗煤炭的设施。通过每年设立的减排目标，允许企业之间买卖和交易信用额度以实现温室气体排放目标。

7.5.2.2 英 国

20世纪末，气候变化对人类社会经济生活带来的影响已经让英国政府开始意识到致力于保护环境、节约能源的行动势在必行。为了实现《京都议定书》规定的减排目标，2001年4月，英国开始政府从非民用能源用户中征收气候变化税(climate change levy)。事实上，气候变化税是一种“能源使用税”，以煤炭、天然气和电力这些带有高碳排放的能源使用量为收税依据，但对于石油产品、热电联产和可再生能源可以减免，通过征收这部分税收，从而达到提高能源效率和促进节能投资的目的，而非扩大税源增加财政资金。同时，英国政府还将所有公司替雇员交纳的社会保险金比率调低。高碳消耗和排放企业可与政府协商并签订气候变化协议(climate change agreement)，确定未来几年之内的减量目标，从而可以减免大部分的气候变化税。

2008年11月26日，英国议会正式通过了《气候变化法案》，依照该法律中规定，英国政府必须全力以赴地发展低碳经济，以完成2050年减排80%的任务。根据《气候变化法案》，英国气候变化委员会为法定委员会，该委员会负责独立向政府提供关于英国的碳预算水平以及实现碳预算政策等的咨询和建议。英国政府在与低碳经济相关的产业上投资104亿英镑，并将“碳预算”纳入到政府预算范围内，应用于经济社会各方面。这一政策使得碳预算具有法律约束力，发展低碳经济和推广绿色能源是完成这项特殊预算的重要一环。英国计划到2020年可再生能源在所有能源供应中占到15%的份额，可再生能源提供电力的比例为30%，相应温室气体排放减少20%，石油需求量降低7%。为完成该任务计划，英国积极推广新能源，风能的利用就是其中一项很重要的举措。为促进商用技术的研发推广，占领低碳领域的技术高端，英国推行“政府投资、企业运作”的模式。与此同时，英国目前正在运用多种手段引导人们向低碳节能的生活方式转变。

2009年《英国低碳转换计划》《英国可再生能源战略》的发布，使英国成为世界上首个在政府预算框架内特别设立碳排放管理规划的国家。

7.5.2.3 日 本

将温室气体排放总量由增加尽快转为减少，这是日本政府的首要目标。日本为达到《京都议定书》中所承诺的2008~2012年温室气体排放量比1990年减少6%的减排目标，分3个阶段开展节能减排的工作：①全面实施减缓气候变化对策；②总结、评估第一阶段的减缓气候变化工作，对其进行进一步修订、完善；③对第二阶段的工作进行总结、评估，进一步进行修订、完善。

日本是低碳经济立法最为完善的国家，不但专门制定了《环境保护法》《循环型社会形成推进基本法》《促进建立循环社会基本法》和《促进资源有效利用法》，还根据各种产品的性质分类别制定了《绿色采购法》和《家用电器回收法》等。政府定期公布计划和措施的实施情况，依法监督落实。

第8章　发展低碳经济的技术支持体系

8.1　低碳技术

发展低碳经济、促进节能减排已列入我国经济及社会发展的重要议事日程，从各国低碳经济发展的经验来看，推动低碳经济发展的关键手段是低碳技术。

所谓低碳技术，也称清洁能源技术，主要是指通过提高能源使用效率来稳定或减少能源需求，同时减少对煤炭等化石燃料依赖程度的主导技术，涉及电力、交通、建筑、冶金、化工、石化等部门以及可再生能源及新能源、煤的清洁高效利用、油气资源和煤层气的勘探开发、二氧化碳捕获与埋存等领域开发的有效控制温室气体排放的新技术。

从理论上看，低碳技术源于低碳经济，但从本质上来看，正是低碳技术的广泛深入应用才导致了社会发展模式从经济模式到“低碳经济范式”的根本性转变。而且，由于低碳技术融入新的能源利用方式之中。从一定意义上说，低碳技术已成为低碳经济范式下能源利用方式的代名词。低碳技术主要包括三种：以风能、太阳能为代表的零碳技术；通过节能（节能电器、节能建筑、节能交通工具等）来减少温室气体排放的减碳技术；碳捕捉和封存技术（cabon capture and storage，CCS），即负碳技术。由于这些低碳技术界限划分不是十分严格，目前常用的分为两大类：一类是可再生能源和新能源技术，另一类是节能减排技术。

8.1.1　可再生能源和新能源技术

从世界能源发展趋势来看，化石燃料资源终究有一天会枯竭，各种低碳新能源和可再生能源的开发利用势在必行。其中以太阳能、风能、水电、核电、生物质能、地热能、海洋能等新能源和可再生能源的发展研究最为迅速。

8.1.1.1　太阳能

低碳经济型的社会主要讲究的是低能耗、低污染、低排放。太阳能具备免费、清洁、无污染等特征，是全世界发展低碳经济的首选能源。太阳能每秒钟到达地面的能量高达80万kW，如果把地球表面0.1%的太阳能转为电能，转变率为5%，每年发电量可达5.6×10^{12}万kW·h，相当于目前世界上能耗的40倍左右。相对于地球常规能源的有限性，太阳的寿命至少还有40亿年，太阳能具有储量的无限性，可以被认为是取之不尽、用之不竭的能源。

太阳能的利用形式主要有太阳能发电、太阳能集热、太阳能制氢、太阳能建筑等。

太阳能发电主要包括太阳能电池板、太阳能控制器和蓄电池几种。太阳能电池板是太阳能发电系统中的核心部分，可以将太阳能转化为电能；太阳能控制器可以控制发电系统的工作状态，并对蓄电池起到过充电保护、过放电保护的作用；蓄电池可分为12V和24V两种，其作用是在有太阳光时储存太阳能电池板的电能，到需要的时候再释放出来。

太阳能集热是热能利用的核心。太阳能光热利用的基本原理是将太阳的辐射能量能收集起来，直接或间接地转化为热能并加以利用。集热器根据不同的使用方法可分为聚光型集热器和非聚光型集热器、跟踪集热器和非跟踪集热器、平板型集热器和真空管集热器几种。目前太阳能的热力应用主要在太阳能热水器、太阳能干燥器、太阳房、太阳能温室、太阳能空调、太阳灶、太阳能热发电聚光集热和高温太阳炉等方面。

太阳能制氢是一种环保节能的制氢方法。氢属于二次能源，也是一种新能源，干净无毒，对环境无污染，用途十分广泛。在传统的制氢方法中，化石燃料制氢占全球的90%以上。化石燃料制氢主要以蒸汽转化和变压吸附相结合的方法制取高纯度的氢气，利用电能电解水制氢也占有一定的比例。目前，利用太阳能分解水制氢的方法有太阳能热分解水制氢、太阳能发电电解水制氢、光催化光解水制氢、太阳能生物制氢等。

太阳能建筑即利用太阳能供电、供热、供冷、照明的建筑物，是太阳能利用的一个新的发展方向。太阳能建筑的发展大体分为三个阶段：第一阶段为“被动式太阳房”，是一种完全通过建筑物结构、朝向、布置以及相关材料的应用来集取、储存和分配太阳能的建筑；第二阶段为“主动式太阳房”，是一种以太阳能集热器与风调及供热系统为一体的建筑；第三阶段是加上太阳电池应用，为建筑物提供采暖、空调、照明和用电，完全能满足这些要求的称为“零能房屋”，其典型的利用就是光伏建筑一体化。

太阳能的利用形式还包括太阳能车，太阳能海水淡化等。

8.1.1.2 风 能

风能是指地球表面大量空气流动所产生的动能。风能与其他能源相比，具有蕴藏量大、分布广泛、永不枯竭等优势，对交通不便、远离主干电网的岛屿及边远地区尤为重要。

风能的利用主要是以风能做动力和风力发电两种形式，其中又以风力发电为主。

风能做动力，就是利用风来直接带动各种机械装置，如带动水泵提水等，这种风力发动机的优点是投资少、工效高、经济耐用。目前，世界上有 100 多万台风力提水机在运转。澳大利亚的许多牧场，都设有这种风力提水机。在很多风力资源丰富的国家，科学家们还利用风力发动机铡草、磨面和加工饲料等。

风力发电，就是把风的动能转变为机械能，再把机械能转化为电能。按照风力发电系统电能供给方式不同，风力发电可以分为离网型风力发电系统和并网型风力发电系统两种。通过风力的清洁和安全发电方式，不消耗化石燃料以及用于冷却的珍贵淡水资源，并且不排放温室气体或有害的空气污染物，可以贡献清洁和安全的电力。随着国际上风电技术和装备水平的快速发展，风力发电已经成为目前技术最为成熟、最具规模化开发条件和商业化发展前景的新能源技术。

8.1.1.3 水 能

水能是世界能源的重要组成部分，水电更是提供着 1/5 的电力需求。在可再生能源中，水能的利用完全是物理过程，它既是清洁能源，又是可再生能源。

水能的利用主要包括水电和水的机械能利用。

水电具有清洁、营运成本低、可按需供电、可再生、控制洪水泛滥、提供灌溉用水、改善河流航运、利于旅游业及水产养殖业等特点。从电力工业角度来说，水电是调节性最好的电源之一。由于只需一开闸门就立刻可以发电，水电通常在电网中扮演重要角色，以承担调峰、调频、事故备用等重要功能。

水的机械能利用主要通过水轮泵或水锤泵扬水。其原理是将较大流量和较低水头形成的能量直接转换成与之相当的较小流量和较高水头的能量。虽然在转换过程中会损失一部分能量，但在交通不便和缺少电力的偏远山区进行农田灌溉、村镇给水等，仍不失其应用价值。20 世纪 60 年代起水轮泵在中国得到发展，也被一些发展中国家所采用。

8.1.1.4 生物质能

生物质是指通过光合作用而形成的各种有机体，包括所有的动植物和微生物。而所谓生物质能就是太阳能以化学能形式贮存在生物质中的能量形式，即以生物质为载体的能量，它直接或间接地来源于绿色植物的光合作用，可转化为常规的固态、液态和气态燃料，取之不尽，用之不竭，是一种可再生能源，同时也是唯一一种可再生的碳源。生物质能总体利用过程中相对于化石燃料 CO_2 的减排是显著的，采用高效合理的利用方式（如纤维素乙醇），CO_2 减排率能够达到 90% 左右。生物质能替代化石能还能够减少 SO_2 等污染物质排放。此外，生物质能的利用对生物多样性、水土流失、土壤肥力变化和水污染等生态环境问题都有重要影响，将对环境的改善做出巨大贡献。

生物质能的利用主要有直接燃烧、热化学转换和生物化学转换三种途径。

生物质的直接燃烧在今后相当长的时间内仍将是我国生物质能利用的主要方式。当前改造热效率仅为 10% 左右的传统烧柴灶，推广效率可达 20% ~30% 的节柴灶这种技术简单、易于推广、效益明显的节能措施，被国家列为农村新能源建设的重点任务之一。

生物质的热化学转换是指在一定的温度和条件下，使生物质汽化、炭化、热解和催化液化，以生产气态燃料、液态燃料和化学物质的技术。

生物质的生物化学转换包括有生物质 – 沼气转换和生物质 – 乙醇转换等。沼气转换是有机物质在厌氧环境中，通过微生物发酵产生一种以甲烷为主要成分的可燃性混合气体即沼气；乙醇转换是利用糖质、淀粉和纤维素等原料经发酵制成乙醇。

目前以粮食作物为原材料产生生物质能的技术已经相当成熟，但在不争耕地、不争粮食的前提下，未来发展方向将更多要以农作物秸秆、林业废弃物等植物木质纤维素为原料来生产乙醇或发展适宜在非耕地种植的油类植物为原料生产柴油，开发新的能源作物如麻疯树（或称小桐子）生产生物柴油。

8.1.1.5　核　能

核能以其持久、经济、安全和清洁等优势被人们认为是当前最具开发价值和发展潜力的新型能源，其持续发展不仅能保证国民经济的平稳发展，还对国家安全具有重要的战略意义。

核能发电利用铀燃料进行核分裂连锁反应所产生的热，将水加热成高温高压，核反应所放出的热量较燃烧化石燃料所放出的能量要高约百万倍，而所需要的燃料体积比火力电厂少很多。核能发电所使用的铀 235 纯度只占 3%~4%，其余皆为无法产生核分裂的铀 238。目前，世界各国核电站总发电量的比重平均为 16%，其中法国、日本、美国等国的比重更高，法国达到 70%。核电占我国发电总量的比重还不到 2%，借鉴国际成功经验，我国核电发展潜力十分巨大，核能将成为我国唯一能够实现大规模减少碳排放的能源。

我国核能技术的发展处于压水堆为主的发展阶段，积极探索和试验第四代核能的技术研发和产业化，是当下最重要的发展方向。国产铀资源的相对贫乏、核废物后处理技术相对欠缺，也是制约我国核能发展及危害核电安全性和洁净性的主要因素。

发展核能是减少大气污染和改善生态环境的有效途径，是减少温室气体排放量的有效手段，核能将与其他低碳技术一起作为低碳经济的组成部分，为推动世界经济的可持续发展做出更多的贡献。

8.1.1.6 地热能

地热能是来自地球深处的可再生能源，起源于地球的熔融岩浆和放射性物质的衰变。地下水的深处循环和来自极深处的岩浆侵入地壳后，把热量从地下深处带至近表层，在有些地方，热能随自然涌出的热蒸汽和水到达地面，现在的温泉就来自于地热。

地热能的利用主要包括地热发电、地热供暖、地热务农、地热行医。

地热发电是地热利用的最重要方式，其原理同火力发电是一样的，都是利用蒸汽的热能在汽轮机中转变为机械能，然后带动发电机发电；所不同的是，地热发电不像火力发电那样要装备庞大的锅炉，也不需要消耗燃料，它所用的能源就是地热能。地热发电的过程，就是把地下热能首先转变为机械能，然后再把机械能转变为电能的过程。

地热供暖是将地热直接用于采暖、供热和供热水，是仅次于地热发电的地热利用方式。因为这种方式简单、经济性好，备受各国重视，特别是位于高寒地区的西方国家，其中冰岛开发利用得最好。该国早在1928年就在首都雷克雅未克建成了世界上第一个地热供热系统，现今这一供热系统已发展得非常完善，每小时可以从地下抽取77400t 80℃的水，供全市几万居民使用。由于没有高耸的烟囱，冰岛首都已被誉为“世界上最清洁无烟的城市”。此外利用地热给工厂供热，如用作干燥谷物和食品的热源，用作硅藻土生产、木材、造纸、制革、纺织、酿酒、制糖等生产过程的热源也是大有前途的。我国利用地热供暖和供热发展也非常迅速，在京津地区已成为地热利用中最普遍的方式。

地热在农业中的应用范围十分广阔。如利用温度适宜的地热水灌溉农田，可使农作物早熟增产；利用地热水养鱼，在28℃水温下可加速鱼的育肥，提高鱼的出产率；利用地热建造温室，育秧、种菜和养花；利用地热给沼气池加温，提高沼气的产量等。将地热能直接用于农业在我国日益广泛，北京、天津、西藏和云南等地都建有面积大小不等的地热温室。各地还利用地热大力发展养殖业，如培养菌种、养殖非洲鲫鱼、鳗鱼、罗非鱼、罗氏沼虾等。

地热在医疗领域的应用有诱人的前景，目前热矿水就被视为一种宝贵的资源，世界各国都很珍惜。由于地热水从很深的地下提取到地面，除温度较高外，常含有一些特殊的化学元素，从而使它具有一定的医疗效果。如含碳酸的矿泉水供饮用，可调节胃酸、平衡人体酸碱度；含铁矿泉水饮用后，可治疗缺铁贫血症；氢泉、硫水氢泉洗浴可治疗神经衰弱和关节炎、皮肤病等。我国利用地热治疗疾病的历史悠久，含有各种矿物元素的温泉众多，因此充分发挥地热的医疗作用，发展温泉疗养行业是大有可为的。

8.1.1.7　海洋能

海洋能是一种蕴藏在海洋中的可再生能源。主要包括潮汐能、潮流能、海水热能、海水盐差能、波浪能和海流能等。根据联合国教科文组织的估计数字，世界海洋能理论上可再生的总量为766亿kW。其中温差能为400亿kW，盐差能为300亿kW，潮汐和波浪能各为30亿kW，海流能为6亿kW。

潮汐能是指潮汐导致海平面周期性的升降，因海水涨落及潮水流动所产生的能量。潮汐能的主要利用方式是发电，据世界动力会议估计，到2020年，全世界潮汐发电量将达到1000亿~3000亿kW。

波浪能是指海洋表面波浪所具有的动能和势能，是一种在风的作用下产生的、并以位能和动能的形式由短周期波储存的机械能。波浪的能量与波高的平方、波浪的运动周期以及迎波面的宽度呈正比。波浪能是海洋能源中能源最不稳定的一种能源。波浪发电是波浪能利用的主要方式；此外，波浪能还可以用于抽水、供热、海水淡化及制氢等。

海水温差能是指由于海洋表层海水和深层海水之间水温差而产生的热能，是海洋能的一种重要形式。低纬度的海面水温较高，与深层冷水存在温度差，而储存着温差热能，其能量与温差的大小和水量呈正比。温差能的主要利用方式是发电。

海水渗透能是通过利用江河和海洋间存在的浓度差，在入海口放置一个涡轮发电机，淡水和海水之间的渗透压就可以推动涡轮机来发电。渗透能是海洋能中能量密度最大的一种可再生能源。

8.1.2　节能减排技术

8.1.2.1　洁净煤技术

洁净煤技术(clean coal technology，CCT)一词源于美国，是指从煤炭开采到利用的全过程中，主要是在减少污染物排放与提高利用效率的加工、燃烧、转化及污染控制等新技术。

洁净煤技术包括两个方面：一是直接烧煤洁净技术；二是煤转化为洁净燃料

技术。

直接烧煤洁净技术的主要措施有：

(1)燃烧前的净化加工技术，主要是洗选、型煤加工和水煤浆技术。原煤洗选采用筛分、物理选煤、化学选煤和细菌脱硫方法，可以除去或减少灰分、矸石、硫等杂质；型煤加工是把散煤加工成型煤，由于成型时加入石灰固硫剂，可减少二氧化硫排放，减少烟尘，还可节煤；水煤浆是先用优质低灰原煤制成，可以代替石油。

(2)燃烧中的净化燃烧技术，主要是流化床燃烧技术和先进燃烧器技术。流化床又叫沸腾床，有泡床和循环床两种，由于燃烧温度低可减少氮氧化物排放量，煤中添加石灰可减少二氧化硫排放量，炉渣可以综合利用，能烧劣质煤，这些都是它的优点；先进燃烧器技术是指改进锅炉、窑炉结构与燃烧技术，减少二氧化硫和氮氧化物的排放技术。

(3)燃烧后的净化处理技术，主要是消烟除尘和脱硫脱氮技术。消烟除尘技术很多，静电除尘器效率最高，可达99%以上，电厂一般都采用。脱硫有干法和湿法两种，干法是用浆状石灰喷雾与烟气中二氧化硫反应，生成干燥颗粒硫酸钙，用集尘器收集；湿法是用石灰水淋洗烟尘，生成浆状亚硫酸排放。它们脱硫效率可达90%。

煤转化为洁净燃料技术主要有以下四种：

(1)煤的气化技术，有常压气化和加压气化两种，是在常压或加压条件下，保持一定温度，通过气化剂(空气、氧气和蒸汽)与煤炭反应生成煤气，煤气中主要成分是一氧化碳、氢气、甲烷等可燃气体。用空气和蒸汽做气化剂，煤气热值低；用氧气做气化剂，煤气热值高。煤在气化中可脱硫除氮，排去灰渣，因此，煤气就是洁净燃料了。

(2)煤的液化技术，有间接液化和直接液化两种。间接液化是先将煤气化，然后再把煤气液化，如煤制甲醇，可替代汽油；直接液化是把煤直接转化成液体燃料，比如直接加氢将煤转化成液体燃料，或煤炭与渣油混合成油煤浆反应生成液体燃料。

(3)煤气化联合循环发电技术（integrated gasification combined cycle，IGCC），作为最核心的节能减排技术，它是以煤为原料的清洁、高效先进发电系统，并适于联产热力和液体燃料，是目前在国际上被验证的、能够工业化的、大容量化的、最洁净的高效煤炭发电技术。但该项技术仍然面临着如何提高装置的单机容量，最大限度发挥规模经济效应，从而降低生产成本的技术难题。整体煤气化联合循环由两大部分组成，第一部分的主要设备有气化炉、空分装置、煤气净化设备(包括硫的回收装置)，第二部分的主要设备有燃气轮机发电系统、余热锅炉、蒸汽轮机发电系统。IGCC的工艺过程如下：煤经气化成为中低热值煤气，经过净化，除去煤气中的硫化物、氮化物、粉尘等污染物，变为清洁的气体燃料，然后送入燃气轮机的燃烧室燃烧，加热气体工质以驱动燃气轮机做功，燃气轮机排气进入余热锅炉加热给水，产生过热蒸汽驱动蒸汽轮机做功。IGCC 技术把高效的燃气 – 蒸汽联合循环发电系统与洁净的煤气化技术结合起来，既有高发电效率，又有极好的环保性能，是一种有发展前景的洁净煤发电技术。在目前技术水平下，IGCC 发电的净效率可达 43%~45%，今后可望达到更高。

(4)燃煤磁流体发电技术，当燃煤得到的高温等离子气体高速切割强磁场，就直接产生直流电，然后把直流电转换成交流电，发电效率可达 50%~60%。

8.1.2.2　汽车尾气减排技术

机动车尾气减排技术包括机动车机内净化技术和机动车机外净化技术。

8.1.2.2.1　机内净化技术

机动车机内净化技术有稀薄燃烧技术、废气再循环技术等。

(1)稀薄燃烧技术。通过改进发动机燃烧的方法，使稀薄燃烧方式在大于理论空燃比 14.6 的条件下燃烧，将空燃比由 14.6 提高到 22.0，汽油引擎功率将大大提高，可节约燃料约 15%。由于传统的三效催化剂在贫燃条件下对氮氧化物(NO_X)的净化效果不佳，因而选择与该技术相配套的成熟催化转化技术，应当成为应用的重点。

(2)废气再循环技术。将再循环的废气经冷却器冷却后，再进入进气端与新空气以一定比例混合后进入气缸燃烧，从而形成再循环。此技术不仅降低了氧气的浓度，而且降低了最高燃烧温度，从而抑制了氮氧化物在燃烧过程的形成，改善燃油经济性。

8.1.2.2.2　机外净化技术

机动车机外净化技术有三效催化净化技术、机体外低温等离子技术等。

(1)三效催化净化技术。在发动机尾气排放系统上加装净化装置，以减少有害气体的排放量。二氧化钛(TiO_2)光催化剂具有强氧化能力，可以考虑将 TiO_2 混入外墙装饰材料中对交通干道两侧进行粉刷，再加上氧气和水汽的作用，能将氮氧化物转化为硝酸根离子，因为这种具有高活性的 TiO_2 光催化剂能高效地利用太阳光进行氮氧化物的转化。

(2)机体外低温等离子技术。利用等离子体系中的活性物种，将汽车尾气中的有害物质，通过氧化、还原或离解成低害或无害物质，以达到降低环境污染物的目的。该项技术目前还处于研究阶段，工艺方面需进一步优化。

8.1.2.3　新能源汽车

新能源汽车是指除汽油、柴油发动机之外所有其他能源汽车，包括混合动力汽车、燃料电池汽车、氢能源动力汽车和太阳能汽车等。

8.1.2.3.1 混合动力汽车

混合动力汽车是指那些采用传统燃料的，同时配以电动机或发动机来改善低速动力输出和燃油消耗的车型。按照燃料种类的不同，主要又可以分为汽油混合动力和柴油混合动力两种。目前国内市场上，混合动力车辆的主流都是汽油混合动力，而国际市场上柴油混合动力车型发展也很快。

混合动力汽车的优点是：①采用混合动力后可按平均需用的功率来确定内燃机的最大功率，此时处于油耗低、污染少的最优工况下工作。需要大功率内燃机功率不足时，由电池来补充；负荷少时，富余的功率可发电给电池充电。由于内燃机可持续工作，电池又可以不断得到充电，故其行程和普通汽车一样。②因为有了电池，可以十分方便地回收制动时、下坡时、怠速时的能量。③在繁华市区，可关停内燃机，由电池单独驱动，实现“零”排放。④有了内燃机可以十分方便地解决耗能大的空调、取暖、除霜等纯电动汽车遇到的难题。⑤可以利用现有的加油站加油，不必再投资。⑥可让电池保持在良好的工作状态，不发生过充、过放，延长其使用寿命，降低成本。其缺点是：长距离高速行驶基本不能省油。

8.1.2.3.2 燃料电池汽车

燃料电池汽车是指以氢气、甲醇等为燃料，通过化学反应产生电流，依靠电机驱动的汽车。燃料电池汽车电池的能量是通过氢气和氧气的化学反应直接生成的，而不是经过燃烧，化学反应的生成物只有水，对环境无污染，另外，燃料电池的能量转换效率比内燃机要高2~3倍，因此从能源的利用和环境保护方面，燃料电池汽车是一种理想的车辆。

单个的燃料电池必须结合成燃料电池组，以便获得必需的动力，满足车辆的使用要求。与传统汽车相比，燃料电池汽车的优点是：零排放或近似零排放；减少了机油泄露带来的水污染；降低了温室气体的排放；提高了燃油经济性、发动机燃烧效率；运行平稳无噪声。

8.1.2.3.3 氢动力汽车

氢动力汽车是一种真正实现零排放的交通工具，排放出的是纯净水，具有无污染、零排放、储量丰富等优势，因此，氢动力汽车是传统汽车最理想的替代方案。氢具有很高的能量密度，释放的能量足以使汽车发动机运转，而且氢与氧气在燃料电池中发生化学反应只生成水，没有污染。因此，许多科学家预言，以氢为能源的燃料电池是21世纪汽车的核心技术，对汽车工业具有革命性意义。

氢动力汽车的优点是：排放物是纯水，行驶时不产生任何污染物。缺点是：氢燃料电池成本过高，而且氢燃料的存储和运输按照目前的技术条件来说非常困难，因为氢分子非常小，极易透过储藏装置的外壳逃逸；另外最致命的问题是氢气的提取需要通过电解水或者利用天然气，如此一来同样需要消耗大量能源，除非使用核电来提取，否则无法从根本上降低二氧化碳排放。

8.1.2.3.4　太阳能汽车

太阳能汽车是一种靠太阳能来驱动的汽车。当太阳光照射到汽车上方的光电板时，光电极中产生的电流经电动机带动机车前进。

由于太阳能汽车不用燃烧化石燃料，所以不会放出有害物；又由于没有内燃机，所以在行驶时听不到燃油汽车内燃机的轰鸣声，无噪音、无污染。与燃油汽车相比，太阳能汽车耗能少，易于驾驶；无需电子点火，只需踩踏加速踏板便可启动，利用控制器使车速变化。太阳能电动车结构简单，除了定期更换蓄电池以外，基本上不需日常保养，省去了传统汽车必须经常更换机油、添加冷却水等定期保养的烦恼。

8.1.2.4　智能电网

8.1.2.4.1　先进的发电与储能技术

从能源的角度来看，在电力生产中，发、输、配、用四个阶段实际上完成的是能源转化、传输和使用的过程。在这些过程中，排量最大、同时也是最具减排潜力的无疑是发电环节，这也是智能电网非常强调风电、水电等多种分布式新能源接入的原因。

分布式能源包括分布式发电和分布式储能。分布式发电技术包括风力发电技术、太阳能光伏发电技术、燃料电池发电技术、潮汐能发电技术、生物质能发电技术、地热发电技术等；分布式储能装置包括机械蓄能（包括抽水蓄能技术、飞轮蓄能技术、压缩空气蓄能等方式）、电磁蓄能、蓄电池储能、超导储能等。

8.1.2.4.2　能够降低损耗的输配电技术

（1）特高压输电技术。特高压输电技术是指在500kV及750kV交流和500kV直流之上采用更高一级电压等级的输电技术，包括特高压交流输电技术和特高压直流输电技术。不管是哪种输电技术，其目的都是为了更好地提高输电能力，实现大功率的中、远距离输电，以及实现远距离的电力系统互连，建成联合电力系统。

（2）高温超导输电技术。超导特性是指部分导体在某一特定温度下电阻为零的特性。1986年以前，超导技术在电力系统的应用一直处于设想和试验阶段。直到1986年，IBM实验室科学家发现一转变温度高于30K的多合金超导材料，随后美国、中国科学家相继发现转变温度高于90K的超导体，开始了液氮温区超导体时代。由于液氮价格相对较低，这使得超导体由实验室走向了应用阶段。随着临界温度高于77K的高温超导材料的开发及低温冷却技术的迅速发展，高温超导体电缆已成为超导电缆发展的主流。与常规电缆相比，高温超导体具有损耗少、污染小、占用走廊宽度低等优点，有着广阔的发展前景。

8.1.2.4.3 先进的电力电子技术

随着电力电子技术的不断发展和电力系统运行要求的不断提高，电力电子在电力系统发、输、配、用等各个环节都得到了广泛应用。现代电力系统应用的电力电子装置几乎全部使用了全控型大功率电力电子器件、各种新型的高性能多电平大功率变流器和 DSP 全数字控制技术，包括可控硅并联电抗器、多功能固态开关、智能电子装置、静止同步补偿器、有源滤波器、动态电压恢复器、故障电流限制器以及高乐直流输电所用装置和配网用的柔性输电系统装置等。

8.1.2.4.4 智能调度技术

智能调度是智能电网建设中的重要环节，调度的智能化是对现有调度控制中心功能的重大扩展，智能电网调度技术支持系统则是智能调度研究与建设的核心，是全面提升调度系统驾驭大电网和进行资源优化配置的能力、纵深风险防御能力、科学决策管理能力、灵活高效调控能力和公平友好市场调配能力的技术基础。调度智能化的最终目标是建立一个基于广域同步信息的网络保护和紧急控制一体化的新理论与新技术，协调电力系统元件保护和控制、区域稳定控制系统、紧急控制系统、解列控制系统和恢复控制系统等具有多道安全防线的综合防御体系智能化调度的核心是在线实时决策指挥，目标是灾变防治，实现大面积连锁故障的预防。

8.1.2.4.5 高级读表体系和需求侧管理

智能电网的核心在于构建具备智能判断与自适应调节能力的多种能源统一入网和分布式管理的智能化网络系统，可对电网与用户用电信息进行实时监控和采集，且采用最经济与最安全的输配电方式将电能输送给终端用户，实现对电能的最优配置与利用，提高电网运营的可靠性和能源利用效率。所以电网的智能化首先需要电力供应机构精确得知用户的用电规律，从而对需求和供应有一个更好的平衡。因此目前国外推动智能电网建设，一般以构建高级量测体系为切入点。

高级读表体系由安装在用户端的智能电表、位于电力公司内的计量数据管理系统和连接它们的通信系统组成，近来，为了加强需求侧管理，又将其延伸到用户住宅内的室内网络。这些智能电表能根据需要设定计量间隔，并具有双向通信功能，支持远程设置、接通或断开、双向计量、定时或随机计量读取。同时，高级读表体系为电力系统提供了系统范围的可观性，不但可以使用户参与实时电力市场，而且能够实现对诸如远程监测、分时电价和用户侧管理等更快和准确的系统响应，构建智能化的用户管理与服务体系，实现电力企业与用户之间基本的双向互动管理与服务功能以及营销管理的现代化运行。随着技术的发展，将来的智能电表还可能作为互联网路由器，推动电力部门以其终端用户为基础，进行通信、运行宽带业务或传播电视信号的整合。

8.1.2.4.6　高级配电自动化

高级的配电自动化(ADA)包含系统的监视与控制、配电系统管理功能和与用户的交互(如负荷管理、量测和实时定价等)。通过与智能电网其他组成部分的协同运行，ADA既可改善系统监视、无功与电压管理、降低网损和提高资产使用率，也可辅助优化人员调度和维修作业安排等。

智能电网作为电网发展一项革命性的新技术应用运动，各国都在投入人力物力逐步推进，在我国也将建设中国特色的智能电网，这是一项高度复杂的系统工程，也是我国电网发展的目标。

8.1.2.5　二氧化碳捕捉、封存和利用技术

碳捕捉和碳封存(CCS)是从点碳源(如化石燃料的发电厂)中捕集CO_2，并将其永久储存(矿井或海底)，使其脱离大气层。这项技术能够保证在满足经济发展所需能源供应的同时减少化石能源所带来的碳排放，从而减缓气候变暖。主要应用于碳排放比较集中的大型排放点，如火电站、钢铁厂、炼油厂等。

CCS技术主要包括捕捉、运输和封存三部分。

(1)捕捉。捕捉是指将二氧化碳从其他气体中分离出来。捕捉分离系统主要有4种技术：燃烧后脱碳技术、燃烧前脱碳技术、富氧燃烧技术和化学链燃烧技术。从目前来看，燃烧前脱碳技术应用最为成熟；燃烧后脱碳技术只在一定条件下才具有经济可行性；富氧燃烧技术系统会导致能源和成本增加，尚处于示范阶段。为了便于运输和封存，通常捕捉设备还对二氧化碳进行高浓度压缩。

(2)运输。运输就是把捕捉的二氧化碳运送到封存地点，最经济、最快速的方式是通过管道运输。

(3)封存和利用。碳封存，就是将捕捉的二氧化碳注入地下的地质构造中、深海里，或者通过工业流程将其凝固在无机碳酸盐中的过程。碳封存主要包括在废弃油田和气田中的封存、煤层中的封存、盐水中的封存及注入海洋深层封存等方式，其中，有些技术已经可以商业化或部分商业化应用了。除了封存外，收集的二氧化碳也能够被我们所利用，例如，食品工业和化工工业在很多方面都要利用二氧化碳。

从整体上看，CCS技术是减少碳排放、实现低碳经济的重要技术，尽管CCS的成本还比较高，但是由于CCS技术与很多能源基础设施能够兼容，因此，与其他减排技术相比，仍具有一定的竞争力。如果CCS技术与其他先进发电技术相结合(如与IGCC和NGCC相结合)，其成本增加也会相对较小，同时，CCS成本的降低在很大程度上

还依赖于技术的成熟和法律政策的扶持，未来还需要进一步发展，以降低成本，实现大规模应用，从而在减少全球二氧化碳排放、减缓气候变化中发挥关键作用。

8.2 低碳技术研发与推广

在联合国政府间气候变化专门委员会（IPCC）的《第四次评估报告》中，联合国政府间气候变化专门委员会强调：在解决未来温室气体减排和气候变化的问题上，技术进步是最重要的决定因素，其作用超过其他驱动因素之和。所以，促进低碳技术进步是发展和实现低碳经济的核心环节。可以肯定，低碳技术的进步，将在可持续发展框架下的经济、能源与环境的协调发展中产生重大的影响。因此许多国家都十分重视低碳技术的研发与推广，希望成为低碳能源发展的领跑者，占据未来竞争的制高点。

各国采取的研发策略存在一定的一致性，先是整合国家科研力量成立专门的研究中心，然后由政府牵引开展一系列的研发与示范计划，最后由国内权威能源机构组织科研机构、高校、企业等共同开展研发、示范或商业化项目。当然，由于每个国家所处的政治环境或地理位置等所有不同，在低碳能源技术重点方向选取等方面有所差异。

8.2.1 欧 盟

欧盟整体能源投资计划主要是在欧洲能源恢复计划以及第七研发框架计划下进行的。2009 年提出的欧洲能源恢复投资计划突出了电网互连、离岸风能以及二氧化碳捕获与封存技术等低碳能源技术。2010 年 7 月公布的欧盟第七框架计划下的投资方案，能源专题领域突出的低碳技术包括可再生能源、智能电网、碳捕获与封存技术等。欧盟在低碳能源技术研发方面的部署和美国比较相近，除成立低碳能源研究基地外，还十分注重与低碳能源技术有关的基础设施建设，包括电网的互连以及二氧化碳输送基础设施建设等。欧盟主要成员国也积极响应欧盟部署，纷纷发布了低碳能源技术发展计划和项目。比如，英国的低碳技术重点在于海上风能、海洋能、碳捕获与封存、燃料电池汽车以及智能电网，英国十分重视通过一系列的激励机制对低碳经济发展途径和方法进行积极的探索。德国的低碳能源技术优势体现在海上风电和核电方面，目前开始加强对生物质能、智能电网和电动汽车的发展。德国实施气候保护高技术战略，投入巨额资金大力支持气候保护技术的研发，并将环保技术产业确定为新型主导产业重点扶植，同时在气候保护高技术战略指导下制定了完善的二氧化碳处理的法律框架；而且，还将电动汽车与可再生能源结合起来。法国的低碳能源技术优势是核电和风能，目前开始扩展到生物质能、海洋能、地热能以及碳捕获与封存技术等。意大利通过节能减排的政策措施积极促进可再生能源和新能源的技术开发。丹麦在全球率先建成了绿色能源模式，形成具有特色的绿色能源技术开发社会支撑体系。

从投入方面来看，法国、德国、意大利与英国是低碳投入的主要成员国。2010~2020 年 10 年内，欧盟将投入总量达到 530 亿欧元进行低碳技术的研发与应用研究，其中 60 亿欧元用于风能研究，160 亿欧元用于太阳能技术研发，90 亿欧元用于生物质能研究，70 亿欧元用于核能研究，20 亿欧元用于电网研究，130 亿欧元用于二氧化碳捕捉和储藏示范项目。对清洁能源技术的投资也占据了绝大部分，欧盟国家在清洁能源上的巨大投入使得欧盟在可再生能源技术方面、技术开发水准和产业技术能力方面，水平明显高于日本和美国，在全世界居于领先地位。

8.2.2　日　本

日本是《京都议定书》的倡导国，也是推动“低碳经济”的急先锋。2008 年 6 月，时任日本首相福田康夫以政府的名义发表了日本的低碳革命宣言，即著名的“福田蓝图”，同时指出在应对气候变暖的具体举措中，技术创新是核心。该宣言明确了日本的减排目标，即到 2020 年实现比 1990 年削减 20%、到 2050 年实现削减 60% ~80% 的减排目标。

在发展“低碳技术”方面，日本确定了未来低碳技术研发的五大重点领域，包括超燃烧系统技术、超时空能源利用技术、节能型信息生活空间、创生技术和新一代节能半导体元器件技术等。上述五大重点领域均是围绕着节能技术展开。日本将投入巨资开发利用太阳能、风能、光能、氢能、燃料电池等替代能源和可再生能源，并积极开展潮汐能、水能、地热能等研究。

日本在光伏发电技术领域居世界领先，是全球最大的光伏设备出口国，仅夏普公司的光伏发电设备就占世界的 1/3。日本推出了“先进光伏发电计划”，提出到 2030 年，将太阳能发电量提高 20 倍。日本通产省 2007 年曾提出一项新计划，将在未来 5 年内投入 2090 亿日元，用于发展清洁汽车技术，不仅大大降低燃料消耗，而且要降低温室气体排放。此外，日本注重产业结构调整，停止或限制高能耗产业发展，鼓励其向国外转移，日本还制定了节能计划，对节能指标做出具体规定。

在技术政策方面，日本 2008 年开始决定在 5 年的时间内在低碳技术研究上投入 300 亿美元，开发未来 10 年、20 年甚至到 50 年实用的尖端技术；计划 2020 年将可再生能源所生产的电源比重提升到 50% 以上，每销售 2 台汽车，其中 1 台必须是新一代节能汽车。在经济刺激方面，为了普及民用低碳设施，导入新的电费制度并且对每个太阳能发电的家庭基于补贴，通过补贴的方式推进家电的低碳化革新。如日本家电商推出“积分制”，即购买一个节能家电就会获得一定的积分，当达到一定积分时，就可以免费换购节能家电。在研发资源整合方面，因为日本不同于其他发达国家，大部分研发活动都是集中在企业中的，所以为了更好地整合资源、推进跨行业和跨领域的协同创新以及加速研发成果的推广和普及，日本形成了以政府主导的“官产学”相结合的研发体系，政府通过设立“竞争型研发资金”，对大学和企业或与地方政府联合的研发活动，给予资金资助。2008 年投入 4400 万日元在全国 47 个都道府县，用于促进地方环境机构的建立与低碳技术的研究和推广。与此同时，不同企业之间的合作研发也促进了日本低碳技术的发展。如松下公司 2008 年兼并三洋电机，依靠自身在家电方面的全球领先技术，加上三洋电机的太阳能电池技术的优势，形成了太阳能利用、太阳能电池开发以及节能家电的新的产业链。政府、产业界以及社会团体经常会以讲座、展览和演出的方式向民众展示最新的低碳技术，普及低碳知识，转变民众观念以及推广低碳技术。

日本低碳技术的节能路线与日本的技术传统是一脉相承的。由于日本的自然资源相当贫乏，因此日本具有节约能源的传统。在经历了 20 世纪 70 年代的石油危机后，这一传统得到强化，日本比任何一个国家都注重节能技术的开发与应用。也正因如此，日本在能源效率方面的优势在全世界处于领先水平。日本走节能技术重点发展的低碳技术路线有助于发挥日本的技术传统和比较优势。

8.2.3 美 国

美国政府发展清洁煤技术占据着先发的优势，通过大力投资发展清洁煤技术，将清洁煤技术从大规模的研发阶段向大规模的商业化推进，政府与企业展开合作开发污染控制技术、碳捕集封存技术，并出台了《能源政策法》《低碳经济法案》等一系列法案，以期充分利用太阳能和风能等新能源技术，提高利用效率，减少二氧化碳的排放。

美国成立了独立的低碳能源技术研究中心，低碳技术不仅包括清洁能源技术，还包括节能技术和碳排放处理技术。美国选择的是全面推进的低碳技术发展路线，旨在通过这种方式将国内各技术领域的尖端力量整合在一起，从而最快地实现低碳突破。美国重点发展的低碳能源技术很多，包括可再生能源、碳捕获与封存技术、智能电网、燃料电池与电动汽车等，每个方向的技术研发布局和项目非常有序，从关键技术环节突破到中试示范项目。低碳能源技术研究项目合作群体广泛，包括国立科研机构、高校、重点企业以及敢于创新的私营企业力量等，这样不仅避免了项目操作过程中的重复性，而且加速项目实施，以便尽早实现突破。

从美国研发投入的分布上看出，以2010年度美国的预算为例，基础研究的投入占总投入的23%，清洁能源的研发投入占总投入的30%，节能技术的研发投入占总投入的17%，碳回收技术研发的投入占总投入的30%左右。

总结发达国家发展低碳经济的技术创新经验，主要有以下几个方面：首先，各国政府高度重视，制定切实可行的行动方案并付诸实施，政府除了在财政税收等方面大力支持外，还将发展低碳经济上升到国家法律层次，充分运用法律武器保障低碳经济的运行；其次，各国有侧重点地支持某一个重点技术领域的研发和商业化推广，如美国高度重视清洁煤技术，德国着重发展低碳发电技术，日本大力发展新能源技术；再次，积极协调社会各方力量共同建设低碳经济，政府起主导作用，与企业之间建立协作伙伴关系，并且充分发挥科研机构、大学、民间组织等各方力量推动低碳技术创新。

8.2.4 中 国

我国低碳技术与发达国家相比尽管存在一定的差距，但是在某些技术领域还是取得了不少成就。如在低碳能源技术领域，我国的可再生能源资源很丰富，尽管可再生能源成本较高，仍有相当一部分低碳技术已经商业化。例如太阳能热水器、农村的小沼气，运用日益普遍；太阳能光伏发电、光热发电两种技术现在都在运行。

我国太阳能热利用技术在一无先例、二无引进、三无成熟市场的“三无”情况下，经过十多年发展，创立了具有完全自主知识产权的太阳能工业体系，实现了西方发达国家30多年没有实现的梦想，为国家能源环保事业和提高人们群众生活质量做出了重要贡献。尽管发达国家一再指责我国碳排放过高，但我国的太阳热能利用产业却为全世界减排做出了卓越贡献，太阳能热技术利用市场化发展的模式，已经成为世界可再生能源技术发展的典范，具有自主知识产权、价格相对低廉的太阳能热水系统应成为目前我国清洁能源应用的先行者。太阳能光热技术在城市中的规模化应用已经得到广泛的认可，全国大部分城市已经出台了太阳能光热应用的实施意见，配套技术和标准也比较规范。以光热技术为主、光伏和其他节能技术为辅与建筑全方位结合的计划，将对传统建筑行业，特别是建材建筑构件带来一次彻底的革新和观念的转变。

在生态城市建设中，新能源、低碳建筑、节能减排、环境治理等一批核心技术目前已经有所突破，产业化推广迫在眉睫。太阳能光热、光电应用技术、已经成熟的太阳能光热技术和高速发展的太阳能光电技术是低碳生态城建设中可以与建筑结合的技术。

但同时也应该看到，我国低碳技术的发展还存在着不少的问题，是我国发展低碳经济的压力之所在。我国的低碳产业虽然已具雏形，但缺乏自主核心技术成为制约其发展重要瓶颈，与目前世界先进水平仍存有较大差距。分领域来看，对于化工、建筑、冶金等领域的节能和提高能效技术，我国在系统控制方面，短时间内还无法达到发达国家的水平。电力行业中的高参数超临界机组技术、煤电行业中的整体煤气化联合循环技术、热电多联产技术等，我国已经初步掌握，且在近几年发展迅速，但是与发达国家相比，仍然不够成熟，离实现产业化还有一定差距。以高效能技术的综合能效，也就是一次能源投入经济体的转换效率来看，我国目前仅能达到35%，而发达国家的综合能效已经达到了45%。尽管经过技术人员的不懈努力已经取得了很大的提升，但是整体来看还是非常落后，而且发展也很不平衡。在交通运输领域的应用技术方面，比如混合动力汽车的相关技术、汽车的燃油经济性问题等，我国虽然通过国家重大科技专项的合力攻关，已经掌握了一些比较实用的核心技术，但是在短时间内仍然无法达到产业化的水平。在可再生能源和新能源技术方面，如燃料电池技术、大型风力发电设备、生物质能技术及氢能技术、高性价比太阳能光伏电池技术等，与欧美日等发达国家相比，尚有很大的差距。

在联合国政府间气候变化专门委员会(IPCC)的报告中写道，从现在起到2030年，全球各国在能源基础设施方面的投资，预计将超过20万亿美元。另据国际能源机构的估算，从2001~2030年，中国的能源部门需投资2.3万亿美元进行技术改造和升级，其中用于电力技术设备的投资约为1.84万亿美元，占总投资额的80%。在能源基础设施方面，如果我们使用目前的非低碳技术进行大规模建设，那么最终造成的环境破坏将是无法挽回的。也就是说，从当前的水准来看，中国的低碳技术还远远不及西方先进国家，而我们的基础设施建设又不能减速，已经用落后的非低碳技术建成的固定资产也无法在短时间内推倒重建。这样就形成了一个很难堪的两难局面：一方面，我们的能源基础设施在其运行周期内产生了资金和技术的锁定效应，它所造成的高排放和高污染问题将很难解决；另一方面，我们不得不在各个行业和领域进行低碳技术的推广和应用，以应对世纪挑战。

总之，尽管我国的低碳技术研发取得了许多令人欣喜的重大进展，但整体技术研发能力非常薄弱，创新能力十分欠缺。即使是开发出来的技术，产业化方面也处于弱势。由于对高碳技术的依赖一时还难以改观，所以，我国低碳技术的全面普及将是一个漫长的过程，不可能一蹴而就，需要我国的技术进步支撑体系继续付出努力。

参考文献

[1]蔡林海. 低碳经济，绿色革命与全球创新竞争大格局[M]. 北京：经济科学出版社，2009.

[2]陈飞，诸大建. 低碳城市研究的理论方法与上海实证分析[J]. 城市发展研究，2009，10.

[3]陈晓春，谭娟，陈文婕. 论低碳消费方式[N]. 光明日报理论版，2009-04-21.

[4]储德银，经庭如. 促进消费需求的公共财政政策探讨[J]. 消费经济，2007(2).

[5]冯华. 可持续发展理论在中国的思想渊源考察[J]. 复旦学报(社会科学版)，2002(4).

[6]高维忠. 中国生态旅游消费发展障碍与对策探讨[J]. 消费经济，2003，05.

[7]高文永，陈胜男. 从制度变迁角度看转轨时期的消费者行为演变[J]. 中共济南市委党校学报，2010，01.

[8]胡晓，邓正华. 西部居民的消费行为与消费心理探析[J]. 市场调，2008(10).

[9]胡宗义，汪建均，马超群. 基于PLS的湖南省电力消费影响因素分析[J]. 系统工程，2006(9).

[10]蒋金荷，吴滨. 低碳经济模型现状和几个理论问题探讨[J]. 资源科学，2010，2：242~247.

[11]黎建新. 消费者绿色购买研究：理论、实证与营销意蕴[M]. 长沙：湖南大学出版社，2007.

[12]李国强. 推行低碳消费的障碍及对策[J]. 经济导刊，2010(12).

[13]李菽林. 工业企业低碳经济发展评价体系研究[M]. 北京：北京理工大学出版社，2011.

[14]李威. 国际法框架下碳金融的发展[J]. 国际商务研究，2009(4).

[15]刘妙桃，苏小明. 低碳消费：构建生态文明的必然选择[J]. 消费经济，2011(1).

[16]刘敏，刘焕新. 湖南发展低碳消费对策研究[J]. 湖南社会科学，2010(4).

[17]刘庆强，温剑锋，山枫，蔡邦成，陆根法，马妍. 个人行为改善与减缓气候变暖研究[J]. 四川环境，2007(8).

[18]刘志梅. 对广东奢侈品消费的现实思考[J]. 消费经济，2009(7).

[19]骆华. 低碳经济的经济学分析[J]. 现代管理科学，2010(8).

[20]马瑞婧. 推行绿色消费的障碍及其对策[J]. 商业时代；2006，12.

[21]潘安敏，陈略. 城市低碳消费模式探讨[J]. 消费经济，2005(7).

[22]饶田田，杨玲萍，吕涛. 低碳消费行为形成机理的理论模型[J]. 江苏商论，2010(11).

[23]任卫峰. 低碳经济与环境金融创新[J]. 上海经济研究，2008(3).

[24]孙延红. 低碳经济时代对低碳消费模式的新探索[J]. 山西财经大学学报，2010，(11).

[25]孙耀武. 培育我国低碳消费方式的思考[J]. 前沿，2011(1).

[26]田晖. 基于岭回归法的居民消费行为影响因素实证分析[J]. 消费经济，2007，03.

[27]王凤. 公众参与环保行为机理研究[M]. 北京：中国环境科学出版社，2009.

[28]王建明. 消费者资源节约与环境保护行为及其影响机理——理论模型、实证检验和管制政策[M]. 北京：中

国社会科学出版社，2010.
[29]王留之，宋阳. 略论我国碳交易的金融创新及其风险防范[J]. 现代财经，2009(6).
[30]王绍武. 全球气候变暖与未来发展趋势. 第四纪研究，1991，(3)：269～276.
[31]王宇，李季. 碳金融：应对气候变化的金融创新机制[N]. 中国经济时报，2008－12－19.
[32]吴刚. 低碳经济转型路径探析[M]. 西安：陕西人民出版社，2010.
[33]吴玉宇. 我国碳金融发展及碳金融机制创新策略[J]. 上海金融，2009(10).
[34]辛玲. 低碳消费方式的评价指标体系与综合评价模型[J]. 统计与决策，2011，11.
[35]邢继俊，黄栋，赵刚. 低碳经济报告[M]. 北京：电子工业出版社，2010.
[36]徐玖平. 低碳经济引论[M]. 北京：科学出版社，2011.
[37]晏露蓉，赖永文，张斌，李志林. 论助推低碳经济发展的绿色金融创新[J]. 福建金融，2009(12).
[38]杨敬舒. 中国居民攀比性消费行为影响因素的实证研究[J]. 西北大学学报，2010(1).
[39]杨志，刘丹萍，郭兆晖. 推开低碳经济之窗[M]. 北京：经济管理出版社，2010.
[40]于伟. 消费者绿色消费行为形成机理分析——基于群体压力和环境认知的视角[J]. 消费经济，2009，04.
[41]于小强. 低碳消费方式实现路径分析[J]. 消费经济，2010(4).
[42]于雪丽. 消费文化与文化选择[J]. 北方论丛，2008(4).
[43]袁少锋，高英，郑玉香. 面子消费、地位消费倾向与炫耀性消费行为——基于理论关系模型及实证检验[J]. 财经论丛，2009(9).
[44]张福锁，江荣风，杨相东，张卫峰. 缓/控释肥料发展中的问题及对策[J]. 中国农资，2005：51～52.
[45]张茉楠. 中国须积极构建碳金融体系[N]. 上海金融报，2009－07－21.
[46]张秀利. 我国经济制度变迁中的不确定性因素与消费倾向的关联分析[D]. 重庆：西南师范大学，2005.
[47]赵敏. 低碳消费方式实现途径探讨[J]. 经济问题探索，2011(2).
[48]志文，史文山. 可持续发展的核心是处理好人与自然的关系——一个思想形成的漫长历程[J]. 国家行政学院学报，2002(6).
[49]周劼. 税收制度对消费者行为的影响研究[D]. 湘潭：湘潭大学，2008.
[50]周小川. 利用金融市场支持节能减排[J]. 中国金融家，2007(8).
[51]朱洪革，佟立冬. 城市居民生态消费支付意愿的调查分析[J]. 消费经济，2009(4).
[52]朱铁臻. 循环经济的理论基础是生态经济[N]. 中国经济时报，2005(4).
[53]朱雨可. 社会保障制度变迁对我国居民消费行为的影响[J]. 消费经济，2005(12).
[54]诸大建，陈飞. 上海建设低碳经济型城市的研究[M]. 上海：同济大学出版社，2010.
[55]诸大建. 生态文明与绿色发展[M]. 上海：上海人民出版社，2008.
[56]邹玲，骆昀晖. 我国居民消费波动的影响因素研究[J]. 经济理论与经济管理，2009(4).
[57]2050 中国能源和碳排放研究课题组. 2050 中国能源和碳排放报告[M]. 北京：科学出版社，2009.
[58]Arbuthnot J, Lingg S, A Comparison of French and American Environmental Behavior: Knowledge and Attitudes [J]. International Journal of Psychology, 1975, 10(4): 275～281.
[59]Boulding K E. The Economics of the Coming Spaceship Earth[M]. Maryland: Johns Hopkins Press, 1996.

[60]OECD. Indicators to Measure Decoupling of Environmental Pressure From Economic Growth [R]. Summary Report, OECDSG/SD, 2002.

[61]Samdahl D M, Robertson R. Social Determinants of Environmental Concern: Specification and Test of the Model [J]. Environment and Behavior, 1989, 21(1): 57 ~81.

[62]Sia A P, Hungerford H R , Tomera A N. Selected predictors of responsible environmental behavior: an analysis [J]. Journal of Environmental Education , 1985 , 17 (2) : 31 ~40.

[63]Stern P C. Toward a Coherent Theory of Environmentally Significant Behavior[J]. Journal of Social Issues, 2000, 56(3): 407 ~424.

[64]Tapio P. Towards a theory of decoupling: Degrees of decoupling in The EU and the case of road traffic in Finland between 1970 and 2001 [J]. Journal of Transport Policy, 2005 (12): 137 ~151.